思想
REFLEXION 29

動物與社會

編輯委員會

總　編　輯：錢永祥

編輯委員：王智明、汪宏倫、沈松僑、林載爵
　　　　　周保松、陳正國、陳宜中、陳冠中

聯絡信箱：reflexion.linking@gmail.com

網址：www.linkingbooks.com.tw/reflexion/

對「天下」的想像：
一個烏托邦想像背後的政治、思想與學術

葛兆光······1

提倡「天下主義」或「天下體系」的學者，對這個叫做「天下」的古代概念表現了異乎尋常的熱情，總在宣稱它可以拯救世界的未來。可是，真的是這樣嗎？歷史也好，文獻也好，現實也好，似乎都並不能給這種說法作證。

網民政治參與中的民粹主義傾向

叢日雲······57

由於中國具有「平民化社會」的歷史傳統，而當代社會的特徵是「無結構的大眾」，雖然互聯網為民眾參與開闢了便捷的通道，但網民卻不是具有公共參與經歷和受到健康的公民教育的公民，這使中國網民極易走上民粹主義道路。

動物與社會

前言

錢永祥······98

50年間消逝的生命：台灣流浪動物議題概述

汪盈利······99

流浪動物這個議題在台灣是有其歷史的。回顧之後，我們可以了解在街頭巷尾求生的流浪動物，在台灣這50年來的曲折但不改其悲慘的生死命運。

是後人類？還是後動物？：從《何謂後人文主義？》談起

黃宗慧······117

不管學者們對後人類持保留態度或是樂見其成，人類中心主義在這波思潮下，已隨著「人」的概念被反覆問題化而連帶受到檢視，也因此我們在後人類論述中，看到了動物研究隨之興起的可能。

回首第一代英國反動物實驗運動

李鑑慧‧‧‧‧‧‧‧‧‧‧‧‧‧‧‧‧‧‧‧‧‧‧‧‧‧‧‧‧‧‧‧‧143

在這科學、科技影響無孔不入、科學主義益發根深柢固的21世紀,人們多半不再設想一個免於大規模動物受苦之科學文化;動物實驗似乎也成為人類文明中另一個已被「常規化」的「難以想像之事」。

簡談電影與動物研究

唐葆真‧‧‧‧‧‧‧‧‧‧‧‧‧‧‧‧‧‧‧‧‧‧‧‧‧‧‧‧‧‧‧‧161

當我們以「動物電影」中呈現的動物性、人動關係、動物象徵等議題舉例說明人類應如何看待真實動物時,也應該同時由「電影動物」的角度切入分析影片。

「人與動物關係學」與動物保護政策:
台灣經驗的啟示

吳宗憲‧‧‧‧‧‧‧‧‧‧‧‧‧‧‧‧‧‧‧‧‧‧‧‧‧‧‧‧‧179

動物倫理學者應該提出各種道德論述,而動物科學家應該透過實驗證據協助倫理學加強化其論述,最後,政策學者的角色應該是分析政治運動策略以及建構公共治理原則,使得公共政策得以順利產生且有效執行。

動物的生命:《動物解放》40週年的反思

錢永祥‧‧‧‧‧‧‧‧‧‧‧‧‧‧‧‧‧‧‧‧‧‧‧‧‧‧‧‧‧‧201

西方倫理學的傳統,一向不承認動物的生命能有道德的意義,這個想法來自一種雖屬自然但是錯誤的想像人類生命的方式。辛格的動物倫理學扭轉了西方倫理學傳統的生命觀。

思想訪談

動物保護事業在中國:莽萍先生訪談錄

陳宜中‧‧‧‧‧‧‧‧‧‧‧‧‧‧‧‧‧‧‧‧‧‧‧‧‧‧‧‧‧225

觀察動物園其實就是在觀察一個社會。動物園動物的處境,映照出的是一個社會裡的人的狀況,他們的精神面貌和他們受物欲控制的程度。

兩岸儒家

前言

楊儒賓、何乏筆・・・・・・・・・・・・・・・・・・・・・・・・・・・・・・・・・・・・・・・269

關於「新儒家」的爭論：回應《澎湃新聞》訪問之回應

李明輝・・・273

說港台新儒家反對共產主義與唯物論，這固然是事實。但因此而推斷他們反對社會主義或不了解社會主義，則是毫無根據、想當然耳的臆想。

「港台新儒家」與「大陸新儒家」的「兩行」反思

賴錫三・・・285

我的基本態度是，大陸和台灣學者皆可藉此機會進行雙向反思，而不必掉入「彼是我非」的簡單對立。

新儒家、自由主義與社會主義能否會通？：關於中國混雜現代化的弔詭格局

何乏筆・・・295

自文化民族主義的立場對西方現代性和西方價值進行反駁，這並不是一種進步，也不意味著開發中華文化的普遍性，以及對世界文化的貢獻，反而代表著一種朝向自我封閉的退步。

開出說？銜接說？

楊儒賓・・・305

港台新儒家是最典型的文化傳統主義者，但在民主理念上，他們卻強力支持明顯地是西方引進的民主制度。

對於大陸新公羊學的初步省思

劉滄龍··315

反對當代新儒家借用外來語彙、思維來詮釋中國哲學，反對雜異、追求純粹與本質化的同一性主體，此一激進的保守主義立場、本質主義式的文化認同，究竟對反思西方現代性或建構制度化儒學的思想工作有何益處？

知識的生產：為何儒學？什麼政治？如何現代？

劉紀蕙··325

從蔣慶、甘陽到強世功，我們正好看到了從儒家倫理論述到帝國政策制定的一脈相承。前現代的帝國想像成為了當前擴張中的大政府治理的政治修辭。

致讀者··339

對「天下」的想像：
一個烏托邦想像背後的政治、思想與學術

葛兆光

　　一種思想狀況如果與它所處的現實狀況不一致，則這種思想狀況就是烏托邦。

——《意識形態與烏托邦》（中譯本，頁196）

　　一個關於未來世界的烏托邦想像，近十幾年來，趁著當代中國膨脹的勢頭，借著西方新理論的潮流，穿著傳統中國文化的外衣，在中國大陸被反復敘說，這個烏托邦叫作「天下」[1]。

　　雖然我用「想像」這個詞形容「天下」，多少有點兒無視它在論說者那裡已然影響到實際的政治領域和制度層面，但我仍然覺得，當它還沒有真的成為國際關係原則或外交事務政策的時候，我寧可在討論中暫且把它當成是學者的想像。當然我知道，這種有關「天下」的想像，近年來從哲學式的「天下體系」、政治化的「天

1　這類論著相當多，茲舉幾個重要的例子：盛洪，《為萬世開太平》（北京：北京大學出版社，1999；增訂本，中國發展出版社，2010）；趙汀陽，《天下體系：世界制度哲學導論》（南京：江蘇教育出版社，2005）；姚中秋，《華夏秩序治理史》卷一（海口：海南出版社，2012）；李揚帆，《湧動的天下：中國世界觀變遷史論（1500-1911）》（北京：智慧財產權出版社，2012）等等。

下秩序」，到觀念中的「天下主義」，先不說它背後是什麼，至少它的左邊有來自西方的新帝國批判理論加持，顯得政治正確而義正辭嚴，右邊有來自傳統的公羊「三世說」護佑，看上去言之有據而歷史悠久。特別是它隱含的指向始終是要成為政府的、政治的和政策的依據，因此，在當今對美國主導現行國際秩序的質疑聲浪越來越高漲的情勢下，一個作為現行國際秩序替代方案的天下秩序，好像真的可以給我們的未來帶來一個更加公正、平等與和平的世界。

真的是這樣嗎？無論是與不是，這種滿懷期待使得有關「天下」的烏托邦想像，似乎真的有了所謂「從空想到科學」的可能。伴隨著所謂「中國崛起」，一些學界朋友已經迫不及待地在討論「世界歷史的中國時刻」[2]。什麼是「世界歷史的中國時刻」？言下之意，自然是19世紀是英國世紀，20世紀是美國世紀，21世紀呢？當然就是中國世紀。既然21世紀是中國的世紀，就應當由中國主導世界秩序。這個由中國主導的世界新秩序，按照他們的說法就是重建古代中國的「天下」。他們興奮地發現，古代中國所描述的「天下」，不僅是地理意義上的「世界」，還是心理意義上的「民心」，更重

2　2012年12月，在北京召開了一次討論會，會議的討論記錄發表在《開放時代》（廣州）2013年2期，題目就是「世界歷史的中國時刻」。這個說法大概非常被發明者珍愛，因此，《文化縱橫》（北京）2013年6月號也發表了參與者大體相同的學者題為「世界秩序的中國想像」的筆談（這裡恰好用了「中國想像」這個詞），而其中第一篇就是署名「秋風」，即發起者姚中秋的文章，題目就是〈世界歷史的中國時刻〉。順便可以提及的是，這一期中，另兩篇文章題目頗聳人聽聞，一篇即歐樹軍的〈重回世界權力中心的中國〉，另一篇是施展的〈超越民族主義〉，其副標題為「世界領導性國家的歷史經驗」。

要的它還是「倫理學／政治學」意義上的「一種『世界一家』的理想或烏托邦（所謂四海一家）」。

不過，千萬不要以為這些樂觀的學者願意把「天下」僅僅當做一個烏托邦；正如曼海姆所說，「當它（烏托邦）轉化為行動時，傾向於局部或全部地打破當時佔優勢的事物的秩序」[3]，他們更願意打破現行國際秩序，讓這個「烏托邦」成為一種「世界制度」，以及由這一「世界制度」建立一個「世界政府」。

一、歷史中的「天下」：內外、華夷與尊卑

習慣於憑證據說話的歷史學家，並不太願意預測未來，為什麼？因為未來彷彿「天有不測風雲」。過去已經留下證據，論述容易言之有據，而未來口說無憑，存在太多的變數。不過奇怪的是，說未來的人卻特別喜歡綁架過去，總是試圖讓有據的歷史為無憑的未來背書，借過去的理想支持未來的想像。本來，我並不想討論「天下」觀念的歷史，因為在歷史學界，這是一個討論得相當成熟的話題，並不值得在這裡重複。不過，由於想像「天下」的學者，一面引經據典地敘說歷史上中國的「天下」如何如何，一面卻總是無視這些歷史學家的論著，因而使得我只好也來討論歷史，看看這些對於「天下」的所謂新說，是一種什麼樣的「非歷史的歷史」。

對於「天下」，有一種最具想像力的說法是，古代中國的「天下」給現代世界提供了歷史經驗，因為那曾是一個萬邦協和的大世界。據說，「天下」就是一個沒有「內」和「外」，沒有「我」和

3　卡爾·曼海姆《意識形態與烏托邦》（黎鳴等譯，北京：商務印書館，2000）第四章，頁196。

「你」之分，所有的人都被平等對待的世界。「如果想在政治上和文化上實現真正的穩定統一，就必須採用儒家的天下主義立場，推行王道政治，實施天下方案」[4]。

這一說法究竟有多少歷史證據？當代論述「天下」的人毫不在意。他們常常在歷史資料中挑挑揀揀，選出符合自己口味的東西拼湊裝盤，顯得好像很有依據。可是作為歷史學者，不能不重新回到故紙堆中讓證據說話。前面說過，古代中國的所謂「天下」觀念，在歷史學界早已是舊話題，相關的歷史資料和學術討論已經相當豐富，只是現代重提「天下」的學者，急於表達他們的新見解，而根本不看或者不願意看而已。我想不必學究氣地一一羅列，僅舉其大者，二戰前就有小川琢治〈戰國以前の地理智識の限界〉，討論古代中國的「天下」，收在他的《支那歷史地理研究》之中；戰後則如日本安部健夫的《古代中國的天下觀》長篇論文，就收在1956年哈佛燕京學社與同志社大學合作的「東方文化講座」系列出版物中。1982年台灣學者邢義田撰寫的〈天下一家——中國人的天下觀〉，也收在當年台北聯經出版公司出版的《中國文化新論》之中；而說到大陸學者，則有羅志田的〈先秦的五服制與古代的天下中國觀〉，收在他1998年在台北東大圖書公司出版的《民族主義與近代中國思想》一書中[5]。

4　郭沂，〈天下主義：世界秩序重建的儒家方案〉，載《人民日報‧學術前沿》（北京）2013年3月（下），頁35。

5　邢義田，〈天下一家——中國人的天下觀〉，載《中國文化的源與流》（《中國文化新論》之一，原為台北聯經出版事業公司1982年版，此處用大陸版：合肥：黃山書社，2012年新版）；羅志田，〈先秦的五服制與古代的天下中國觀〉，載其《民族主義與近代中國思想》（台北：東大圖書公司，1998）頁1-34。此外，可參看葛兆光，

　　在以上這些論著裡，討論「天下」觀念的歷史學者，好像和現
在試圖以「天下」當新世界觀的學者相反，他們都會強調一個關鍵，
即古代中國人心目中的「天下」往往涉及「我」／「他」、「內」
／「外」、「華」／「夷」，也就是「中國」與「四方」。以商代
為例，無論是陳夢家、胡厚宣還是張光直，在討論商代甲骨文字資
料以及考古發現的「亞」形墓葬或建築時，都指出古人以「自我」
為中心產生出「周邊」（五方或四方）的觀念，因而常常有「四土
（社）」、「四風」、「四方」的說法。這時的「我者」是殷商，
「他者」是諸如羌、盂、周、禦、鬼等等方國，「這些方國及其包
圍的豫北、冀南、魯西、皖北和江蘇的西北，也就是商王聲威所及
的『天下』了」[6]。很顯然，這一「天下」裡非常重要的是：地理意
義上必然有中心與四方，在族群意識中就分「我」（中心）與「他」
（邊緣），在文化意味上就是「華」（文明）與「夷」（野蠻），
在政治地位上就有「尊」（統治）與「卑」（服從）。

　　「普天之下，莫非王土，率土之濱，莫非王臣」，古代儒家論
述的「天下」，其實往往關鍵在「以天下之大，四海之內，所共尊
者一人耳」[7]。現代人看重的「天下遠近小大若一」，只是後來尤其
是漢代公羊學家提出的理想。其實，如果稍稍看一看古典文獻就可
以知道，三代以來，王所控制的「中國」之外，還有鞭長莫及的「四
裔」，大凡言及「天下」，多會涉及「中國」和「四方」。眾所周
知，最早「中國」可能只是河洛一帶（如「宅茲中國」），只是中

（續）───────────────

　　　〈天下、中國與四夷〉，載王元化主編，《學術集林》（上海遠東
　　　　出版社，1999）第十六卷。

　6　前引邢義田，〈天下一家──中國人的天下觀〉，頁289。

　7　陳立，《白虎通疏證》（北京：中華書局，1994）卷二，頁47。

原族群漸漸擴張，它成為這一核心文明與核心族群對於自我疆域的
稱呼。因此，在早期古文獻中，雖然有時候「天下」只是「中國」[8]，
不過，隨著核心區域逐漸擴大，對外部世界知識也在增長，一些原
本的四夷漸漸融入中國，而漸漸膨脹的中國擁有了更遙遠的四夷，
人們口中的「天下」，有時候指的是「中國」，有時候則包括了「中
國」和「四夷」[9]。前者如《戰國策·秦策三》裡范睢說的，「今韓、
魏，中國之處，天下之樞也，王若欲霸，必親中國而以為天下樞，
以威齊、趙」[10]，這裡以「天下」與「中國」對舉，大概「天下」
只是「中國」，周邊異族和異文明就是與「中國」相對的「四夷」，
就像《史記·秦始皇本紀》裡面秦二世詔書說的，「天下已立，外
攘四夷」[11]。後者則如《禮記·禮運》裡面常常被引用的那一句「以
天下為一家，以中國為一人」[12]，這裡「天下」比「中國」要大，
後來《白虎通·號篇》所謂「天子至尊，即備有天下之號，而兼萬
國矣」，「天下」就包容了萬國，不僅是中國，也包容了四夷[13]。

　　漢代之後特別是到了隋唐，「天下」越來越兼帶「中國」與「四

8　渡邊信一郎，《中國古代的王權與天下秩序》（徐沖中譯本；北京：
　　中華書局，2008）引韓國學者金翰奎說，頁13。

9　前引渡邊信一郎，《中國古代的王權與天下秩序》在討論圍繞「天
　　下」的學說史時，就說在日韓學者裡面，一種意見是「天下」乃是
　　超越了民族、地域並呈同心圓狀擴展的世界，或將其理解為世界秩
　　序、帝國概念之類（如田崎仁義、平岡武夫、金翰奎），一種意見
　　是「天下就是中國─九州，將其理解為處於強力統治權下的國民國
　　家概念」（如山田統、安部健夫），頁9-15。

10　《戰國策》（上海：上海古籍出版社，1978）卷五《秦三》，頁190。

11　《史記·天官書》裡面也說「秦以兵滅六王，並中國，攘四夷」。

12　《禮記正義》卷二十二，《十三經注疏》，頁1422。

13　陳立《白虎通疏證》卷二，頁57。

夷」[14]。原本，這種「天下」在古代有各種稱呼，比如《禹貢》、《國語‧周語上》、《周禮‧職方氏》裡面的「五服（王畿與甸、侯、賓、要、荒服）」或「九服」（王畿與侯服、甸服、男服、采服、衛服、蠻服、夷服、鎮服、藩服）。但無論如何，內外、華夷、尊卑都是分得很清楚的。所以，漢初人撰寫《王制》，為大一統的「天下」立規矩就說「中國、戎夷、五方之民，皆有性也，不可推移」[15]。此後，無論如何變化，在這些想像和觀念中，一個極為重要的判斷始終貫穿其中，這就是在這個「天下」裡：

（一）有「內」與「外」的區別。大地彷彿一個棋盤，或者像一個回字形，由中心向四邊不斷延伸，「內」是以「九州」（冀、兗、青、徐、揚、荊、豫、梁、雍）為核心的，這就是後來「中國」的基礎。而「外」則是所謂「四裔」，即《周禮‧大行人》裡的「九州之外，謂之藩國，世一見，各以其所寶貴為摯」，就是一個世代才帶了各自寶物來中國朝見一次的「東夷、北狄、西戎、南蠻」[16]。

（二）有「華」與「夷」的不同。自己所在的地方，是「天下」的中心，也是「華夏」即文明的中心，中央的文明程度遠遠高於四裔（也就是「蠻夷」）的文明程度[17]。在這個文明格局中，文明程

14　前引渡邊信一郎書也引用歷史學者高明士的說法，指出到了隋唐時代，「天下」就往往是象徵「自中國向東亞至於全世界，呈同心圓狀擴展的結構」，頁13。

15　《禮記正義》卷十二，《十三經注疏》影印本，頁1338。

16　《周禮注疏》卷三十七，《十三經注疏》頁892。

17　民族學家馬戎也指出，傳統中國的族群觀念中，一是以東亞大陸的「中原地區」為世界文化、政治人口核心區域，形成「天下觀」，二是給「天下」族群分類時，以中原文化作為核心，構築起「夷夏觀」，三是以華夏文化教化四裔蠻狄戎夷，有教無類的「一統觀」，

度與空間遠近有關，地理空間越靠外緣，就越荒蕪，住在那裡的民族也就越野蠻，文明的等級也越低，

（三）有「尊」和「卑」的差異。文明等級低的四裔應當服從中國，四裔僅僅可以得到較低的爵位或稱號，享受比較簡陋的禮儀服飾，其政治上的合法性，要得到中央（皇帝）的承認（冊封），並且要向中央王朝稱臣納貢，用《國語·周語上》中祭公謀父的說法，「甸服者祭，侯服者祀，賓服者享，要服者貢，荒服者王」，如果不按照這種要求侍奉中央，「於是乎有刑不祭，伐不祀，征不享，讓不貢，告不王。於是乎有刑罰之辟，有攻伐之兵，有征討之備，有威讓之令，有文告之辭」[18]。

我想特別強調一點，儘管把隻言片語「選出而敘述之」來進行「抽象繼承」或「創造詮釋」，也是一種哲學史式的傳統[19]，但是

（續）──────────────

這三個觀念很有趣地交融在一起。見氏著〈中國傳統「族群觀」與先秦文獻「族」字使用淺析〉，收入關世傑主編，《世界文化的東亞視角》（北京：北京大學出版社，2004），3頁90。

18　《國語·周語上》（上海：上海古籍出版社，1988），頁4。這裡可以補充一點，日本學者尾形勇，《漢代における「天下一家」について》中指出，「天下一家」的說法，有三個層次，一是以「家」的內部秩序擴大為國家秩序，二是政權歸於一家一姓，天下一統，三是帝王權力之外，抑制所有的私家，在這個意味上實現天下一家。在以上三個層次中，第一個是從儒家思想的立場陳述理想的國家秩序，因此與現實國家秩序應當有所區別，對此，第二和第三個則應當理解為反映了漢帝國的國家秩序和權力構造的重要側面。載《榎博士還曆紀念東洋史論叢》（東京：山川出版社，1975），頁151-152。

19　這是馮友蘭的方法，參見《中國哲學史》（北京：中華書局重印本，1984）第一章，頁1。

從歷史學角度看，古代詞語的解讀需要有具體語境和歷史背景，而且古代中國的觀念也往往不是一個放諸四海而皆準的「硬道理」，它要放在相近的觀念群中一起理解。比如「大一統」的政治理想，要和「華夷之辨」的差序秩序放在一起，你才能知道這個「大一統」中，並不是「若一」而是有內外遠近之差異的；「有教無類」這樣的教育理念，要和「君子野人」的等級秩序和「勞心勞力」的社會分工聯繫起來，你才能體會到看似無差別的教育理念，恰恰是以古代中國等級差別制度為基礎的；「夷狄則夷狄之，中國則中國之」這種泛文化的民族觀念，也要和「懷柔遠人」這樣的世界理想放在一起，你才能知道這種看似平等的文化理念，其實背後也有用有力量的文明「說服」較弱小的野蠻的意思；同樣，「萬邦大同」這樣的遙遠願景，也要與「天下歸心」這樣的世界雄心連在一起，沒有「周公吐哺」的氣派和「稱雄一代」的實力，你只能成為「萬邦」中的「一邦」，卻成不了「天下」皆歸於我的英雄。單純抽出「天下」二字來，認為這是一種充滿「平等」和「和諧」的世界觀，恐怕不僅是反歷史的歷史想像，充其量只是表現一種浪漫情懷和崇高理想，難免這樣的諷刺，即「拔著自己的頭髮離開大地」或「乘著概念的紙飛機在空中飛」。

有沒有「遠近小大若一」，既相容又和諧，能和平共處的「天下」呢[20]？也許，除了《禮記·禮運》之外，還可以舉出《墨子·法儀》中的「今天下無大小國，皆天之邑也」和《荀子·儒效》中

---

20 趙汀陽在一次與韓國學者題為〈天下體系論——超越華夷秩序，走向烏托邦〉的訪談中，說到「天下體系論的兩個核心原則，一是相容，另一個是和諧」。見〔韓〕文正仁，《中國崛起大戰略與中國知識精英的深層對話》（北京：世界知識出版社，2011），頁33。

的「四海之內若一家」作為證據，說這就是古代中國人的思想。其
實，說「思想」當然可以，說「理想」或許更加合適。過去，錢穆
在《中國文化史導論》中也曾經說過，「當時所謂『王天下』，實
即等於現代人理想中的創建世界政府。凡屬世界人類文化照耀的地
方，都統屬於唯一政府之下，受同一的統治」。他把這個天下統一
的狀況，用《中庸》裡的「今天下車同軌，書同文，行同倫，舟車
所至，人力所通，天之所覆，地之所載，日月所照，霜露所墜，凡
有血氣者，莫不尊親」來證明，認為這就是「全世界人類都融凝成
一個文化團體」[21]。現在提倡「天下主義」的學者，其實只是當年
錢穆先生的舊調重彈。

但是，容我坦率地說，這種理想的「天下」充其量只是古代學
者的思想著作，卻不是歷史中的政治現實[22]。就連《荀子‧正論》
也說，無論如何還是要分諸夏和夷狄的，「諸夏之國，同服同儀，
蠻夷戎狄之國，同服不同制。封內甸服，封外侯服，侯衛賓服，蠻
夷要服，戎狄荒服。甸服者祭，侯服者祀，賓服者享，要服者貢，
荒服者王」，這叫做「視形勢而制械用，稱遠近而等貢獻，是王者
之至也」[23]。如果不納貢不臣服，怎麼辦呢？那當然只好用武力解

21　錢穆，《中國文化史導論（修訂本）》（重印本，北京：商務印書
　　館，1994）第二章，頁37。

22　已經有人指出，「天下」觀念本身隱含著整體主義、華夏中心主義
　　和倫理中心主義，自從秦漢統一以來，天下主義就面臨著理想與現
　　實、政治認同與文化認同的糾纏，包含著兩種解釋的可能。見朱其
　　永〈天下主義的困境及其近代遭遇〉，原載《學術月刊》（上海）
　　2010年第1期，頁49-54。

23　王先謙，《荀子集解》（北京：中華書局重印「諸子集成」本）卷
　　十二，頁220。前面所引《荀子‧儒效》中的「四海之內若一家」一

決。《偽古文尚書・武成》有一句話叫作「一戎衣，天下大定」。
可見，沒有超邁群倫的軍事實力，就沒有大國定天下的權威[24]，所
以杜甫《重經昭陵》才說唐太宗李世民，是「風塵三尺劍，社稷一
戎衣」。傳說中，古代夏禹大會天下，雖說百獸率舞，萬邦協和，
但防風氏的部族首領遲到，就要被殺掉。更不要說對於周邊的蠻族，
《左傳》裡面這類例子很多，如「晉侯曰：戎狄無親而貪，不如伐
之。……戎，禽獸也。獲戎失華，無乃不可乎」（襄公四年）；「梁
由靡曰：狄無恥，從之，必大克」（僖公八年）；「蠻夷戎狄，不
式王命，淫湎毀常，王命伐之，則又獻捷」（成公二年）。你可以
看到，整個春秋戰國，一會兒是「南蠻北狄交錯」，一會兒是「王
命征伐，靡有孑遺」。

　　中國歷史上的「天下」何嘗是德化廣被、四裔大同？「華夏—
中國」的誕生，何嘗是協和萬邦、和合萬國？就連提倡「天下體系」
的學者，也不能不承認「事實上的古代中國帝國的確與『天下／帝
國』理想有相當的距離，以至於在許多方面只不過是個普通的帝
國」。但奇怪的是，他們仍然堅持這一烏托邦想像，說這個古代帝
國「在文化追求上一直試圖按照『天下／帝國』的文化標準去行事」，
沒有異端、天下為公、世界是一個完整的政治單位、優先考慮的不
是領土開拓而是持久性問題、朝貢只是自願的系統[25]。可是，真的

（續）────────────
　　句，後面緊接著的兩句，就是「通達之屬，莫不服從」，還是強調
　　有主從之分。同上卷四，頁77。
24　《尚書・武成》：「一戎衣，天下大定」（注：衣，服也。一著戎
　　服而滅紂，言與眾同心，動有成功）。雖然《武成》一篇是偽古文，
　　但漢代以後作為經典，它的思想一樣具有經典和權威的意義。見《十
　　三經注疏》，頁185。
25　趙汀陽，〈天下體系：帝國與世界制度〉，先發表在《世界哲學》

是這樣嗎？以現代某些學者標榜的「結束戰國時代，建立起天下主
義文化的文明」或者「終結了中古混亂，建立起天下帝國」的漢、
唐盛世為例罷。漢武帝時代，中國強盛，便多次征伐匈奴，五道進
擊南越，同時攻打西羌、平定西南夷、遠征車師、滅掉朝鮮[26]，一
方面用策略，即所謂「東拔穢貉、朝鮮以為郡，而西置酒泉郡以隔
絕胡與羌通之路」，一方面用武力，「斬首虜（匈奴）三萬二百級，
獲五王，五王母」，「誅且蘭、邛君，並殺筰侯」，「攻敗越人，
縱火燒城」[27]，這才造成大漢帝國無遠弗屆的天下；同樣強盛起來
的唐太宗時代，先攻打突厥，開黨項之地為十六州，四十七縣，再
進擊吐谷渾，征討高句麗，遠征焉耆、龜茲[28]。正如古人所說，中

(續)————————————

　　2003年第5期，頁20，後收入其《沒有世界的世界觀》（北京：中
　　國人民大學出版社，2005），頁33；然後再作為其《天下體系》一
　　書的部分，頁77。

26　漢武帝時代征伐匈奴，置武威、酒泉、敦煌、張掖四郡，在元鼎六
　　年（B.C.-111），五道進擊南越，設南海、蒼梧、郁林、合浦、交
　　趾、九真、日南、珠崖、儋耳九郡，攻打西羌，也在元鼎六年
　　（B.C.111），平定西南夷，並置牂柯、越巂、沈黎、汶山、武都
　　等郡，仍是元鼎六年（B.C.111），接著遠征車師，俘樓蘭王，在
　　元封三年（B.C.108）、同時，又派遣大軍攻打朝鮮，最終朝鮮大
　　臣殺國王衛右渠，衛氏朝鮮滅亡，漢置樂浪、臨屯、玄菟、真番四
　　郡。

27　分別參見《史記》卷一百十《匈奴列傳》，卷一百十一《衛將軍驃
　　騎列傳》，卷一百一十六《西南夷列傳》，卷一百一十三《南越列
　　傳》。

28　唐太宗時期，李靖、侯君集等多次攻打突厥（629-630，640-641），
　　開黨項之地為州縣（631-632，十六州，四十七縣），李靖進擊吐
　　谷渾（634-635），大軍幾度征討高句麗（644-646，647-648），阿
　　史那社爾遠征焉耆、龜茲（648）。

外大勢就是「我衰則彼盛，我盛則彼衰，盛則侵我郊圻，衰則服我聲教」，一旦外族「兵馬強盛，有憑陵中國之志」，而中國始終相信蠻夷是「人面獸心，非我族類，強必寇盜，弱則卑服，不顧恩義，其天性也」，唐太宗贏得所謂「天可汗」之稱，還是因為有打遍天下的武力，平定突厥，打敗薛延陀，收復回紇，鎮壓高句麗。戰爭中的情形不用多說，總之是「從軍士卒，骸骨相望，遍於原野，良可哀歎」[29]。

　　有人覺得，古代天下之間以禮往來，「強調心之間的互惠，即心靈的互相尊重和應答」，這恐怕只是想像。其實，就連漢宣帝都懂得，不能純任儒家德教，要霸王道雜之[30]。政治秩序的達成和學者書齋裡的想像，真是差距太大[31]。通過感化或教化，用文明說服世界，在典籍文獻中可能有，但真正歷史上看到的，更多的卻是霍去病墓前的馬踏匈奴。英雄出現和大國崛起，主要靠的是血與火。儘管我們也希望國際秩序建立在道德、仁愛和理智的基礎上，但在實際政治和歷史中，秩序卻總是要依靠力量和利益。這是沒有辦法

29　以上分別參見《舊唐書》卷一九六下《吐蕃下》，頁5266，卷一九四《突厥上》，頁5155；魏征語，見卷一九四《突厥上》，頁5162；卷一九九上《東夷》引唐太宗詔書，頁5323。

30　漢宣帝語，見《漢書》卷九《元帝紀》：「宣帝作色曰：漢家自有制度，本以霸王道雜之，奈何純任德教，用周政乎？」這實際上指出了古代中國政治制度，並非單純用儒家學說和道德教化的實際情況，頁277。

31　可以注意徐建新〈天下體系與世界制度——評〈天下體系：世界制度哲學導論〉〉，見《國際政治科學》（北京）2007年第2期（總10期），頁113-142。這篇文章的網路版有一個很有意思的題目，叫「最壞的國際關係理論與最好的天下理論」。

的，就算是唐宋以後，周邊各國已經可以與中國相頡抗，中國已經
從「八尺大床」變成了「三尺行軍床」，但是在心中還是想重溫「天
下帝國」的舊夢，「未離海底千山黑，月到中天萬國明」，但一敗
再敗之下，只好在實際中守住漢族中國那一片疆土，在想像中做一
做「萬邦朝天」的大夢。在中國終於「睜開眼睛看世界」之前，儘
管在實際知識上，古代中國至少從張騫出使西域起，就已經在實際
上瞭解了相當廣闊的世界，儘管在國家處境上，已經處在列國並峙
的國際環境之中，但有趣的是，在觀念世界裡，中國始終相信一種
《王制》裡面描述的「天下」，把它當成「理想國」[32]。一旦有了
機會，他們常常還是想回到漢唐時代。現在提倡「天下」的學者，
也許還是在這種追憶和想像的延長線上。

　　漢唐就不必再說，不妨再看較晚的歷史。十四、十五世紀之交，
在蒙古天下帝國之後重建的漢族大明王朝，其基本疆域只是「十五
省」，在北元仍有勢力，大明自顧不暇的帝國初期即洪武、永樂時
代，他們也曾列出若干「不征之國」，試圖對於鞭長莫及的異邦不
聞不問，免得招惹太多麻煩。但當王朝內部逐漸穩定，他們就想到
「天無二日」，希望重回「天下秩序」和「朝貢體制」。可是，中
國這時已經不復漢唐。首先，日本就不樂意了，像懷良親王
（1329-1383），就在給明朝皇帝的信裡說，雖然你很強大，但「猶
有不足之心，常起滅絕之意」，但是你有興戰之心，我有抵抗之法，
「水來土掩，將至兵迎，豈肯跪途而奉之」[33]。接著，傳統屬國朝

32　據說，某學者重新翻譯和解說柏拉圖《理想國》，認為應當易名為
　　《王制》。

33　這封信雖然不見於《明實錄》，但收在明嚴從簡編，《殊域周知錄》
　　卷三中，應當可信。《續修四庫全書》（上海：上海古籍出版社影

鮮也不樂意了，說你用嚇唬小孩子的方法威脅我，其實，你自己濫用武力，根本就不能以德服人，於是，便採取在朝貢圈子裡虛與委蛇的方法[34]。再接下去，安南也不願意服從這個「天下」，儘管洪武年間安南曾經遣使尋求冊封，可安南的國內事務卻不希望明朝插手，儘管明朝皇帝威脅以「十萬大軍，水陸並進，正名致討，以昭示四夷」，但他們始終對明朝陽奉陰違。永樂年間，明朝軍隊南下征討，試圖併安南入版圖，便遭到他們的殊死抵抗，因為他們認為這是中國「假仁義，荼毒生靈，則是一殘賊耳」。明朝雖然總是自稱仁義之師，但在安南看來就是「入寇」，因為在他們心裡，中國是中國，安南是安南，「天地既定，南北分治，北雖強大，不能軋南」[35]。

　明朝永樂皇帝說過這樣一段話：「帝王居中，撫馭萬國，當如天地之大，無不覆載。遠人來歸者，悉撫綏之，俾各遂所欲」[36]，仔細體會，這就是「欲遠方萬國，無不臣服」的意思[37]。日本限山隔海，有些無奈，只好把它當作「荒服」，聽之任之；朝鮮相對臣服，也不成為肘腋之患。但如果可以劍及履及，就也會動用武力。

（續）
　　印本）史部735冊，頁509。
34 洪武二十六年（1393），李朝太祖對左右說，明太祖以為自己「兵甲眾多，刑政嚴峻，遂有天下」，但是他「殺戮過當，元勳碩輔，多不保全」，反而總是來責備我們朝鮮，「誅求無厭」，現在又來加上罪名，要來打我，真像是在恐嚇小孩子。見吳晗編，《李朝實錄中的中國史料》（北京：中華書局，1980）第一冊，頁115。
35 〔越〕吳士連《大越史記全書》卷十，頁497、550。
36 見《明太宗實錄》（台北：中研院史語所，1962）卷二十四「永樂元年十月辛亥」，頁435。
37 《明史》（中華書局，1974）卷三三二《西域傳四·於闐》，頁8614。

例如鄭和下西洋，原本就是「耀兵異域，示中國富強」，並不像「宣
德化而柔遠人」那麼和諧溫柔，所以《明史》裡面說，「宣天子詔，
因給賜其君長，不服則以武懾之」[38]，而鄭和自己也說，「番王之
不恭者，生擒之；蠻寇之侵掠者，剿滅之」[39]。從這種角度看，你
才能理解永樂一朝有關「天下秩序」的邏輯，為什麼會先興「問罪
之師」，試圖平定安南歸入明朝版圖，再以「安南之鑒」震懾南海[40]，
然後派寶船南下，沿途有擒殺舊港酋長、俘虜錫蘭國王、生擒蘇門
答臘偽王等等使用武力的舉動[41]。

　　可能，這會讓人想到弱肉強食的「叢林法則」。這確實不那麼
美妙，可如果僅僅從文本上認為，古代中國的天下「指向一種世界
一家的理想或烏托邦（四海一家）」，說它是「中國思想裡不會產
生類似西方的『異端』觀念的原因，同樣，它也不會產生西方那樣
界限清晰、斬釘截鐵的民族主義」，因而「天下」超越了國家，「堪
稱完美世界制度之先聲」[42]，甚至還越界說到古代中國史，把冊封
／朝貢體系說成是以「禮制」來處理國家與國家事務，並不強調「政

38　《明史》卷三〇四《宦官一・鄭和》，頁7766。

39　鄭和等〈天妃之神靈應記〉，載鄭鶴聲等編，《鄭和下西洋資料彙
　　編》中冊（下）（齊魯書社，1980），頁1019-1021。

40　參看王賡武，〈永樂年間（1402-1424）中國的海上世界〉指出，
　　「派使出海是永樂皇帝展示中國強大實力的重要手段」，「運用入
　　侵越南這一事例警示其他國家」，載《華人與中國：王賡武自選集》
　　（上海人民出版社，2013），頁177。

41　參看楊永康、張佳瑋，〈論永樂「郡縣安南」對「鄭和下西洋」之
　　影響〉，《文史哲》2014年5期，頁106-114。

42　趙汀陽，《天下體系：世界制度哲學導論》（南京：江蘇教育出版
　　社，2005），頁41、51及〈前言〉。

治認同」而是凸顯「文化認同」，恐怕這都只是一廂情願。回看歷史，歷史並不這樣溫柔與和睦。雖然「叢林規則」是現代列強主導世界時常有的現象，使得 power 決定分配和秩序，但我們看東亞歷史，在所謂「朝貢體系」或者「天下體系」之中，何嘗不也是強者在制定遊戲規則，弱國不服從規則，就會引發血與火呢？某些學者說古代中國的「天下」是一個沒有邊界的世界，是一個沒有「內」和「外」，沒有「我們」和「你們」之分，所有的人都被平等對待的世界，雖然用心良苦，出自善意，不太好說是癡人說夢，但它也一定不是歷史。

　　所以，我們說它是「烏托邦」。

二、崛起到夢鄉：有關「天下想像」的政治背景

　　儘管關於「天下」的討論，在1990年代中期就已經開始[43]，但我仍然打算用2005年出版的《天下體系：世界制度哲學導論》一書作為討論的起點[44]。這不僅是因為這部哲學著作，是比較全面討論「天下」的著作，而且因為此書透露不少有關「天下」討論的政治背景與思想脈絡，其中有三點格外值得注意。（一）《導論》一開

43　像盛洪〈從民族主義到天下主義〉一文，1996年就提出「天下主義」，
　　原載《戰略與管理》1996年1期，頁14-19（後收入盛洪《為萬世開
　　太平》）。第二年即1997年，盛洪還與張宇燕對話，討論到這些有
　　關天下主義的問題。見盛洪《舊邦新命：兩位讀書人漫談中國與世
　　界》（上海：上海三聯書店，2004），頁16。

44　趙汀陽的論文〈天下體系：帝國與世界制度〉發表較早，見《世界
　　哲學》2003年第5期。據此文第一個注釋說明，文章最初寫於2002
　　年。後來便成為《天下體系：世界制度哲學導論》一書的基本部分。

頭提到「重思中國」是因為「中國經濟上的成功」，這種成功使得
「中國成為世界級的課題」，這說明，「天下」作為一個重要話題，
與1995年之後特別是21世紀以來的「中國崛起」有很大關係，這是
「天下」想像的政治大背景。（二）在討論「天下」之前，此書特
別醒目地引述薩義德有關「文化帝國主義」和哈特和尼格瑞有關「帝
國」的語錄，這透露了中國有關「天下」的新見解，與國際理論界
有關「帝國」的討論，可能有某種連帶關係。（三）此書在討論「天
下」的時候，特別強調「無外」，並且引述從先秦到明清的中國論
述，認為在「天下」裡，文化或者文明是主要的基礎，「天下體系」
中沒有「異端意識」和「敵對關係」；「天下」抑制了軍事化帝國
的發展趨勢，設想了一個世界制度；在「天下」中，「領土佔有」
不再重要而是帝國持久性重要；它是一個世界性單位而各個民族國
家只是地方性單位，「禮」成為自願朝貢國與中央王朝的基本原則
等等[45]。這也讓我們看到，這些所謂「天下」的新論述，往往來自
一些對傳統儒家尤其是公羊學說的現代版解讀，這些解讀把古代理
念加以現代化詮釋，並且與現代世界秩序和國家關係的論述掛鉤。
因此，我們下面需要逐一討論。

　　首先，我們來看「中國崛起」作為「天下」理論風行的背景。
最初，「天下主義」可能只是作為「民族主義」的對立面，即「世
界主義」的同義詞被提出來的[46]，但非常弔詭的卻是，「天下主義」

45 趙汀陽，《天下體系》，頁77-80。
46 比如被認為是自由主義學者的李慎之1994年在〈全球化與中國文
　　化〉一文中說「在這個加速全球化的時代，在中國復興而取得與世
　　界各國平等地位後，中國的文化應該還是回復到文化主義和天下主
　　義──在今天說也就是全球主義」。載《太平洋學報》1994年2期，
　　頁28。

很快成為「（現行）國際秩序」的批判性概念和「世界主義」的替代性方案。1996年，一位學者發表論文，討論中國是否應當從民族主義走向到天下主義，正式提出這一有關「天下主義」的概念，但這時被濃墨重彩凸顯的，卻是「向西方主導的國際秩序的公平與道德合法性發起挑戰」。雖然應當說，這位作者未必認同民族主義，但有趣的是，他對中國的民族主義的不滿，卻是因為中國的民族主義「是一種成色不足的民族主義」[47]，更因為「近代以來，中國採取民族主義，只是一種道德上的讓步」[48]，本質上就像土耳其的「自宮式現代化」，因此，中國應當由讓步和退守的民族主義，轉向籠罩和進取的天下主義[49]。

是什麼原因使得「天下主義」會在世紀之交的中國大陸學界，從世界主義轉化為「偽裝成世界主義的民族主義」，並且希望這種主義從想像變成制度化的政治秩序？簡單地說，當然是所謂「中國

47　盛洪，〈從民族主義到天下主義〉，收入其《為萬世開太平》，頁45。

48　盛洪語，非常奇怪的是，他把這種民族主義作為「道德上的讓步」與新儒家所謂「道德坎陷」聯在一起，也見於上引《為萬世開太平》，頁45；這一段概括的總結，來自江西元，〈從天下主義到和諧世界：中國外交哲學選擇及其實踐意義〉，載《外交評論》2007年8月（總97期），頁46。

49　《文化縱橫》原本有一個「世界觀」欄目，討論諸如外交與國際關係等問題，比如2013年2月號的《民族主義與超大規模國家的視野》討論中國外交；但到2014年，則特別設立了「天下」欄目，以討論中國與中國之外的世界之關係。如2014年2月號談的是菲律賓民主政治，8月號討論中國資本在柬埔寨；10月號兩篇文章分別討論中國資本在緬甸與南蘇丹的問題等等。

崛起」引起的興奮和刺激[50]。從1990年代中期的「中國可以說不」、
「中國仍然可以說不」、「中國為什麼說不」、「中國何以說不」
到2000年代的「中國不高興」，再到2010年的「中國站起來」[51]，
在一種歷史悲情加上現實亢奮的情緒刺激下，一些沉湎於「天下想
像」的學者們覺得，現在中國經濟持續高速增長，中國物質力量有
極大發展，為了捍衛中國在全球的利益，不僅應當「持劍經商」，
而且還要在世界上「除暴安良」，更要「管理比現在中國所具有的
更大更多的資源」，這才是「大國崛起的制勝之道」[52]。他們認為，

50　王小東在《中國的民族主義與中國的未來》中說，中國在克服了1980
　　年代自我貶低的「逆向民族主義」之後，1990年代開始出現「正態
　　民族主義」，他提到一個很有意思的現象，即中國民族主義的一個
　　重要來源，是海外經驗的刺激。許多被列為「中國的民族主義者」
　　的人是曾在西方留學過的中國人。如張寬，他因對西方持批判態度
　　而被「自由派」知識分子憤怒地形容為因個人在西方境遇不佳而怨
　　恨西方的人；盛洪，他到美國訪問了一年後寫了一篇〈什麼是文
　　明〉，認為中國文明優於西方文明，從而掀起了一場討論；張承志，
　　在國外轉了一圈後寫了〈神不在異國〉及其他許多文章，因其原有
　　的知名度及文筆的優美，掀起了中國思想界的一場更大的討論。因
　　此，才有「中國命運不能交由別人掌握」的強烈想法以及「美國要
　　把中國踩在腳下」的深切感覺，特別是，在中國崛起背景下，中國
　　已經不能滿足於「發展中國家」這樣的地位。

51　關於這方面的著作很多，如馬立誠，《當代中國八種社會思潮》（北
　　京：社會科學文獻出版社，2012）第一部分第六章；以及黃煜、李
　　金銓，〈90年代中國大陸民族主義的媒體建構〉，載《台灣社會研
　　究季刊》第五十期（2003年6月），頁49-79。

52　王小東語，見宋曉軍、王小東、黃紀蘇、宋強、劉仰等，《中國不
　　高興》（南京：江蘇人民出版社，2009），頁99。據策劃者張小波
　　說，「它是1996年出版的《中國可以說不》一書的升級版，在過去

中國在過去190年來「從弱變強,硬實力持續提升的大趨勢所帶來
的,不僅僅是國族世界地位的上升直至世界秩序的重構,同樣深刻
地影響著每個自覺國人的心理、觀念、視野和行為」[53]。因此,意
圖反抗美國霸權的學者和試圖復興被壓抑的儒家學說的學者,便剛
好找到契合點,不約而同地提出在這個全球治理呼聲愈來愈高的時
代,「國力日益強大的中國,應當接續道統,重拾儒家『以天下為
一家』式的世界觀念。這一觀念體系,更宜於在一個衝突四起而又
利益粘連的世界中維持公義與和平」[54]。他們宣稱,「中國不能不
承擔起世界歷史責任,這是中國的『天命』所在」,因為世界在這
個時代出現了新問題,他們追問:「這是一個世界,還是兩個世界?
中國與美國能否共同治理世界?中國處於上升階段,一旦超過美
國,世界將會怎樣?」[55]

很有趣,「天命」這個古代論證皇權神聖性的老詞兒,最近竟
然異乎尋常地屢屢出現在中國現代學者口中,不僅僅是正面提倡「天
下」的新儒家學者。先是被稱為「中國民族主義旗手」的王小東,
他在2008年出版了一本題為《天命所歸是大國》的書,書的中心意

(續)———————————————

　　的12年裡,中國國內外的形勢發生了巨大的變化,但有一點沒有
　　變,那就是中國和西方攤牌」。

53 歐樹軍,〈重回世界權力中心的中國〉,《文化縱橫》(北京) 2013
　　年6月號,頁95。

54 這種論述,近年來在中國學術界和思想界相當流行,見〈封面選題:
　　反思中國外交哲學〉之「編者按」,以及盛洪〈儒家的外交原則及
　　其當代意義〉,載《文化縱橫》2012年第8期,頁17、45。

55 姚中秋(秋風),〈世界歷史的中國時刻〉,載《文化縱橫》2013
　　年6月號,頁78。

思在副標題裡很清楚，就叫「要做英雄國家和世界領導者」[56]。一位社會學家，最近也在《紅旗文摘》上就中國共產黨的「天命」發表了談話，認為這個天命包括「恢復和我們的人口、國土以及我們的歷史記憶相稱的亞洲大國」、「喚起一種近代百年的屈辱意識，以及加快追趕的要求」即「中華民族偉大復興的命題」[57]。還有一個學者說的很清楚，就是中國一旦取代了美國，將如何安排這個國際的秩序？他的回答是，在內，由儒家守護中國價值，對外，以中國人的世界秩序安排天下。他認為，這就是「世界歷史的中國時刻」，而「這個時刻將會持續一代人或者半個世紀」[58]。就在本文寫作的2015年初，這位學者再次發表文章談「中國的天命」，因為「只有中國人能阻止歷史終結，也即文明普遍死亡的悲劇」，為什麼？就是因為各個文明中，只有「中國人最有可能帶給世界以真正文明的天下秩序」[59]。

　　這種讓人心情澎湃的說法，在另一個由自由主義轉向國家主義的學者那裡說得更加悲情和激動。他說，一百多年來西方對於中國，就是掠奪、壓迫、陰謀，現在，他們已經出現危機，而中國正在強

56　王小東，《天命所歸是大國：要做英雄國家和世界領導者》（南京：江蘇人民出版社，2008）。

57　「中國共產黨今天還在引領這個民族，完成社會轉型這樣一個歷史重任，這個歷史重任還在，也就是『天命』還在」。見曹錦清、瑪雅，〈百年復興：關於中國共產黨的「天命」的對話〉，載《紅旗文摘》2013年7月9日。

58　同前引姚中秋（秋風），〈世界歷史的中國時刻〉，載《文化縱橫》2013年6月號，頁78。

59　姚中秋（秋風），〈中國的天命〉，載「愛思想」網，http://www.aisixiang.com/data/82361.html

大起來，中國就要拯救西方，結果是「未來時代，將會由中國人從
政治上統一全人類，建立世界政府」[60]。坦率地說，已經轉向國家
主義的這位學者說這種話，並不讓我吃驚，讓我吃驚的是，恰恰尖
銳批判過他的國家主義傾向的一位學者竟然也覺得，現在就應該是
「新天下主義」。他雖然很客氣地說，「中國步入全球的經濟中心，
但尚未成為國際事務的政治中心……在文明的意義上，中國並沒有
準備好擔當一個世界性帝國的角色」。可是，為什麼中國可以充當
「世界性帝國的角色」？他給出的解釋是白魯恂（Lucian W. Pye）
的，因為中國原來就是一個「偽裝成民族國家的文明國家」（a
civilization-state pretending to be a nation-state），而中國「忘記了自
己的文明本性。文明國家考慮的是天下，而民族國家想的只是主權；
文明國家追求的是普世之理，而民族國家在意的只是一己之勢」[61]。

　　其實，「天下主義」的政治背景很清楚，只要看看在這十幾年
間中國大陸主流政治意識形態的變遷，就可以看到從「大國崛起」
到「復興之路」，都體現了一種在經濟實力上升的時代，中國逐漸
放棄了改革開放初期「韜光養晦」或「不爭論」的策略，開始追求
作為「世界大國」的所謂「中國夢」。如果再聯繫到軍方一些強硬

60　摩羅語，見其所著《中國站起來》（武漢：長江文藝出版社，2010），
　　頁255。參看此書的第二十二章論述「中國文化必將拯救西方病」、
　　第二十四章「中國將統一世界嗎」；關於摩羅思想從自由主義向國
　　家主義的轉變，可參看許紀霖〈走向國家祭台之路──從摩羅的轉
　　向看當代中國的虛無主義〉，載《讀書》（北京：三聯書店，2010）
　　8-9期。

61　許紀霖，〈多元文明時代的中國使命〉，同上《文化縱橫》2013年
　　6月號，頁87。

路線的學者,他們提出的一系列爭霸戰略與超限戰法[62],以及近年來媒體上連篇累牘的炫耀軍事力量和先進武器的做法,就可以知道,學界這種所謂「天下主義」,實在有著非常現實的政治背景。應該說,思想世界總是很悲哀也很弔詭,人們一面在批判由於「中國特殊性」鼓動的「中國崛起」和「中國模式」,一面也依靠「中國特殊性」,試圖「重新定義並改變世界歷史本身」,在世界歷史的中國時刻,迎來一個由天下主義為基礎的「後軸心文明時代的降臨」[63]。

三、「帝國」抑或「文明國家」:一種現代批判理論如何呼應傳統天下想像?

接下來,我們再來看有關「天下」的新見解,如何與國際理論界有關「帝國」的討論,以及把中國特殊化的「文明國家」論相關。

前面說到,趙汀陽的《天下體系》在正式討論「天下」的上編開頭,就以薩義德《文化與帝國主義》與哈特和尼格瑞《帝國》的

---

62 「超限」一詞來自喬良、王湘穗,《超限戰:對全球化時代戰爭與戰法的想法》(北京:解放軍文藝出版社,1999),這本書提出了一旦中美衝突,中國可以採取無疆界、無節制、部分軍民的全方位回擊,並採取類似恐怖戰、網路戰、生態戰等等應付美國較為強大的軍事力量的辦法。

63 特別是最近的「一帶一路」的宏大計畫,更引起周邊的警覺。按:台灣一家報紙指出「『一帶一路』是中國版的馬歇爾計畫,它同時要復興的,是橫亙於歐亞之間的陸塊,中亞、東歐、中東,以及麻六甲、錫蘭、印度洋,也可說是亞洲的另一次西征」(台灣《聯合晚報》2015年1月28日)。

語錄作為引子。這並不奇怪，薩義德的「東方主義」理論和「文化帝國主義」批判，以及哈特和尼格瑞的「帝國」論，在20世紀後期到21世紀之初在中國影響很深[64]，這些學者都是值得尊敬的批判者。不過，有時候新理論的移植，由於郢書燕說，不免會「橘逾淮則為枳」。他們對西方主流思想與觀念的批判，有時會激起非西方世界情感上的同仇敵愾和自我認同，這種同仇敵愾和自我認同，又會激起對抗普遍價值和現行秩序的偏激國族主義。

世紀之交，這種對於西方尤其是美國主導的世界秩序的批判，在中國學界漸漸脫離了它原本的語境，啟動了潛藏在中國知識界心底很久的民族主義或國家主義，也呼應了現代中國的某些思潮，因而相當流行。原本，這種充滿了正義感和同情心的新理論，是在西方批判西方，一方面在政治上激烈抨擊近代以來帝國主義的政治霸權，一方面從文化上反省西方帝國主義的話語霸權，這使得「帝國」成為被熱烈討論的概念。1980年代以來，不少在西方批判西方的思潮被引進，比如後現代、後殖民、後結構理論，一些有關「帝國」和「文化帝國」的西文書籍也被翻譯成漢語，前者如哈特和尼格瑞《帝國》（2008）和弗格森《帝國》（2012），後者如湯林森《文化帝國主義》（1999）和薩義德的《文化與帝國主義》（2003）。

坦率地說，這些有關「帝國」的論說，原本取向並不一致。有

---

64 趙汀陽在中央電視台題為〈以天下觀世界〉的「百家講壇」中，一開頭就講到1999年哈特和尼格瑞的《帝國》中有關傳統帝國、新帝國以及「開始尋找另外一種政治體系」的觀點，讓他「吃了一驚」。陳曉明和韓毓海，也在北京大學與研究生進行過〈何為帝國，帝國何為——關於《帝國》的一次座談〉；2004年，兩個作者來到中國，由當時《讀書》雜誌的主編汪暉主持，在清華大學做了演講，在《讀書》雜誌進行了座談。

的是在批判全球化時代西方發達國家通過金融資本和大眾傳播、思
想藝術，導致貧弱國家的文化失語，威脅到第三世界的文化認同；
有的是在說明全球化與現代性本身的文化擴散，使得這個世界趨向
同一化，文化多元主義受到挑戰；有的則是在討論曾經的帝國主義
如何建立了現代世界的秩序，而這種帝國的消失如何導致了一個沒
有秩序的世界；還有的則是在批判前近代通過殖民和掠奪建立的帝
國消失之後，全球化與國際資本重新建立了隱秘和可怕的控制世界
的新帝國主義。在這些種種取向不一的理論中，唯一共同的，就是
強調「帝國」超越了「國家」，無論是在前現代的老帝國，還是在
後現代的新帝國，「帝國的概念的基本特徵是沒有邊境，它的規則
是沒有規則」[65]。但是，「帝國」卻在中國鉤沉出消失已久的「天
下」，而這種批判的理論或理論的批判，則由於它對全球化、現代
性以及當今世界秩序的批判，啟動了中國清算「百年屈辱」的情感、
批判「現代性」的思潮和重建「天下」體系的雄心。

　　正如哈特和尼格瑞在《帝國》序言一開頭就宣稱的，「帝國正
在我們的眼前出現」，因為「伴隨著全球市場和生產的全球流水線
的形成，全球化的秩序、一種新的規則的邏輯和結構，簡單地說，
一種新的主權形式正在出現。帝國是一個整治對象，它有效地控制
著這些全球交流，它是統治世界的最高權力」[66]。可是，這個「帝
國」的中心在哪裡？「19世紀是英國的世紀，那麼，20世紀是美國
的世紀，或者說，現代是英國的，後現代是美國的」，哈特和尼格
瑞劍指美國，可是21世紀呢？他們並沒有說。是崛起的中國嗎？美

---

65 哈特與尼格瑞，《帝國》（南京：江蘇人民出版社，2003），〈序
　　言〉，頁4。
66 哈特和尼格瑞，《帝國》，〈序言〉，頁1、3。

國帝國之後呢？有趣的是，在我所看到的各種天下理論論著中，很多學者把「天下」與「帝國」並列（如趙汀陽的「天下／帝國」），不約而同的是，論者都熱衷於把「天下」當作「帝國」的替代性方案，暗示美國主宰20世紀的「帝國」和中國建立21世紀的「天下」即將構成序列，儘管「帝國」和「天下」都是「一種以建立新秩序之名而得到認可的權力觀，這種權力觀包容它認定的文明世界的每一寸土地，包容一個無邊無際、四海如一的空間」，但是，在某些學者的說法中，「天下」就是比「帝國」更加公平、仁慈和善良。

先不必急著分析為什麼「天下」就比「帝國」好，我們不妨看另外一種同樣啟動了「天下」議論的說法，這就是把傳統中國界定為「文明國家」的說法。我在《宅茲中國》一書中曾反復強調，我不否認古代中國的國家形態確實與歐洲甚至亞洲其他國家不同，在《何為中國》一書中我也通過晚清到民國的歷史說到，中國從傳統帝國向現代國家轉型的過程，既有「從天下到萬國」，也有「納四裔入中華」，與近代歐洲以及亞洲其他國家不同，這使得現代中國相當複雜。我贊成掙脫「帝國」與「民族國家」兩分這種來自歐洲近代的國家觀念[67]。但是，這並不能引出中國自古以來是一個「既非帝國，也非國家」的結論，更不贊成中國始終就是一個「文明國家」這種沒有歷史感的說法。

所謂「文明國家」（civilization-state）的說法，正如前面曾提及可能源自白魯恂所謂「偽裝成民族國家的文明國家」，國內如甘陽等學者也特別熱心提倡這一說法，試圖從「國家」這個維度支持

67　葛兆光，《宅茲中國：重建有關「中國」的歷史論述》（北京：中華書局，2011）；《何為中國？──疆域、民族、文化與歷史》（香港：牛津大學出版社，2014）。

「中國特殊論」[68]。但問題是，白魯恂並沒有對「文明國家」的中國進行深入的歷史分析，也沒有進一步仔細論證「文明國家」這一類型究竟應當具備什麼特徵，更沒有對「文明國家」在現代世界秩序中應當如何自處提出明確看法。倒是近年來一些努力提倡「中國模式」或「中國特殊論」的學者，借著西洋一些非歷史學家比如基辛格《論中國》和馬丁·雅克《當中國統治世界》的鼓吹[69]，重新使用這一似是而非的概念，把歷史上的中國特殊化，一方面試圖把古代中國的朝貢體系打扮得很文明，一方面讓現代中國免於接受現代制度之約束[70]，這迫使很多學者不得不開始重新討論「傳統中國」的性質。

　　我們知道，按照最一般的定義，現代國家與傳統帝國的區別有若干方面，一是有明確的國境存在（國民國家以國境線劃分政治的、經濟的、文化的空間，而古代或中世國家雖然也存在中心性的政治

68　甘陽這一說法，最早見於2003年12月29日《21世紀經濟報導》吳銘
　　的訪談〈甘陽：從「民族—國家」走向「文明—國家」〉，他或許
　　覺得，中國的問題就在於20世紀中國要走入現代世界體系成為民族
　　國家，這是走了偏路，因為中國原本是文明國家，未來也應當走向
　　文明國家；參看其《文明·國家·大學》（北京：三聯書店，2012）。
69　基辛格，《論中國》（胡利平等譯，中信出版社，2012）；見〈後
　　記〉，頁517；馬丁·雅克，《當中國統治世界》（張莉等譯，中
　　信出版社，2010），頁332。
70　比如張維為《中國震撼：一個「文明型國家」的崛起》（上海人民
　　出版社，2011）第三章就認為，作為「文明型國家」的中國有八大
　　特徵，比如超大型人口規模、超廣闊疆域國土、超悠久歷史傳統，
　　超深厚文化積澱，獨特的語言，獨特的政治，獨特的社會，獨特的
　　經濟。坦率說，這八大特徵都無法證明中國在歷史上就是一個「文
　　明型國家」，只能說明現在的中國是一個特別的國家，頁57-90。

權力和政治機構,但是沒有明確的劃定國家主權的國境),二是國家主權意識(國民國家的政治空間原則上就是國家主權的範圍,擁有國家自主權不容他國干涉的國家主權和民族自決理念),三是國民概念的形成與整合國民的意識形態支配,即以國家為空間單位的民族主義(不止是由憲法、民法與國籍法規定的國民,而且由愛國心、文化、歷史、神話等等建構起來的意識形態),四是控制政治、經濟、文化空間的國家機構和制度(不僅僅是帝王或君主的權力),五是由各國構成的國際關係(國際關係的存在表明民族國家之主權獨立與空間有限性)[71]。

那麼,什麼是「文明國家」?也許它既沒有國境劃定的邊界,也沒有明確的國家主權;也許它的國民意識只是對傳統的文化認同而不是對國家的制度認同;也許是控制國家的並不是現代政府而是傳統皇權;也許它與四鄰異國的關係並不是國與國對等關係而只是一種文化聯繫。可是,中國真的是這樣的國家嗎?如果是,那麼它與「帝國」的區別何在?如果它也是超越了國家,用文化籠罩四方,那麼,它與現代批判理論所說的「文化帝國主義」或「新帝國主義」區別何在?似乎什麼都不清楚,但不清楚的概念卻被普遍使用。可是,由於這個說法呼應了過去很多中國學者有關「天下」的「文化主義」,即中國不曾用武力而是通過禮儀來建立東亞朝貢體系這一說法[72],因此它很受歡迎[73]。

---

71 西川長夫,〈国民国家論から見た「戦後」〉,載其《国民国家論の射程》(東京:柏書房,1998),頁256-286。需要說明的是,關於現代民族國家的各種論著已經非常多,我這裡只是取其方便,採用了西川氏簡明而清晰的定義。

72 一直到最近,仍有人把「綏靖」當做傳統中國文明的擴展方式,而把「征服」當做環地中海歐洲文明的擴展方式。見林崗,〈征服與

　　可是，真的是這樣嗎？按照哈特和尼格瑞的說法，帝國是「一種以建立新秩序為名而得到認可的權力觀，這種權力觀包容它認定的文明世界的每一寸土地，包容一個無邊無際四海如一的空間」[74]。那麼，「天下」是什麼？它不是也和這個建立新秩序、包容每一寸土地、四海如一的空間的「帝國」一樣嗎？在這個「帝國／天下」的背後，不也是有一個世界制度的制定者嗎？它憑什麼可以自認是「文明」而別人是「野蠻」，如果大家都要遵循它的文化和制度，那麼，不是又要回到古代中國區分華夷的傳統秩序？有趣的是，法國人德布雷在與「天下體系」的提出者趙汀陽討論的時候，已經指出這個天下體系「過分的統一，均勻和模糊」，他追問一系列尖銳的問題：作為「大家長」的核心國將由誰選出，如何選出？它對什麼人負責？它的法律怎樣制定？它對人民的宣言將用拉丁字母還是用漢字？據說，「對此，趙汀陽坦言自己只是在哲學意義上論證了『天下體系』的政治原則和普遍價值觀，而對於具體的政治權力機構就很難提前想像，也一直沒有想出很好的辦法來解決大家長的問題」[75]。

(續)————————————————

　　綏靖——文明擴展的觀察與比較〉，《北京大學學報》2012年第5
　　期，頁68-78。
73　當然，過去這種說法的代表人物多數是對於傳統有著「溫情和敬意」
　　的學者，比如前引錢穆，《中國文化史導論》中就說，「中國人常
　　把民族觀念消融在人類觀念裡，也常把國家觀念消融在天下或世界
　　的觀念裡。他們只把民族和國家當作一個文化機體，並不存有狹義
　　的民族觀與狹義的國家觀，『民族』和『國家』都只為文化而存在」
　　前引錢穆《中國文化史導論（修訂本）》，第二章，頁23。
74　哈特與尼格瑞《帝國》，中譯本，頁8。
75　參看〔法〕德布雷、〔中〕趙汀陽，《兩面之詞——關於革命問題

　　確實，誰是「大家長」？誰制定這個「天下」的規則？誰來制定這個世界制度並且仲裁其合理性？這是決定「天下」比「帝國」更好的關鍵所在。如果這一問題沒有解決，「天下」將會重新變回「帝國」。對此，我們不妨看一個非中國學者的說法，來自韓國的白永瑞在一篇題為〈中華帝國論在東亞的意義〉的論文中提出一個問題，即現在的中國是否仍是「帝國」？它是否還是古代尤其是清帝國的延續？他相當客氣地指出，「帝國」由於統治領域廣泛，因此具有多種異質性的寬容原理，但他也不無擔心說到，作為帝國的現代中國，不僅應該成為有利於中國的帝國，而且應當成為有利於世界的「好帝國」，這才是「自我實現的諾言」，因為除了「寬容」原理之外，「帝國」還具有「膨脹」因素[76]。

　　「膨脹」的結果是什麼？這位來自中國鄰國的學者，恐怕擔心的正是馬丁・雅克說的，「中國越來越有可能按朝貢體系，而不是民族國家體系構想與東亞的關係」嗎[77]？那麼，這種超越民族和國

（續）

　　的通信》，此處文字引自周仍樂對此書的評論〈關於革命——讀德布雷和趙汀陽的《兩面之詞》〉，載《文化縱橫》2014年10期，頁112。又，William A.Callaham 對於趙汀陽的「天下體系」提出了與德布雷相同的質疑，見William A.Callahan: Tianxia, Empire and the World，參見白永瑞下引文。

76 白永瑞，〈中華帝國論在東亞的意義〉，這篇文章提出這樣一個問題「中國會成為順應世界體制邏輯的帝國（換句話說，成為繼承美國的霸權國家），還是成為違背世界體制邏輯的帝國，亦或者，中國的選擇會超出以上兩種道路」，見《開放時代》（廣州）2014年第1期，頁93。還可以參看同作者的〈東亞地域秩序：超越帝國，走向東亞共同體〉，載《思想》（台北：聯經出版公司，2006年10月）第三期，頁129-150。

77 馬丁・雅克，《當中國統治世界》（張莉中譯本，中信出版社，2010），

家的世界體系叫作「天下」或者叫作「帝國」，有區別嗎[78]？

四、旁行斜出的詮釋：《春秋公羊傳》與董仲舒、何休 到莊存與、劉逢祿

現在，我們要討論最核心的問題，即傳統儒家文獻中有關「天下」的一些理想型論述，是如何一步一步被詮釋為現代版的「天下主義」的。

古代中國的「天下」論述可以追溯到很早，如果僅僅依賴字面檢索，儒道墨各家文獻中都有「天下」一詞，這不必細說。即使在早期儒家文獻中，最重要的如《論語·顏淵》裡的「天下歸仁」、《孟子·離婁》裡的「天下無敵」、《禮記·禮運》裡的「天下為公」等等，也出現得也很頻繁[79]。不過，這裡並不想用這種尋章摘

(續)——————————————

頁333。

78 不止是趙汀陽，有的學者也把「天下」和「帝國」並舉，如許紀霖就曾經以「新天下主義：中國如何成為一個文明帝國」為題，來討論中國如何成為大國，他雖然用了「文明」二字來修飾或限定「帝國」，但是這個「天下」與「帝國」顯然有很多重疊性。見《世界歷史的中國時刻》討論記錄，《開放時代》（廣州）2013年第2期，頁46-47

79 《論語·堯曰》「興滅國，繼絕世，舉逸民，天下之民歸心焉。所重，民食喪祭」；《十三經注疏》，頁2535；《論語·八佾》「二三子何患於喪乎，天下之無道也久矣，天將以夫子為木鐸」；《十三經注疏》頁2468；《左傳》成十二年「天下有道，則公侯能為民干城，而制其腹心，亂則反之」（正義曰：天下有道之時，則公侯能為捍城禦難，而使武夫從己腹心，不侵犯他國也。亂則反之，不復捍蔽己民，乃以武夫從己腹心，將武夫為股肱爪牙，以侵害他國，

句的方式（這在現代網路時代是很容易做到的），而是想從歷史角
度（尤其是從思想史的脈絡），討論一下最能刺激現代「天下」想
像的那一脈思想，尤其是公羊學一系的來龍去脈。

　　現代學者論述「天下」的時候，最經常引述的，當然是《春秋
公羊傳》。《春秋公羊傳》隱西元年記載「公子益師卒」，由於《春
秋》沒有特別記載他卒於那一天，《公羊傳》就引申和解釋，這是
因為時代遙遠，《春秋》記載事情有「所見異辭，所聞異辭，所傳
聞異辭」。東漢的注釋者何休，先把這一說法，解釋成三個歷史記
憶不同的時代，即春秋魯國十二代諸侯中，「昭、定、哀」三代是
孔子的父親與孔子自己「所見」（即親眼所見）的時代，「文、宣、
成、襄」四代，是其父親「所聞」（即聽到傳聞）的時代，「隱、
桓、莊、閔、僖」五代，是高祖、曾祖「所傳聞」（即所聽說的傳
聞）的時代，由於時代不同，加上每個人境遇、立場、觀念不同，
所以《春秋》的記載會有「異辭」。僅僅到此為止的話，本來並沒
有什麼奇怪，但接下去，何休又作了進一步發揮，就把這三個記憶
不同的時代，轉化為政治制度和道德狀態不同的時代：一個是「內
其國而外諸夏」、一個是「內諸夏而外夷狄」、最後一個是「天下
遠近小大若一」的三種不同時代。有趣的是，恰恰是這種轉了一個
方向的解釋，後來被所謂「今文學者」大加發揮，成了對於現實的
和理想的「天下秩序」的重要論述[80]。

（續）—————————————————————
　　　是反治世也）。《十三經注疏》本，頁1911。
80　《春秋公羊傳注疏》卷一，見《十三經注疏》（北京：中華書局，
　　　1980），頁2200。最近，朱聖明〈現實與思想：再論春秋「華夷之
　　　辨」〉一文很細心地指出，春秋公羊學有關華夷的論述其實是有內
　　　在矛盾的，雖然它有時按文明原則判定「華夷」（即韓愈《原道》
　　　所謂「諸侯用夷禮則夷之，進於中國則中國之」），但對華夷界限

「內其國而外諸夏，內諸夏而外夷狄」的說法，原本就來自《公羊傳》。《春秋》成公十五年冬十一月記載了叔孫僑如會見晉士燮、齊高無咎、宋華元、衛孫林父以及鄭、邾各國大夫，可是，接下來又單獨寫了一句「會吳於鍾離」。為什麼不把吳國代表也和晉、齊等國人物一氣寫下來？於是，《公羊傳》就從這一蛛絲馬跡中揣測，這是因為《春秋》對吳國另眼相看，因為吳是「外」而不是齊、晉、鄭等「內」，內外有別，所以說，「曷為外也？《春秋》內其國而外諸夏，內諸夏而外夷狄」[81]。這是否過度穿鑿？我們且不必深究。但是，第一步跨出邊界加以更深解釋的，是西漢的董仲舒。董仲舒在其《春秋繁露·王道第六》中想像上古帝王「治天下，不敢有君民之心」，不僅要愛惜人民，要和睦社會，而且要祭祀以時，因此，上古的「天下」很接近一個理想世界[82]。可是不幸的是，歷史每下愈況，由於後世帝王「驕溢妄行」，政治卻越變越壞，最終只好依賴如齊桓、晉文之類來「救中國、攘夷狄，卒服楚，至為王者事」。不得已之下，孔子作《春秋》就只好確立原則（春秋立義），讓天

（續）——————————

仍有明顯界分，並不全然按照文明原則；雖然董仲舒等也有改變「華夷二分」的意思，但他仍然區分「中國」、「大夷」和「小夷」，在華夷問題上依然恪守「必也正名乎」的傳統，這叫「《春秋》謹辭，謹於名倫等物也」。他提醒說，不應當忽略這一論述中間，「春秋華夷之辯的斷裂性及『華夷之間』的存在」。顯然，公羊學有關華夷之辨邏輯上的一致性，其實是後人詮釋出來的。載《學術月刊》第47卷第5期（2015年5月），頁159-167。

81 《春秋公羊傳注疏》卷十八，《十三經注疏》，頁2297。

82 董仲舒說，本來「王者，民之所往」（按照《春秋元命苞》的說法，「王者，往也，神之所輸向，人之所樂歸」），能「使萬民往之，而得天下之群者，無敵於天下」。見蘇輿，《春秋繁露義證》（北京，中華書局，1992）卷四至卷五，頁113-116。

子、諸侯、大夫以及更遠的夷狄，要遵循明確的等秩（如天子祭祀天地，諸侯祭祀社稷，諸山川不在封地之內不能祭祀；又如諸侯不能專封，也不能用天子的樂舞，大夫不能享受諸侯一樣的世襲祿位，夷狄就更不消說），這就叫「自近者始」即遠近不同，有了這種遠近或者是內外的等差，才能「內其國而外諸夏，內諸夏而外夷狄」，在天下濁亂的時候建立起普遍秩序[83]。

　　需要指出的是，董仲舒這種把天下的「國」、「諸夏」和「夷狄」分成自近及遠、從內到外的不同等級，區別加以對待的方式，與現在天下主義提倡者理想中和諧而平等（「天下遠近小大若一」）的「天下」還是不盡相同的。應當注意，董仲舒（B.C.179-B.C.104）的時代，正是前面說過的極力開疆拓土征伐四方的漢武帝時代，董仲舒為大漢王朝提出的理想雖然是「四海一家」，但「四海一家」必須是在大漢天子統御威光下的大一統，在這個「天下」中，各國分夷夏遠近，是有等級秩序的，因此三十年間，漢武帝征朝鮮、伐閩越、滅南越、經營西南，攻伐匈奴，恢復甚至擴大了秦帝國的疆土，納四夷入大漢之天下[84]。這才符合後來所謂《公羊》「三科九

83　蘇輿，《春秋繁露義證》卷四至卷五，頁101、133。

84　研究漢代政治與《春秋》關係的陳蘇鎮在《〈春秋〉與「漢道」——兩漢政治與政治文化研究》（修訂本，北京：中華書局，2011）中指出，「漢武決策，將帥出力，《公羊》家則以其特有的『太平』世理論製造輿論，營造氣氛，甚至直接參與決策，從而推進了此項事業（指開疆拓土）的發展」。所以，公羊三世說中有關「太平世」的理想，並不是那麼和平與溫柔的，頁250。還應當補充一點的是，在這樣的天下中，就連思想學說，也是要按照皇權來統一的，任憑「師異道，人異論，百家殊方，指意不同」是不行的，所以，董仲舒才要「皆絕其道，勿使並進」。見《漢書》卷五十六《董仲舒傳》，

旨」中的「張三世」、「存三統」和「異外內」。然而，到了東漢，何休用了董仲舒的話語，卻改變了董仲舒的意思，只是在經典中想像這種原本「不一」的天下，逐漸變成「若一」的天下，借用了古代中國有關「上古黃金時代」和「歷史不斷倒退」的觀念，倒著構想未來會有一個逐漸蛻皮重生、回向上古的天下誕生[85]。

不過，何休的這個說法雖然在後世被放大提升，但在古代中國，很長時期內，卻只是一個經書解釋者的理想，這個連何休自己都說是「非常異義可怪之論」的理想，在很長時間裡面，並沒有特別受到重視，正如梁啟超所說，「自魏晉以還，莫敢道焉……公羊之成為絕學，垂二千年矣」[86]。

它重新回到傳統中國的思想世界並成為議論的焦點，據一些學者說，是在清代中期常州公羊學重興的時代。關於常州公羊學，較早的現代論述，在1920年梁啟超撰《清代學術概論》和1929年梁啟超去世後出版的《中國近三百年學術史》。自認屬於公羊學一脈中的梁啟超說，「今文學啟蒙大師」，先是莊存與及其《春秋正辭》，他專門發掘《春秋公羊傳》的微言大義，然後是劉逢祿及其《春秋

（續）───────────

頁2523。

85　古代中國各家思想都有這樣的想像，無論是想像堯舜禹湯文武、推崇五帝還是崇尚更早的神話人物，正如顧頡剛說的，都把古代想像成黃金時代，連建議法後王、立足現實的學者也不例外，像《韓非子·五蠹》中就說，各家都相信「上古競于道德，中世競于智謀，當今爭於氣力」，好像歷史越來越糟糕，因此要回到三代，甚至五帝時代。《二十二子》（上海古籍出版社影印光緒浙江書局版，1985），頁1183。

86　梁啟超，《清代學術概論》（朱維錚校注，《梁啟超論清學史二種》，復旦大學出版社，1985）第二十二，頁61。

公羊經傳何氏釋例》，特別發掘「張三世」和「通三統」、「絀周王魯」、「受命改制」。這一思想啟發了龔自珍和魏源[87]，「在乾嘉考據學的基礎之上，建設順、康間『經世致用』之學」[88]。

　　古代中國思想史上一個常見而且重要的現象，就是新見解常常依傍對舊經典的解釋，靠正統經典的權威支持異端思想的合法。因此，規規矩矩尋章摘句的注疏往往並不能掀起波瀾，倒是旁行斜出歪打正著的「誤解」常常推動著新思想的出現，特別是這種「誤解」如果可以「發揮」，它就會移形換位或者移花接木，把後見之明的現代思想安放在傳統基座上，並且就像錢穆說的那樣，「推之愈崇，辯之愈暢」[89]。可是，如果回到當時的歷史語境中，而我們又沒有用「後見之明」來反觀前人的話，從現存莊存與和劉逢祿的各種資料中，大概可以看到的只是兩點：一是他們對於歷史以來經學中闡發「微言大義」傳統消失的憂慮，二是對當代即乾隆時代那種憑藉史學原則來理解經學意義的批判[90]。

　　前一點就像莊存與《春秋正辭》的「敘」中說的，東漢之後的

87　同上梁啟超，《清代學術概論》第二十二，頁61-62。

88　梁啟超，《中國近三百年學術史》（朱維錚校注，《梁啟超論清學史二種》，復旦大學出版社，1985）。但是他也指出，「這派學風，在嘉、道間，不過一支『別動隊』，學界的大勢力仍在『考證學正統派』手中。這支別動隊的成績，也幼稚得很」，頁119。

89　正如錢穆在《中國近三百年學術史》（北京：中華書局重印本，1986）第十一章中所說，「愈後者推之愈崇，辯之愈暢，莊氏之學猶是也」，頁524。

90　關於清代中期公羊學的最近研究，可以參看：陳其泰，〈莊存與：清代公羊學的開山〉、馮曉庭，〈莊存與的春秋學述論〉等論文，均載林慶彰等編，《晚清常州地區的經學》（台北：學生書局，2009）。

「賈、鄭之徒，已緣隙奮筆，相與為難」，「魏晉而下，經學破碎，
降及唐宋，師儒偏蔽」，搞得「《春秋》之義幾廢」[91]；劉逢祿《谷
梁廢疾申何》「敘」中說，「鄭眾、賈逵之徒，曲學阿世，扇中壘
之毒焰，鼓圖讖之妖氛」，「天不祐漢，晉戎亂德，儒風不振，異
學爭鳴」[92]。顯然，他們針對的是歷史上，傳統經學家不能闡發「微
言大義」的解經之法，試圖把公羊學傳統重新恢復起來；後一點則
像莊存與《春秋正辭》「敘」中所謂《春秋》「人事浹，王道備」，
是「矯枉撥亂」的著作，而不是「紀事之書」，決不能用文字音韻
訓詁的考據方法，簡單看待經典的意義[93]；而劉逢祿則說得更清楚，
他在《春秋公羊經釋例》中說，「大清……人恥向壁虛造，竟守漢
師家法」，但對《公羊傳》的意義，卻追隨東漢賈逵、鄭玄的路數，
不能真正理解《公羊傳》的「經宜權變，損益製作」[94]。所以，他
的《春秋論》就針對錢大昕，說他輕視《公羊》崇尚《左傳》，是
不懂得經、史有異，也不知道「左氏詳於事，而《春秋》重義不重
事」，如果要用歷史學方法來評價《公羊》，「如第執一例以繩《春
秋》，則且不如畫一之良史，何必非斷爛之朝報也」[95]。

---

91 莊存與，《春秋正辭》〈敘〉，《續修四庫全書》（上海古籍出版
　　社影印本）經部141冊，頁1-2。有人指出，這只不過是莊存與教授
　　皇子的講義。

92 劉逢祿，《谷梁廢疾申何》「敘」《續修四庫全書》（上海古籍出
　　版社影印本）經部132冊，頁1。

93 莊存與，《春秋正辭》〈敘〉，頁1-2。此書主要就是在分成九部
　　分，闡發董仲舒、何休所謂「三科九旨之義」。

94 劉逢祿，《春秋公羊經釋例》，《續修四庫全書》經部129冊，頁
　　458-459。

95 劉逢祿，《劉禮部集》卷三《春秋論》上，《續修四庫全書》（上

　　莊存與和劉逢祿闡發的《春秋》公羊學觀念，一是在闡發「王天下」（即「譏世卿」，尋求國家在政治上的同一性），二是在追求「大一統」（古往今來中國一直追求，而大清王朝也希望的統一王朝），三是在想像大一統之後的「六合同風，九州共貫」（古人一直期待的所謂「一道德，同風俗」境界）。這是漢唐宋明儒家學者的共識，就算是把它放在清乾嘉時代的政治語境中看，究竟有多少「現代」的意味？就是在已經預感時代變化，所謂「睜開眼睛看世界」的魏源和龔自珍那裡，我們也沒有看到清代公羊學說有那麼自覺「現代」的意義。龔自珍〈資政大夫禮部侍郎武進莊公神道碑銘〉中對莊存與的學術宗旨有一個回顧，我們能看到，他重視的是經學的微言大義，批判的主要是當時的考據風氣；在魏源〈兩漢經師今古文家法考敘〉對清代經學路數的總結中，也可以看到清代公羊學只是一種以「復古」為「革新」，從東漢上溯西漢的途徑，「由詁訓、聲音以進於東京典章制度，此齊一變至魯也；由典章、制度以進於西漢微言大義，貫經術、故事、文章於一，此魯一變至道也」[96]。

　　顯然，這並不意味著莊存與、劉逢祿闡發的微言大義中，已經有現代（國家制度、國際秩序）觀念的痕跡。其實，清代公羊家說

（續）────────────

　　海古籍出版社影印本），1501冊，頁57上。蔡長林也指出，「劉逢祿與錢大昕之所論，既是公羊學與左傳學的對立，也是經學與史學的對立，從當時學術大環境的角度看，既是莊氏家族學術觀點與當代考據學家治學觀點的對立，也是學術圈中的主流與非主流的對立」，見蔡長林《從文士到經生──考據學風潮下的常州學派》（台北：中央研究院·中國文哲研究所，2010），頁351。

96 龔自珍，〈資政大夫禮部侍郎武進莊公神道碑銘〉，載《龔定盦全集類編》（北京：中國書店，1991），頁295。魏源，〈兩漢經師今古文家法考敘〉，《魏源集》（北京：中華書局，1976），頁152。

經的所謂現代意義,往往是一波又一波詮釋出來的,正如蕭一山《清
代通史》引錢穆的話說,從阮元〈莊方耕宗伯經說序〉、董士錫〈莊
氏易說序〉到魏源〈武進莊少宗伯遺書序〉,「三家之序,愈後者
推之愈崇,辯之愈暢」[97]。正是這種由於時代變遷情勢轉移所造成
的過度詮釋,才把清代公羊學的意義一步又一步剝離了「歷史」,
提升到「現代」。已經有學者針對清代公羊學「被現代化」的弊病
指出,「常州學派在學術史上的意義,是屬於清中葉,而不是晚清
的,是面向傳統,而不是面向現代的」[98]。我很同意這個看法。脫
離開十八至十九世紀之間的學術與思想語境,把莊存與和劉逢祿的
公羊之學說成是「為中國重新尋找認同,為未來世界立法」,恐怕
只是後代人在時局焦慮下的越解越深。他們在當時是否有這樣明確
的新意識?那時的「微言大義」裡是否有關於未來世界的新設計?
其實,梁啟超並沒有進一步的說明。

很長時間裡,學界還是把從傳統資源到現代思想的傳承關節
點,放在龔自珍和魏源身上,莊存與和劉逢祿並不在歷史舞台的中
心。

五、面對西潮的想像:晚清康有爲以及當下學者的郢書燕說

莊存與和劉逢祿等清代公羊學被重新翻檢出來,放在近代思想

---

97 蕭一山,《清代通史》(上海:華東師範大學出版社,2006)第四
    冊第五篇,頁315。
98 蔡長林,《從文士到經生——考據學風潮下的常州學派》「結論」,
    頁511-512。

史的中心位置加以現代詮釋，其最重要契機，依我的粗淺觀察有二：
首先是在一百多年前的晚清，康有為面對洶湧而來的西潮，試圖挽
狂瀾於既倒，借用古代中國資源進行「托古改制」，因而延續公羊
之學，拿「微言大義」來加以發揮；然後是一百年之後的二十世紀
末年，一個中國本土的儒學學者和一個來自美國的歷史學者的著
作，給學界帶來的刺激。

　　把「三世說」當作未來世界設計藍圖的說法，是在晚清康有為
那裡橫空出世的。讀他的《春秋董氏學》、《孔子改制考》、《大
同書》等著作，這種把古代學說政治化和現代化的色彩非常濃重。
正如很多學者（如蕭公權、朱維錚）早就指出的，經由廖平到康有
為，晚清的一些學者試圖以傳統經學資源，來回應變大了的世界特
別是來自西方的衝擊。在廖平那裡，還只是半隻腳踏出經學家的邊
界，在光緒十年至十二年（1884-1886）他連續撰寫的三篇《何氏公
羊春秋十論》、《續十論》、《再續十論》中，他只是闡發「孔子
作春秋，存王制……復作此篇，以明禮制，故所言莫不合於《春秋》」[99]。
但是，康有為卻兩隻腳都已經站在經學門檻之外，他只是在借用《春
秋公羊傳》以及注釋中有關「三世」、「內外」的說法，應對當時
新的國際秩序籠罩下，中國國內大清王朝的危機和中國之外華夷秩
序的崩潰。他一方面承認這種新的國際秩序，使得「中國」不再是
天朝，時代已經退居「內其國而外諸夏」或「內諸夏而外夷狄」，
另一方面則力圖以「遠近大小若一」的天下大同，作為「中國」通
過文明（孔教）重新籠罩世界的努力遠景，恢復中國的信心。這個
時候，《春秋公羊傳》和那些被詮釋出來的「微言大義」，才似乎

---

99 廖平，《何氏公羊春秋十論》及《續十論》、《再續十論》，見《續
　修四庫全書》經部131冊，頁351以下。

開始具有了為現代世界和政治制度提供資源的意義。

　　據朱維錚的研究，1885年到1890年那幾年，是康有為思想定型的幾年。前些年他應鄉試落榜後遊歷江南，「盡購江南製造局及西教會所譯出各書盡讀之」，這幾年開始撰寫《人類公理》和《內外篇》[100]，據他自己說，這時他就已經在用孔子的「據亂、升平、太平之理，以論地球」，設想「地球萬音院」和「地球公議院」，以及「養公兵以去不會之國，以為合地球之計」[101]。1890年，他見到廖平，開始接受公羊學，第二年，建立萬木草堂，開始傳授這種「非常異義可怪之論」。在《教學通議》中，他先是把「三世」用於中國歷史的分期，「自晉到六朝」為大臣專權，世臣在位的亂世，「自唐至宋」為陰陽分、君臣定的升平世，把「自明至本朝」當作「普天率土，一命之微，一錢之小，皆決於天子」的太平盛世，這時士人「以激勵氣節忠君愛國為上」、百姓「老死不見兵革，不知力役」[102]。到了《春秋董氏學》，他強調這個「三世說」是「孔子非常大義，托之《春秋》以明之……此為《春秋》第一大義」[103]。而在《孔子改制考》中，他才真正正面地提出，孔子作《春秋》，是在「據亂世而立三世之法」、「因其所生之國而立三世之義，而注意於大

---

100 參看朱維錚，〈康有為先生小傳〉，載朱維錚校注，《中國現代學術經典・康有為卷》（河北教育出版社），頁6-7。

101 康有為，《康南海自編年譜》（即《我史》，北京：中華書局，1992）光緒十三年（1887）條，頁14。

102 康有為《教學通議》，前引朱維錚校注，《中國現代學術經典・康有為卷》，頁70-71。

103 康有為《春秋董氏學》，前引朱維錚校注，《中國現代學術經典・康有為卷》，頁137。

地遠近小大若一之大一統」[104]。稍後幾年中他寫的《大同書》，就是根據《春秋公羊傳》以及他對孔子理想的理解，想像「四海如一」、「天下一家」的大同世界的著作[105]。

　　問題是，康有為對「三世說」尤其是「大同」的說法，是否可以成為一種未來世界的制度，就像當下提倡「天下主義」或「天下體系」的學者們所說的那樣？有學者對此作了相當現代的和理論的闡發，他說，康有為「在中國從帝國到主權國家的自我轉變中」充當了一個「立法者」的作用。為什麼？因為首先，康有為用「列國並爭」說明當前世界大勢，主張將「帝國體制改造成國家體制」；其次，他又重新解釋了「中國」的意義，排除了種族因素，從文化上為「中國」尋找認同根源，在政治上為「中國」發現一種反民族主義的國家建設理論；再次，康有為把儒學普遍主義視野與西方知識政治結合，構想了大烏托邦的大同遠景；最後，這個烏托邦遠景與國家主義、孔教主義結合，形成宗教改革的色彩。於是，「近代國家主義也是以一種準宗教革命形式出現的，它注定地與超越國家

---

104 康有為，《孔子改制考》，〈敘〉，前引朱維錚校注，《中國現代學術經典·康有為卷》，頁341。

105 這種想像，在康有為的弟子如譚嗣同那裡也有，並不是他一個人的專利。如《仁學》四十七「地球之治也，以有天下而無國也。莊曰：『聞在宥天下，不聞治天下』。治者，有國之義也；在宥者，無國之義也。□□□曰：『在宥』，蓋『自由』之轉音。旨哉言乎！人人能自由，是必為無國之民。無國則畛域化、戰爭息、猜忌絕、權謀棄、彼我亡、平等出，且雖有天下，若無天下矣。君主廢，則貴賤平，公理明，則貧富均。千里萬里，一家一人」。蔡尚思、方行等編，《譚嗣同全集》（北京：中華書局，1998增訂本），頁367。

的普遍主義密切相關」[106]。其實，說得簡單一些，就是康有為承認當下中國處在亂世，原本只能「內其國而外諸夏」；但由於大清帝國是多民族國家，因此必須在文化認同的基礎上，超越民族界線，「內諸夏而外夷狄」地形成一個統一國家，達到升平時代；然後更「遠近小大若一」地構想一個烏托邦式的太平盛世和大同世界，而這個大同世界，則是建立在中國孔教籠罩所有空間的基礎上的。

　　康有為真的是這樣偉大的現代立法者嗎[107]？儘管現代學者蕭公權也曾認為，康有為「除了界定中國在現代世界中的地位外，更界定一種理想的新世界」[108]，但我始終懷疑這一點。正如梁啟超後來批評老師康有為時說的，當時呼籲「保教」的學者常常「取近世新學新理而緣附之，曰：某某孔子所已知也，某某孔子所曾言也。……然則非以此新學新理厘然有當於吾心而從之也，不過以其暗合於我孔子而從之耳」[109]。康有為把公羊學的概念現代化，通過比附古代經典來構擬自己想像中的未來世界，這在晚清語境中無可厚非，很多人都會這樣做[110]。但是，現在的論說者仍把康有為先知化，把他

---

106 參看汪暉，《現代中國思想的興起》（北京：三聯書店，2003）上卷第二部《帝國與國家》，頁821-828。

107 關於康有為力圖使孔教國教化，並通過這一途徑來建立現代國家的問題，蕭公權，《近代中國與新世界：康有為變法與大同思想研究》（汪榮祖中譯本，南京：江蘇人民出版社，1997，2007）有一些討論，可能是某些學者的靈感來源之一。

108 蕭公權，《近代中國與新世界：康有為變法與大同思想研究》，頁530。

109 梁啟超，《清代學術概論》（朱維錚校注本，《梁啟超論清學史二種》），頁71。

110 古人如董仲舒、何休。蕭公權指出，康有為重新詮釋公羊學並沒有什麼特別了不起的地方，「康有為的確說了董仲舒沒有說過的話，

那些模稜兩可似是而非的大言，用現代理論和現代概念再發揮一番，或許正如陳寅恪所說，「其言論愈有條理統系，則去古人學說之真相愈遠」[111]。他們雖然「依其自身所遭際之時代，所居處之環境，所薰染之學說，以推測解釋古人之意志」，但可能恰恰忽略了康有為身處的歷史語境：作為大清帝國長期治下的漢族士人，作為要「保大清江山」的政治領袖，康有為在設計新國家時，他不能不意識到他的身分／角色，受限於他所處的族群／國家。

　　大凡研究清史的學者都知道，大清帝國在王朝政治合法性上，一直會強調三條原則，一是不分華夷，「我朝既仰承天命，為中外臣民之主」，所以「不得以華夷而有異心」，二是「大德者必受命」，要根據道德即「天心之取捨，政治之得失」，決定誰來執掌天下，三是以文明論族群，這就是「中國而夷狄也則夷狄之，夷狄而中國也則中國之」。所以，雍正在《大義覺迷錄》中說，「自我朝入主中土，君臨天下，並蒙古極邊諸部落俱歸版圖，是中國之疆土開拓廣遠，乃中國臣民之大幸，何得有華夷中外之分」[112]。這種大清帝

（續）────────────────

　　　　但此乃因他生活在不同的時代以及遭遇到不同的政治問題，可以想
　　　　像到，假如董仲舒和何休生於19世紀，他們不會反對孔子改制以及
　　　　用三統來肯定制度的變更」。《近代中國與新世界：康有為變法與
　　　　大同思想研究》，頁65。近人如皮錫瑞，他在《師伏堂春秋講義》
　　　　（《續修四庫全書》經部148冊，上海古籍出版社影印本）借助《春
　　　　秋》的華夷、天下、中國觀念，對《萬國公法》、中國統一、東西
　　　　各國競爭、文明野蠻所發的議論，頁466-482。參看書後皮錫瑞之
　　　　子皮嘉佑識語，頁494。

　111 陳寅恪，〈審查報告一〉，載馮友蘭，《中國哲學史》（北京：中
　　　　華書局重印本，1984）下冊，附錄，頁2。

　112《大義覺迷錄》卷一「上諭」（附錄於《「大義覺迷」談》一書中，
　　　　上海書店出版社，1999），頁135。後來的乾隆皇帝也同樣有很多

國的原則，既有不分種族的平等，也有天下一家的包容，如果把它現代詮釋，難道雍正皇帝也是在「替未來設計」和「為現代立法」？

顯然，作為大清帝國內部變法的呼籲者，康有為對大清帝國有著認同，對大清王朝疆域、族群、制度的捍衛，使他不可能像章太炎、孫中山那樣，贊成激烈的「嚴分華夷」或「中外有別」[113]。他的政治理想是在19世紀末20世紀初國內外新形勢下「保國」（大清帝國）、「保種」（大清帝國治下的滿漢各族）、「保教」（孔子為教主的儒教），因此他的策略只能是：首先，採用公羊學的觀念，對多民族帝國進行妥協的解釋，大概只是唯一的途徑；其次，日本明治維新重塑天皇權威，對於康有為等人的變法策略，有相當大的刺激和啟迪。特別是甲午一役，證明「尊王攘夷」的策略之有效，恰恰與《春秋公羊傳》中的「大一統」的說法相吻合；再次，儒家的「遠近小大若一」的天下，是包裝成世界主義的自我中心主義，當這個「天下」要經由孔教的「準宗教革命」來實現的時候，康有為這個試圖通過仿效歐洲新教革命，建立近代民族國家，形成現代國際秩序的路線圖，就成了一個現代世界秩序的替代性方案，這並不是一個簡單的「超越國家的普遍主義」。可是，當康有為從《春秋公羊傳》裡詮釋和發揮出來的這些想像，被後來的學者當做替現

(續)————————————————————————

　　這類「去華夷」、「致大同」、「尊孔孟」的說法，這是清王朝的主流政治意識形態。

113 章太炎曾經說，康有為對南北美洲華商說「中國只可立憲，不能革命」的話，不是說給華商聽的，而是說給滿人聽的，只是一方面「尊稱聖人，自謂教主」，一方面「為滿洲謀其帝王萬世，祈天永命之計」。這話當然說得太偏，但是，可以用來說明康有為有關「改制」、「大同」等等言論，背後有一個大清帝國的情節。見《駁康有為論革命書》，《太炎文錄初編》卷二，《康有為全集》本，頁176-178。

代世界的新秩序以及現代中國國家制度的預言或立法時，康有為就
真的成了「南海聖人」[114]。

　　有趣的是，最近中國有一批學者在呼籲，現在中國要「回到康
有為」，他們說，由於康有為提出大同世界和孔教國教論，所以，
「康有為是現代中國的立法者。既不是孫中山，不是毛澤東，也不
是章太炎，康有為才是現代中國的立法者……在我看來，目前中國
思想界最重要的一件事是把康有為作為現代中國立法者的地位給確
定下來，其他問題才可以高水準地展開討論」[115]。

　　康有為很自負，誠如蕭公權所說，「強烈的自信心，幾近乎自
誇，是康有為性格最顯著的特徵」[116]，在他的著作中不僅不大提莊
存與和劉逢祿，甚至也不提啟發他接受公羊學的廖平[117]。不過，由

---

114 其實，梁啟超在致康有為書信中，就已經直言不諱地說道，「大同
　　之說，在中國固由先生精思獨辟，而在泰西實已久為陳言」。《梁
　　啟超致康有為》（1902年5月），載張榮華編校《康有為往來書信
　　集》（北京：中國人民大學出版社，2012），頁591。

115 這是唐文明的意見。當然，在同樣立場的學者中也有不同意見，如
　　甘陽認為張之洞才是現代中國的立法者，而姚中秋認為曾國藩才是
　　「讓中國做好了現代化的道德和政治準備」的先行者，而康有為的
　　國教受基督教影響很大，是比附基督教，因此是自降教格，應當提
　　倡儒教為「文教」，超越各種宗教之上。見《康有為與制度化儒學》
　　中的專題討論，載《開放時代》（廣州）2014年5期，頁16以下；
　　秋風〈儒家作為現代中國之構建者〉，載《文化縱橫》（北京）2014
　　年2月號，頁68-73。

116 蕭公權《近代中國與新世界：康有為變法與大同思想研究》第二章
　　《生平》，頁15。

117 直到民國六年（1917）重印《新學偽經考》的時候，康有為才稱讚
　　了劉逢祿、龔自珍和魏源一下，但仍不提及廖平，更沒有提到莊存
　　與。

於在他的手中，公羊學開始成為顯學，「三科九旨」之類的觀念在
現代解釋之下具有了新的意義，因此在思想史家上溯其學術和思想
淵源時，常州公羊學就開始一點一點地被納入研究者的視野，成為
思想史研究的一個熱點。可是即使這樣，20世紀的很長時間裡，在
學術史上，莊存與和劉逢祿還是不那麼引人矚目，比起顧炎武、黃
宗羲、王夫之，比起戴震、章學誠，甚至比起同時代的凌廷堪、阮
元來，他們一直很暗淡[118]。在思想史上，康有為也沒有「現代中國
立法者」那麼高的地位，也不太像現代甚至未來世界的預言者，倒
是常常被視為現代中國的保守思想代表。正如前面所說，只是他的
學生梁啟超在《清代學術概論》中回溯這一現代思想興起的時候，
才自然地順藤摸瓜，從康有為追溯到了魏源和龔自珍，從魏源和龔
自珍追溯到了莊存與和劉逢祿。

　　但是，為什麼在20世紀末，公羊學說卻成了啟迪現代的偉大學
說？莊存與和劉逢祿成了現代中國思想的一個源頭？康有為怎麼就
成了彌賽亞一樣的先知？這也許與前面提到的20世紀末年一個中國
本土儒學學者和一個美國歷史學者的兩部著作有關。

　　1995年，立志要推動政治儒學的蔣慶出版了《公羊學引論》，
他對《春秋公羊傳》的解釋進路非常明確，就是把公羊學的「微言
大義」，從單純的思想學說引向政治領域，他「相信人心繫於制度，
對於社會問題之解決，典章制度具有不可替代之功效」[119]，因此，

---

118 1928年，陳柱撰《公羊家哲學》（上海：中華書局聚珍版，1929）
　　一書，在其討論公羊學源流的《撰述考》那一章中，只是提及孔廣
　　森，對於莊存與、莊述祖、劉逢祿、宋翔鳳、陳立，只說了「均以
　　公羊學名家」七個字，而說到廖平和康有為，則說「尤奇詭。公羊
　　學之流派，至是益失其本真」。頁15-16。
119 蔣慶，《公羊學引論》（瀋陽：遼寧教育出版社，1995），梁治平

他認為清代常州公羊學派「莊、劉、宋、孔呼其前,凌、龔、魏、陳湧其後,千年古義,復明其時,元學奧旨,大暢人間」[120]。和蔣慶不同,美國學者艾爾曼(Benjamin A. Elman)則是從清代政治與思想變化脈絡的梳理中,給莊存與和劉逢祿重新回到思想舞台的中央,提供了歷史的解釋。他的《經學、政治與宗族:中華帝國晚期常州今文學派研究》一書英文本於1990年出版,此書的一些觀點引起很大震盪,他特別強調了莊存與和劉逢祿的重要性,「莊存與曾置身於中華帝國政治舞台的中心位置,相形之下,龔(自珍)、魏(源)儘管被20世紀的歷史學者一致賦予重要位置,但在當時不過是位處政治邊緣的小人物」[121]。

　　這兩個研究受到兩方面中國學者的關注,蔣慶的著作是要把公羊學的政治意義闡發出來,說明公羊學是「區別於心性儒學的政治儒學」,是「區別於內聖儒學的外王儒學」,是「在黑暗時代提供希望的實踐儒學」。他強調「太平大同的理想世界就是公羊學為生活在亂世的人們提供的希望」[122]。這一公羊學理想不僅有著名法律

(續)────────────

　　〈序〉,頁2。

120 蔣慶,《公羊學引論》,〈自序〉,頁1。

121 艾爾曼,《經學、政治與宗族:中華帝國晚起常州今文學派研究》
　　(趙剛中譯本,江蘇人民出版社,1998)。

122 蔣慶,《公羊學引論》第一章,頁47。蔣慶認為,亂世中,「應內
　　外有別,詳內略外,即應把負有治理責任亂世使命的國家,即代表
　　王道王化的國家(魯)與其他衰亂的國家(諸夏)區別開來,先提
　　高自己的道德水準」,「在升平世,推行王道之國(魯)與其他國
　　家(諸夏)之間,不再有區別,王化已經普及到周圍許多國家,只
　　是未開化的邊遠民族(夷狄)還沒有被王化,與魯和諸夏有區別」,
　　太平世「天下不再有大國小國的區別,也不再有文明落後的區別,
　　即消除了國界與種界,天下一家,中國一人」,頁253-257。

史學者梁治平的推薦，他關於「公羊學夷夏之辯說建立在文化本位
上的民族主義，正是健康正當的民族主義」等說法[123]，恐怕在某種
程度上也啟發了後來極力宣導「天下主義」的盛洪[124]。艾爾曼的著
作不僅1998年被翻譯成中文出版，受到廣泛好評，他關於「今文經
學代表著一個充滿政治、社會、經濟動亂的時代的新信仰，它宣導
經世致用和必要的改革」，「從莊存與、劉逢祿起，今文經學家求
助於古典的重構，為將來立法」的說法，恐怕也對一些學者將現代
中國思想的興起的淵源和脈絡，追溯到清代公羊學家有所啟迪[125]。

　　由於這些在中國學界有影響的學者，同時開始關注並且發掘清
代公羊學的現代意義，於是，莊存與和劉逢祿以及他們有關《春秋
公羊傳》的片言隻語，逐漸成為被詮釋的熱點，那些「非常異義可
怪之論」再一次成了對未來世界的預言或者箴言[126]。不過須要指出
的是，蔣慶雖然其論述之政治意味非常明確，總是試圖推動儒學進
入實際政治制度領域，但他在自序中已經率先聲明，自己的書「為
公羊學著作，而非客觀研究公羊學之著作，公羊學為今文經學，故

---

123 蔣慶，《公羊學引論》，第四章，頁231。
124 盛洪與蔣慶2002年曾經就天下主義等等問題有長篇對話，以《以善
　　致善》（上海：三聯書店，2004）為名編輯成書出版。其序言〈在
　　儒學中發現永久和平之道〉，載《讀書》2004年第4期，又收入盛
　　洪《為萬世開太平》（增訂版），頁280-286。
125 汪暉在1993年訪問加州大學洛杉磯分校時，與艾爾曼有一篇後來題
　　為〈誰的思想史〉的對話，艾爾曼就向汪暉提到，他把「莊存與、
　　劉逢祿置於今文經學復興的中心地位，這只是一種歷史的重構，這
　　是一幅與以康、梁為中心的歷時圖像不同的圖像」。載《讀書》（北
　　京）1994年第2期。
126 我說「再一次」是因為在晚清康有為那裡，它已經充當了一次「預
　　言」或「箴言」的角色。

是書亦為今文經學」，這清清楚楚地警示讀者，這只是自己的一種
信仰，目的在發揮公羊學「微言大義」，不必盡合文獻與歷史[127]。
而作為歷史學家的艾爾曼，儘管強調「今文經學興起的政治時勢是
和珅事件」，而莊存與的《春秋正辭》主要是「假借經典的外衣，
表達對和珅擅權的不滿」，特別是「借助經典的神祕色彩抵制漢學
擴張及其存在的瑣碎考證的流弊」[128]。但是，對於公羊學的現代政
治意義，他只是非常簡略地提及常州學派有「求助於古典的重構為
現代授權，為將來立法」[129]，但他仍然小心翼翼地說明，常州學派
「還未達到政治革命的高度，也還未完全理解社會進步的程度」。

　　蔣慶無疑是在對公羊學作現代詮釋，這不必多說。艾爾曼的歷
史梳理多少也有一些個人推測，莊存與撰《春秋正辭》與反抗和珅
相關這一說法，已經被人質疑，而劉逢祿撰《春秋論》以聖人之說
為朝貢體系之合法性論證的說法，恐怕也缺少直接證據[130]，且不論

---

127 蔣慶，《公羊學引論》〈自序〉，頁2。我還記得，1990年代，在
　　北京學界一個小範圍研究班裡，蔣慶應邀作公羊學的報告時，率先
　　告知聽眾，不要用歷史和文獻來質疑他，因為他是信仰，不是學術。
128 艾爾曼，《經學、政治與宗族：中華帝國晚起常州今文學派研究》
　　「代序：中國文化史的新方向」，頁16，〈序論〉，頁6。
129 艾爾曼，《經學、政治與宗族：中華帝國晚起常州今文學派研究》
　　頁225；又，他在第七章中曾經提到，由於劉逢祿處理過對越南外
　　交事務，所以《春秋》裡面那種「安排內外不同人群的文化理論，
　　它導致朝貢制度的形成……今文經學的外交觀念成為劉逢祿處理
　　對越外交爭執的基本框架」，頁164。
130 劉逢祿，《春秋論》上、下，見前引《劉禮部集》卷三。上篇主要
　　在反駁錢大昕所說的「春秋之法，直書其事，使善惡無所隱而已」，
　　下篇主要是說《公羊傳》有微言大義（如張三世和通三統），比《谷
　　梁傳》好，頁56-58。

在大清王朝為官的劉逢祿，是否敢有異族皇帝逐漸被中國王道「同
化」這樣大膽的說法。但艾爾曼指出的一點很重要，即劉逢祿作為
一個少數民族統治下的王朝官員，所以只能同意「《春秋》以文化
特徵而非種族特徵確定政治地位，從夷狄之君轉化為中國之主，是
一個接受中國王道範式的文化同化過程」。他十分謹慎地指出，這
是由於劉逢祿是「一個少數民族征服者所建立的王朝的官員，其（有
關華夷的）論點就（比宋代儒家）溫和寬容得多」[131]。這一點毫無
疑問，劉逢祿身處異族統治之下，不能不淡化《春秋》中原有的華
夷界線。這才是清代公羊學的現實語境，只要聯繫到清代文字獄嚴
酷而慘烈的歷史，對劉逢祿等人淡化華夷的解釋，更合理的解釋應
當是一種經師說經的權宜策略，每一個清代經學家遇到棘手的華夷
胡漢問題，可能都會有這種曖昧態度。因此，如果像斯金納（Quentin
Skinner）所說，「把思想放回語境中去理解」，這些有關《春秋公
羊傳》的解說，本身未必那麼有「先見之明」，清代公羊學者未必
能未卜先知地為未來泯滅種族界線的大同世界作提前設計。

　　那麼，它是否可以被解釋為，「從清代中期開始，莊存與、劉
逢祿、魏源、龔自珍等人不斷地在夷夏、內外以及三統、三世等範
疇中討論王朝的合法性問題，並在禮和法的基礎上，重建關於『中
國』的理解。今文經學者在經學的視野內發展了一系列處理王朝內
部與外部關係的禮儀和法律思想，從而為新的歷史實踐——殖民主
義時代條件下的變法改革——提供了理論前提和思想視野」[132]？有

---

131 艾爾曼，《經學、政治與宗族：中華帝國晚起常州今文學派研究》，
　　頁164。

132 汪暉，《現代中國思想的興起》上卷第二部《帝國與國家》，頁490。
　　他把清代公羊學說成是「一種適應王朝體制的歷史變化而不斷完善

的學者認為，古代中國儒家的「天下」，可以批判英國主導的殖民
時代世界體系、美國主導的現代世界秩序，可以成為未來更合理世
界的替代性方案。他們說，這種替代性方案是來自從董仲舒、何休
到莊存與、劉逢祿，再到康有為的這些公羊學說，這是「為一種以
大同為導向的世界管理（the world governance）提供價值和規範」，
據說，「從這一重構世界圖景的活動中逐漸展開的『大同』構想，
對資本主義世界關係的分析，尤其是這一世界關係所依賴的國家、
邊界、階級、性別等等級關係的尖銳批判，卻帶有深刻的預見性和
洞察力」[133]。

　　真的是這樣嗎？這恐怕有些現代人的過度詮釋。

結語：「天下」：想像和詮釋出來的烏托邦

　　從先秦諸子對於上古黃金時代的想像，到秦漢之後儒家面對現
實提出的理想，從清代公羊學家抵抗乾嘉時代考據學和歷史學的經
典詮釋，康有為面對變局時想像出來的大同世界構想，一直到20世
紀末21世紀初的政治儒學以及「天下體系」和「天下主義」。一種
試圖作為現行世界秩序替代方案的「天下」，在「大國崛起」要重
新安排世界的心情，和歐美有關「新帝國」的批判理論刺激和鼓舞
下，以重新詮釋中國古典的方式，出現在當代中國思想舞台上。儘
管，我有時也盡可能同情地理解這一有關「天下」論說的背後心情，
但作為一個歷史學者，我實在不能贊同這種一步一步旁行斜出的過
度詮釋，也不能贊同這種將概念抽離歷史語境的想像。

（續）

　　的歷史觀與世界觀的建構」。

　133 汪暉，《現代中國思想的興起》上卷第二部《帝國與國家》，頁735。

　　現在一些學者是這樣想的。他們把古代中國想像的「天下」改
造成針對現代世界秩序的「天下主義」，覺得這個「天下主義」能
夠使世界從亂世、升平世到太平世（三世說），並且認為它已經設
計了一個「不再有大國小國的區別，也不再有文明落後的區別，即
消除了國界與種界」的世界制度（遠近小大若一），因而它不僅為
現代中國奠定基礎，而且為世界的未來立法。這些想法無論其動機
如何，從學術角度看，都是構造了一個非歷史的歷史。正如我一開
始所說，如果它還沒有進入實際的政治領域和制度層面，而只是學
者再翻閱古典時的想像或者憧憬，只是書齋中的學術和思想，也許
它並不會造成很大的麻煩。但問題是，這種天下主義論說總是試圖
「成為政府的、政治的和政策的依據」，那麼就不能不讓人擔心，
古代中國「天下」秩序中原本就隱含的華夷之分、內外之別、尊卑
之異等因素，以及通過血與火達成「天下歸王」的策略，是否會在
「清洗百年屈辱」的情感和「弘揚中華文明」的名義下，把「天下
主義」偽裝成世界主義旗號下的民族主義，在中國崛起的背景下做
一個「當中國統治世界」的「大夢」？我不知道。但可以看到的是，
「天下主義」的討論已經開始越過歷史、文獻和思想，進入中國政
治、外交甚至軍事戰略領域，一些非歷史學者開始接過「天下主義」
的口號，積極地向官方提出了「從空想到現實」的戰略路線圖，這
就是中國要從中心主義、孤立主義，走到開放主義和天下主義，為
什麼？據說，這是因為中國文明與西方文明中的「世界主義是迥然
不同的」，西方的世界主義是以擴張為主要特徵的，中國的天下主
義是以和平和守成為取向的，所以，他們這樣建議「新天下主義」
要成為「中國獨有的外交資產，以取代當代世界民族國家體系」[134]。

---

134 參看葉自成，《中國大戰略：中國成為世界大國的主要問題及戰略

　　我沒有能力對未來成為政治制度的「天下主義」作善惡是非的
判斷，我只是從歷史角度分析這一觀念背後的政治、思想與學術。
現在，提倡「天下主義」或「天下體系」的學者，對這個叫做「天
下」的古代概念表現了異乎尋常的熱情，總在宣稱它可以拯救世界
的未來。可是，真的是這樣嗎？歷史也好，文獻也好，現實也好，
似乎都並不能給這種說法作證。在我即將寫完這篇論文的時候，我
看到一部還算新出的著作，叫《重回王道：儒家與世界秩序》[135]，
也在討論「何為天下」、「天下與王道」和「王者無外」和「萬物
一體」。坦率地說，這部書的書名很好，如果真的能夠依靠一種「王
道」給這個不太好的世界提供新秩序，那麼自然非常好，但必要的
前提是，為什麼現代西方思想提供的是「霸道」，古代中國儒家提
供的是「王道」？憑什麼你提供的方案是「王道」，而別人的卻是
「霸道」[136]？這使我們不得不一再地回到問題的起點：誰是世界制

（續）

　　　選擇》（北京：中國社會科學出版社，2003），頁145；李少軍主
　　　編，《國際戰略報告：理論體系、現實挑戰與中國的選擇》（中國
　　　社會科學出版社，2005），第十章〈中國的戰略文化傳統〉；郭樹
　　　勇，《中國軟實力戰略》（北京：時事出版社，2012），第六章，
　　　頁122；江西元《大國關係與文化本原》（北京：中央編譯出版社，
　　　2011），第五章，〈中國外交文化本原〉，頁285。

135 干春松，《重回王道──儒家與世界秩序》（華東師範大學出版社，
　　　2012）。

136 比如，康德，〈世界公民觀點之下的普遍歷史觀念〉（《歷史理性
　　　批判》，何兆武中譯本，商務印書館，1997）中提出，「儘管這一
　　　國家共同體目前還只是處在很粗糙的輪廓裡，可是每個成員卻好像
　　　都已經受到了一種感覺的震動，即他們每一個人都依存於整體的安
　　　全。這就使人可以希望，在經過許多次改造性的革命之後，大自然
　　　以之為最高目標的東西──那就是作為一個基地而使人類物種的

度的制定者？誰來判斷這個制度的合理性？

　　這才是需要討論的真問題。

                                    2015年2月2日初稿於上海

　　葛兆光，復旦大學文史研究院及歷史系資深特聘教授。主要研究領域是中國宗教、思想和文化史。近年主要學術著作包括《宅茲中國：重建有關中國的歷史論述》（2011）、《想像異域：讀李朝朝鮮燕行文獻劄記》（2014）、《何為中國：疆域、民族、歷史與文化》（2014）等。

（續）

　　全部原始稟賦都將在它那裡得到發展的一種普遍的世界公民狀態──終將有朝一日會成為現實」（頁18）。這是不是也可以解釋為西方也有「王道」？

網民政治參與中的民粹主義傾向

叢日雲

引言

　　民粹主義（populism）是個很特別的譯名，如果考慮到它的主流傳統在歷史上和當代的各種表現，將其譯為「平民主義」或「民眾主義」可能更容易被人理解。雖然民粹主義在各國和不同歷史時期的表現大不相同，但我們還是能夠把握它的一些基本特徵，比如：奉行人民崇拜或平民崇拜，主張人民利益至上、人民權力無限（這裡的「人民」往往落實為「平民」）；反體制、反等級秩序、反精英、反智主義的立場；依附於政治強人或皈依卡理斯瑪型權威，簡單化的解決問題方式，具有群眾（烏合之眾）心理和遵循「群體邏輯」（collective logic）[1]，包括從眾心理、群體無意識、缺乏獨立清醒的判斷、群體壯膽、人多勢眾、易受暗示、相互傳染、易衝動、判斷力低下、情感支配判斷、情緒化的行為方式、野蠻、偏執、易

1　勒龐指出，人們的行為除遵循「理性邏輯」外，還有「情感邏輯」、「集體邏輯」和「神祕主義邏輯」。古斯塔夫・勒龐，《革命心理學》（佟德志，劉訓練譯，吉林人民出版社，2004)，頁4。

走極端等[2]。

當代中國民粹主義主要是網路現象而非傳統的社會運動，其社會基礎主要是有知識的年輕人為主體的網民而非一般意義上的社會中下層群體，其表現的場所主要是互聯網，所以稱網路民粹主義或網民民粹主義。從價值立場或政治態度上看，民粹主義並非一個整體，它包括左翼民粹主義和右翼民粹主義。根據塔格特的說法，民粹主義在價值觀念上有「空心化」特徵[3]，沒有固定的價值立場，可以依附於不同的價值體系。當代中國社會明顯分化為左派和右派（自由派），網路民粹主義也是如此[4]。左派是典型的民粹派，是天然的

2　參見古斯塔夫・勒龐，《烏合之眾：大眾心理研究》（馮克利譯，廣西師大出版社，2007）。

3　塔格特，《民粹主義》（袁明旭譯，吉林人民出版社，2005），頁3-6。

4　關於網民的左右之分的劃分標準和分布情況，參見馬得勇，張曙霞：〈中國網民的「左」與「右」〉，《二十一世紀》，2014年4月號。根據作者2013年的測量資料，網民中的左派占7%，右派占50.3%，中間派42.7%。更為細化的網民自我定位與此相近：左派，3.7%，忠實左，1.2%，中間偏左，18.6；右14.5%，忠實右6.6%，中間偏右，24.4%（前引文頁97）。但作者表示，受抽樣範圍的影響，這個資料可能代表了積極網民（active netizens）中的左與右的分布情況，並不是全體網民。（前引文頁94-95）我認為作者抽樣偏差可能造成左派網民的比重偏低。比如作為抽樣重點的新浪微博，明顯是右派占上風，但在作者沒有納入抽樣範圍的搜狐、新浪等門戶網站發表評論的網民，左派則占絕對優勢。在一些議題上，基本沒有右派的聲音。另根據張明澍的研究，當代中國社會左派占38.1%，右派占8%，中間派占51.5%，（張明澍，《中國人想要什麼樣民主：中國「政治人」2012》，社會科學文獻出版社，2013，頁28-38。）與網民的左右之分差異甚大。網民中右派比例高於左

民粹主義者。所以，左派的主體即民粹主義，民粹主義的主體也是左派。右派中主要是其激進的一翼在群體心理和行為方式上具有民粹主義色彩[5]。所謂居於左與右之間的中間派是指在核心價值立場上的中間派，而在具體議題上，這些人可能採取左或右的立場，並且具有民粹主義特徵的心理和行為方式。

近些年中國大陸網民參與蓬勃發展，開啟了民主化進程。但在網民政治參與中出現的民粹主義傾向，也是引人注目的政治現象。在政治發展和走向現代民主的過程中，在民眾參與公共事務剛剛起步的階段，就顯示出民粹主義的苗頭，這種「未民主先民粹」的前景令人擔憂。

國內學界對民粹主義興起的關注遠遠不夠。多數學者仍然陶醉於下層民眾開始參與和影響公共事務的成就中，網民不僅有了發言權，甚至還在一定程度上主導了政治的議程和進程，仿佛網民參與就是民主，或者就會直通民主。其實，民粹主義雖然以民主的面目出現，甚至是以非常民主、純粹民主的面目出現，彷彿是與威權政治（強人政治、個人獨裁甚至是極權主義）相對立的另一個極端，但如果我們不被表面現象所迷惑，就能認識到，這兩極之間是內在相通、自然轉換的。民粹主義的「民主」不是健康的民主，它是民主化進程中出現畸變而產生的怪胎。在政治發展的過程中，如果由民粹主義主導了政治進程，民主化將走入歧路和邪路。歷史已經一

（續）————————————————————————

　　派，這在一定程度上是合理的預期，但上述兩項調查差異過大，反映出劃分左右派的標準和測量方法不同造成的偏差。目前關於網民左右派的分布，還沒有一個可靠的調查資料。

5　在網上圍剿茅于軾先生的基本上屬於左翼民粹主義，而在「韓三篇」發表後圍剿韓寒的主要是右翼民粹主義。不過在韓寒所謂「代筆」事件上，左右翼民粹主義聯起手來。

次次證明，民粹主義不會走向民主，而是走向獨裁、強人政治甚至極權主義。所以，在我們為民眾參與意識覺醒而感到高興和積極推動民眾政治參與的同時，對民粹主義有清醒的認識，保持著對它的警惕是非常必要的。

　　民粹主義是一個世界性的現象，但中國當代網路民粹主義有其特殊性。本文將說明，由於中國具有根深蒂固的「平民化社會」的歷史傳統，而當代社會的特徵是「無精英的大眾社會」和「無結構的大眾」，雖然互聯網為民眾參與開闢了便捷的通道，但網民卻不是具有公共參與經歷和受到健康的公民教育的公民，這使中國網民極易走上民粹主義道路。而中國網民的超級宏大的規模，也會放大網路民粹主義的負面效應。

一、被歷史「寵壞了的孩子」：中國民粹主義的歷史傳統

　　發生在1919年的五四運動是中國平民第一次在現代意義上的政治參與。追溯當代民粹主義的源頭時，我們很自然地回到五四運動。激進的學生們闖進曹汝霖的私人住宅，打砸財物並縱火焚燒，還群毆了恰好在曹宅的章宗祥（將章誤認為曹）。這個事件讓我們看到，在中國民眾一開始登上參與公共事務的舞臺時，就表現出了明顯的民粹主義色彩：以愛國為旗幟的放縱行為、廣場狂歡式的運動、遵循群體行動邏輯、非理性和暴力傾向，甚至還隱約有仇官仇富的情結，這都符合民粹主義的特徵。當時，雖然有胡適、梁漱溟等學者對學生的過激行為表示失望，甚至要求依法懲處，但以陳獨秀為代表的左派學者或對之表示高調支持，或認為雖有過激但因其目的正當而值得同情和理解（如張孝銖稱學生行為是「法無可恕，情有可

原」）[6]。

　　陳獨秀一派學者的態度和學生的行為，形成中國現代史上一條明晰的民粹主義潮流的最初源頭[7]。五四以來近百年的歷史上，民粹主義的衝動和發作時隱時現，不絕如縷。直到今天，在官方教科書和官媒的宣傳中，仍然對五四時期的學生激進行為持無保留的讚揚態度。這表明，當代社會仍然繼承著五四民粹主義的衣缽，在官方控制的輿論氛圍裡，民粹主義仍然有著道德的正當性。對民粹主義清醒的反思和批判只是微弱的聲音[8]。

（一）中國古代民粹主義政治傳統

　　平民在公共事務中第一次登場就表現出民粹主義傾向，並非完全從外國舶來，而是有內在的歷史淵源。奧爾特加曾將民粹化的「大眾」稱為「人類歷史寵壞了的孩子」[9]，這也符合中國的情況。

　　春秋戰國時代的社會變革使貴族制度消失，中國社會成為扁平化的平民社會：在一個至高無上的皇權之下，絕大多數人的身分都

6　這也是今天許多知識分子對民粹行為的態度。

7　此後，作為五四餘緒的1922年的「非基督教大同盟運動」與「北大講義風潮案」，1925年的「火燒晨報案」與「女師大風潮案」等，都表現了青年學生的民粹傾向。參見邵建，〈極權主義的「德先生」──〈新青年〉民主論〉，《領導者》，2014年總第57期，頁134-143。

8　參見袁偉時，〈「造反有理」是民粹主義的荒唐觀點〉，鳳凰網歷史，2012年9月27日，http://news.ifeng.com/history/zhongguoxiandaishi/special/yuanweishi/detail_2012_09/27/17944268_0.shtml

9　奧爾特加‧加塞特，《大眾的反叛》（劉訓練，佟德志譯，吉林人民出版社，2004），頁93。

是平民。同時,皇權穿透了封建等級的重重阻隔,實現了對全體民
眾的直接控制,也使普通平民能夠直接面對最高權力,從而形成了
平民與皇權的直接對立。這種狀況在歐洲主要發生在現代初期,即
絕對主義王權時代的大約二三百年的時間裡,但在中國卻持續了長
達二千多年。

　　身分制度消失後,中國並沒有如梅因所說走向「契約社會」。
沒有貴族和等級制度的制約和障礙,皇權實現了絕對專制。一個高
高在上的皇帝,底下是「權懸」極大的、一般高一般齊的普通民眾。
在這種情況下,極端的皇權專制最容易實現。而失去精英制約的皇
權必然導致權力的濫用和腐敗,對社會高壓和過分榨取,就會迫使
下層以暴亂的方式作出反應。而對下層暴亂的恐懼則使掌權者更抽
緊韁繩,但當其統治的韁索過分緊繃超過極限而崩壞時,則會出現
下層民眾的反彈,導致更可怕的暴亂。暴民正是暴君培養出來的,
是暴政的伴生物。

　　中國身分社會的解體,使上下垂直流動成為可能。普通平民有
多種途徑躋身於權貴集團。權貴與平民集團的劃分不再是固定的,
而是流動的。特別是科舉制度實行後,權貴集團向平民開放制度化,
「朝為田舍郎,暮登天子堂」成為部分平民的現實。這樣一種情況
帶來特殊的平民意識,那就是不再「安分守己」,其欲念和期望不
再受特定身分的束縛,也沒有培養起安於自己的身分地位、忠於自
己職業、盡自己本分的信念與道德[10]。每個人都存在改變自己命運
和地位的期望。既然權貴並非固定的身分,那麼,分享社會財富和
權力,嫉恨權貴並希圖取而代之的心理,深埋在下層民眾的心頭。

_____

10　日本在向中國學習時,沒有學習科舉制度,各種身分、職業的人各
　　安其分。這或許是日本民粹主義土壤較為瘠薄的一個原因。

如果正常的途徑不能實現，那還有一個途徑：造反。

在儒家傳統裡，一方面維護專橫的皇權，馴化臣民，使其成為皇權忠順的奴僕；另一方面，也將「湯武革命」的「誅一夫」行為合法化。這樣，就打開了平民通向國家最高權力的大門。秦末陳勝吳廣們喊出了「王侯將相甯有種乎」的口號，項羽面對皇帝時所說的「彼可取而代之也」，反映的正是普通的平民意識。而起於草莽且有流氓特徵的劉邦在群雄逐鹿中勝出成為皇帝後，平民造反而成帝王的反常行為也告正常化了。

在西方思想傳統中，如何對待暴君一直是困擾著思想家和政治家的難題。對他們來說，直接提出「暴君可抗」、「誅暴君」的理論是很困難的，需要克服巨大的心理障礙，因為對反抗暴君中釋放出的暴民洪水的恐懼一直是他們心頭的夢魘。古希臘城邦民主走向敗壞時期由「群眾煽動家（demagogues）」操縱的平民、古羅馬共和末期追隨「凱撒主義」（caesarism）的羅馬公民和無產者，以及後來法國大革命中的無套褲漢（sansculottes）的表現一直縈繞在思想家們的心頭，如夢魘般揮之不去。正是對暴君與民粹兩害的充分認識的基礎上，他們選擇了代表制民主和憲政。所以，即使在他們主張反抗暴君的場合，對反抗行為也往往做出各種限定，如反抗行為的主體需是教會、貴族集體、作為民意代表機構的諮議會或等級議會等。反抗行為包括使用法律手段、制度化的手段和有限的暴力，其結果是迫使國王接受反抗者的條件，對其行為進行約束，或者開除其教籍，廢黜其王位。在中國古代頻繁發生的剝奪皇帝生命和取而代之的情況，在歐洲歷史上是非常罕見的，在主流思想傳統中也沒有合法性。在整個中世紀歐洲，貴族身分經過分封和繼承而來，成為君主需要有合法的血統，普通平民安於自己的本分，忠於職守，

少有非分之想[11]。

　　儒家在制度設計上是低能的，對既限制君主也約束民眾的制度安排沒有任何概念。它的民本主義思想高調地肯定「民」的地位，但在制度設計上卻使平民在面對權力的壓迫和社會不公時沒有制度化的手段表達和維護自己的利益。於是，它讓平民在忠順懦弱的服從與暴烈放縱的反抗之間，沒有其他選擇。平民在屈辱地以活著為目標時，也心存改變現狀的期望，甚至潛意識中渴望動亂的到來。平時怯懦的臣民在時機到來時，搖身一變而成為無法無天的暴徒的情景，在中國歷史上頻繁上演。一次次以下層平民為主體的暴力反叛，都是古代形式的民粹主義的盛大狂歡。其目標是「均貧富」、「均田免糧」，甚至是「殺進東京，奪了鳥位」；其方式是「劫富濟貧」、取而代之、洩憤式地破壞，直到放肆地屠殺[12]。

　　從橫向看，大一統的中央集權和郡縣制打破了地方化的格局，在一個龐大社會造成了平民的一體化。在平時，民眾的生活是分散的，如一盤散沙，除在私生活領域有宗法體系的約束外，在公共領域只服從官僚體系，沒有別的天然的社會組織。但當危機來臨時，官僚體系不再能夠約束他們，他們就會因共同的命運而產生凝聚效應，聚合成數十萬乃至數百萬的反叛隊伍。奧爾特加曾談到現代工業化和城市化所產生的「聚集，麕集的現象」，以前分散的個體或小團體，現在成為「一個凝聚體」，大眾由舞臺的背景變為引人注

11　日本的天皇則「萬世一系」，普通日本人不會有想當天皇的非分之想。

12　自秦以後二千多年的歷史上，週期性出現的以下層民眾造反為主的戰亂，往往會造成三分之一到五分之四人口的損失。參見秦暉，〈為什麼人們厭惡帝制？〉，《南方週末》，2011年8月18日。

目的主角[13]。這是「大眾社會」到來的端倪。在現代社會，民眾的聚集是常態，存在於日常生活中，而中國傳統社會平民的「凝聚」效應主要在危機時爆發，但「凝聚」所產生的效應則有相似之處。在這個意義上，被西方一些思想家所恐懼的「大眾社會」，早在二千年前的中國就已初顯端倪。

　　上下垂直流動的社會秩序和造反傳統的合法化是歷史對平民之「寵」，但這並不意味著平民地位的提高。平民在正常秩序下和日常生活中處於受虐的狀態。因為合法的上升管道非常狹窄，對絕大多數人沒有意義，而造反要冒極大風險，且機會不多。在正常的秩序下，他們沒有起碼的尊嚴，沒有任何權力，其財產也可以被官府任意索取和剝奪。政治秩序也沒有給他們留下多少理性申訴和克制的抗爭的餘地。奧爾特加把西方現代工業社會的民眾稱為「被寵壞了的孩子」[14]，那是指在西方現代工業化和民主化條件下平民地位的上升。但在中國古代，民眾只是偶爾得以放縱，平時卻毋寧是「被虐待的孩子」。恰恰是平民偶爾失控時的表現，使統治者不斷強化平時「虐」民的手段。正是「寵」與「虐」的結合，也就是說，平時嚴重受虐的平民卻有偶爾放縱的機會，造就了平民大眾的特殊的雙重人格：怯懦與暴烈。作為個體，他們面對現存秩序和權力時，是怯懦的；但當他們嘯聚成群，人多壯膽，從而解除了恐懼時，卻很容易走向另一個極端，成為任意發洩野蠻本能的暴徒。

　　「群眾心理」在任何民族裡都有表現，但因民族性格不同而在表現形式和程度上有所不同。勒龐就認為，拉丁民族在缺乏理性、

13　奧爾特加・加塞特，《大眾的反叛》，頁5。

14　奧爾特加・加塞特，《大眾的反叛》，頁92-93。

易衝動、專橫、偏執等方面比較突出,超過盎格魯撒克遜民族[15]。同樣,中國人的民族性格也對其「群眾心理」和行為方式產生了特殊的影響。

(二)中共革命中的現代民粹主義傾向

自五四運動時期起,從西方舶來的「人民」話語被植入中國平民社會傳統的土壤,迅速落地生根,並在中國思想界占居了主導地位。由啟蒙運動中的平民思想家盧梭所闡述的簡單化的具有浪漫色彩的激進民主理論在中國廣泛傳播,在中國文化環境中具有極大的感召力,而比較理性、審慎、平衡、精緻的以洛克、麥迪森為代表的自由民主思想卻少有人會理解和產生共鳴。從此,「人民」被祭上了神壇。西方的民主被理解為「惟民主義」(陳獨秀),俄國革命因為屬於「庶民的勝利」(李大釗)而備受推崇,「普羅大眾」成為人們爭相恭維的對象。經過五四運動的洗禮,「人民」在中國思想界受到特別的「嬌寵」,成為無冕之王。人民至上,人民的權力至上,人民的利益至上;人民是歷史的主體和動力,也是道德評價的標準;人民所為都是正當的,以人民的名義所做的事也都是正當的,這幾乎成為思想界的共識。特別是在繼承了法國革命和俄國革命傳統的中共那裡,不僅人民的地位得到極高的評價,歷史上「人民」的一些非理性的甚至野蠻的行為也都得到肯定和受到推崇。

中共的民粹傾向既縈根於中國傳統,也受到俄國共產黨的傳染。俄國是民粹主義的發源地,而俄國共產黨本身即帶著民粹主義的底色。普列漢諾夫曾是「徹頭徹尾的民粹派」,列寧也曾受民粹派的影響。雖然列寧後來批判民粹主義,與其劃清界線,但民粹主

---

15 古斯塔夫・勒龐,《烏合之眾──大眾心理研究》,頁57、70。

義因素已經內置於俄共的意識形態和行為方式之中。與俄共一脈相承的中共的意識形態和動員方式,將俄共的具有民粹主義特徵的意識形態與中國的民粹傳統融為一體。它既有對民眾的嚴格控制[16],同時也有對下層民眾的縱容利用。有收有縱,時收時縱。收時仍將民眾高舉,縱時則任其所為。特別是在受傳統文化影響較深的毛澤東的思想中,民粹主義因素更加濃厚。所以,無論是在革命時代還是在執政的過程中,中共都表現出明顯的民粹主義傾向。即使在取得政權建立起系統的官僚制度之後,民粹主義仍然會陣發性地表現甚至爆發出來。

毛澤東擅於「群眾運動」,嫻熟於「運動群眾」的高超手法。他於上個世紀20年代在湖南領導的農民運動(被反對派稱為「痞子運動」和「惰農運動」)即為民粹主義運動[17],而後中共領導的以下層農民為主體的革命,土改運動,雖然有中共的強有力的組織和領導,但其社會基礎、革命目標、底層動員方式和革命的行為方式都是民粹性質的。如果說傳統社會的農民反叛是違背常規、破壞秩序的偶然失控行為的話,中共則將暴力革命中底層民眾的洩憤復仇行為合理化、秩序化。它喚起貧苦農民參與暴力革命的口號是「翻身」,以「翻身」的方式獲得「解放」,以現代語言表達了二千年來底層民眾的訴求。建國後毛澤東發動的一次次政治運動,包括知

---

16 如對自發式運動的貶低,對領袖、政黨、群眾關係的闡釋,民主集中制的組織原則等。

17 毛澤東當年曾坦白地表示:「我這次考察湖南農民運動所得到的最重要成果,即流氓地痞之向來為社會所唾棄之輩,實為農村革命之最勇敢、最徹底、最堅決者。」毛澤東的〈湖南農民運動考察報告〉首次全文發表在中共湖南省委機關刊物《戰士》上。再次發表時,上述這段話被陳獨秀刪除。以後所有版本均刪除了這段話。

識分子改造運動、鎮壓反革命運動、大躍進等，無論從平民立場、群體效應還是非理性的行為方式上看，都符合民粹主義特徵。而文革（特別是1966-1969年）中的紅衛兵運動，則是民粹主義登峰造極的表現[18]。

　　然而人民的神聖地位只是理論上的，是與不堪的現實完全相反的幻像。理論上極端受寵的人民與現實中地位低下、生活狀況悲慘的個人之間形成的張力，恰恰構成民粹主義的巨大動力。民眾一有機會，就要兌現理論上對他們的承諾。而中共一方面堅持維護使下層民眾處於無權地位的秩序，同時又通過一波波由他們操控的運動，不斷將下層民眾的憤懣引向精英群體：官僚、富人、知識分子，通過放縱下層民眾對精英群體的攻擊和踐躪，排泄他們被壓抑的本能。這些攻擊和踐躪精英的經歷，深藏於下層民眾的集體記憶中。在今天網民的行為中，仍然能看到它的影子。

　　受寵與受虐的經歷造成普通民眾的雙重人格，這在今天的中國仍然沒有實質性變化。我們看到，當下層民眾以個體身分在日常生活中面對精英時，一般會懷有自卑、惶恐和膽怯的心理；而當他們以匿名的身分和以群體的方式面對精英時，特別是得到來自上方的允准而有了安全保障時，則會表現出仇恨、狂傲和蔑視的心理。在毛澤東時代，運動來了，便是小人物揚眉吐氣、將平時所畏懼和嫉恨的精英踩在腳下之時。如今，網路的匿名化、人多勢眾與法不責眾造成的心理狀態，相當於當年的「運動來了」。由於獨立自尊的

18　在文革中流行毛澤東的名言：「造反有理」，「卑賤者最聰明，高
　　貴者最愚蠢」等格言，都是典型的民粹主義語言。而文革中發起的
　　知識青年上山下鄉，接受貧下中農再教育運動，與19世紀俄羅斯民
　　粹派的「到人民中去」，「到民間去」運動，更有許多相似之處。

現代人格在當代中國仍是稀有之物，絕大多數民眾仍是毛澤東時代造就的介於公民與臣民之間的「群眾」[19]。互聯網的出現，使普通民眾具有了發洩這種心理的日常化的管道和手段。今天的一些網民特別是左翼民粹主義者繼承著毛澤東時代的民粹主義遺產，打著人民至上或愛國的大旗，採取以往群眾運動的動員方式，操著毛式的語言，表達他們的訴求和怨恨。民粹主義中最典型的「毛左」或「毛粉」，基本就是文革中紅衛兵的翻版，所以，被稱為「網路紅衛兵」。在對待國內少數民族的場合，他們是「電子法西斯」（telefascism）。在涉外關係的場合，他們則是「網路義和團」。

二、無精英的「大眾社會」和無結構的大眾

　　亞里斯多德曾談到，僭主的統治術之一是刈除城邦內的精英，因為這些精英是僭主的主要威脅。同時，亞里斯多德也指出，平民政體普遍實行的「陶片放逐法」與僭主政治下刈除精英的行為是相通的[20]。道理在於，掌握了權力的平民們在心理上容不下與他們不一樣的傑出人物。兩者都是要實現城邦的勻質化、齊一化，只不過在僭主政治下，在齊一化的平民之上，還有一個高高在上的僭主。

　　當代中國互聯網時代的網路「大眾社會」是以往「鏟平」社會的結果，也在繼續著「鏟平」的工作。從遠處說，它繼承了中國古代平民化社會的遺產；從近處說，它繼承了中共革命和毛澤東時代「刈除精英」行為的遺產。在此基礎之上，網路技術又使社會進一

19　關於「群眾」的政治地位和心理特徵，參見拙作〈當代中國政治語境下的「群眾」概念分析〉，《政法論壇》，2005年第2期。

20　亞里斯多德，《政治學》（吳壽彭譯，商務印書館，1981），頁154-155。

步「扁平化」亦即平民化成為可能,而網路民粹主義的興起,即是
社會「扁平化」的結果,也是社會進一步「扁平化」的動力。

(一)刈除精英的革命

　　當我們談到中國古代社會的「平民化」特徵時,是與其它古代
社會比較而言的。但古代社會無論多麼平民化,並沒有把精英剷除
乾淨。只是以血緣門第為基礎的貴族制度消失了,但其他精英仍然
存在,包括掌握權力的官僚,具有財富、能力、知識等優勢的鄉紳
或士紳,以宗法制度為基礎的族長,各種宗教、幫會的骨幹和領導
者等。

　　中共領導的革命,通過戰爭和有組織的群眾暴力,動員下層力
量,系統地消滅了傳統的社會精英,包括從肉體上消滅、將其囚禁
和「管制」,僅上個世紀50年代初的鎮反運動,就「殺、關、管」
了數百萬人,其中被殺者,為七十到一百多萬[21]。傳統社會精英幾
近滅絕。

　　與此同時,中共還徹底剷除了傳統社會的各種社會組織,從而
使精英沒有了組織基礎,民眾也失去了精英的引導。數十年中,所
有的民間組織都被官僚化、衙門化了,沒有任何脫離官方控制的獨
立的民間組織。數億民眾都被嚴整地組織在官方體系內。在毛澤東
時代,官方組織非常有效,嚴密地控制著每一個人。但改革開放後,
這套極權的組織體系開始瓦解,越來越多的人,其生活的某些方面
或大部分,開始脫離官方的控制,然而卻沒有其他民間組織整合他

21　毛澤東自己有過一個說法,叫「殺了70萬,關了120萬,管了120萬」。
　　但一般認為實際超出這個數字。參見楊奎松,〈新中國鎮反運動始
　　末〉,《江淮文史》,2011年第1期。

們，沒有自己信任的精英引導他們。於是，他們的地位相當於古代社會脫離了宗法紐帶控制的「流民」，極權體系崩塌後帶來社會的碎片化、原子化，也造就了具有反社會傾向的現代「流民」。

雖然當代中國被一些人視為「權貴資本主義」社會，但中共鏟平社會的習慣在一定程度上仍然繼續著。它在放任權力精英和財富精英的同時，對一切脫離官方控制的民間的組織化行為都十分提防，發起和領導獨立的組織者，發起和組織某項活動或運動者，「群體性事件」的帶頭者、發起人、骨幹和領導者，都會受到無情打擊。在互聯網出現後，網上出現類似結社的行為、產生了一批著名的博主和大V[22]，還出現了網上民間運動，如簽名、投票等，從網上活動進一步發展為網上與網下聯動的組織化行為，人們將其視為網路時代公民社會的雛形，但它們都成為官方防控和打擊的對象[23]。官方本能地意識到網民的組織化對他們權力的威脅，但很少在意無組織的網民（烏合之眾）可能對社會的危害。

中共長期系統地刈除民間精英和打擊民間組織的行為，使這個龐大社會十幾億民眾處於無組織狀態。這樣，社會沒有精英作為平民大眾與政府間的仲介，民眾沒有天然的領袖對他們進行組織和引

---

22 隨著微博客用戶群體的迅速擴大，產生了一批粉絲數大於10萬的「大V」帳號。根據中國互聯網路資訊中心（CNNIC）發布的第33次《中國互聯網路發展狀況統計報告》顯示，新浪微博、騰訊微博中，10萬以上粉絲（聽眾）的大戶超過1.9萬個，100萬以上的超過3300個，1000萬以上的超過200個。中國互聯網資訊中心（CNNIC），http://www.cnnic.net.cn/hlwfzyj/hlwxzbg/hlwtjbg/201403/t20140305_46240.htm。

23 以「薛蠻子事件」為標誌，官方動用司法手段打壓大V，官媒也配合妖魔化大V。

導，也沒有代言人昇華其願望和要求。這就造成了一個沒有精英的
大眾社會和無結構、無形體的大眾（烏合之眾）。

（二）無精英和反精英的「大眾社會」

無精英的社會並非指社會沒有精英，而是指民眾沒有自己信賴
的精英，沒有從自然的社會組織（如宗族、同鄉會、行會等）和民
間組織中成長起來的與民眾聯繫在一起的精英。

長期以來，官方控制的教育和宣傳工具，一方面塑造底層形象，
將其美化為道德楷模，同時，也將精英階層妖魔化、汙名化了。在
一個正常的社會裡，精英訓練民眾，民眾摹仿精英。精英與民眾雖
然有對立的一面，但還有良性互動的一面。中共的宣傳強化了對立
的一面，完全否定了良性互動的可能。甚至宣導和推動一種逆反的
過程：要求精英向大眾看齊，以大眾為師[24]，結果是降低社會的整
體素質，甚至使社會流氓化和痞子化。

這種宣傳教育使精英的負面形象深入人心。提到精英，人們自
然產生的聯想是：精英是社會不公正的根源，是民眾的壓迫者。他
們道德敗壞，愚昧，無能。而在當代的現實中，權力精英、財富精
英和知識精英的普遍墮落，也在很大程度上印證著正統理論中關於
精英的負面形象。網路民粹主義者將精英符號化：比如他們認定官
員都是腐敗的，這似乎過於絕對，但不幸的是，無官不貪基本上符
合現實；他們認定無商不奸，其財產屬不義之財，似乎是一桿子打
翻一船人，但現實中，資本家的原罪是普遍的，不違規違法經營便

---

24 如文革中知識青年上山下鄉，「接受貧下中農再教育」運動，工宣
   隊、貧宣隊進駐大學，掌管學校大權的做法，對知識分子和學生進
   行思想改造的做法等。

難以生存；他們認定專家學者都是與官府坐在一條板凳上、一個鼻孔出氣，且不學無術的，現實或許不至於這樣悲摧，但這種刻板印象也並非沒有道理。它特別符合那些被官方信任和重用，常在官媒上露臉表態的、或為政府政策作諮詢和論證的專家的形象[25]。

所以，當代雖然有精英但無結構的大眾社會，使那些在權力、財富、知識和聲望方面具有優勢地位的精英不再是民眾自己的精英，不再是民眾的領袖和摹仿的對象，也不再享有民眾的尊重[26]。相反，他們與精英是分離甚至是對立的。對於官僚，左派民粹痛恨其特權和壓迫民眾，右派民粹痛恨其侵犯人權並代表專橫的權力；對於富人，左派民粹嫉恨其擁有不義之財、剝奪民眾、為富不仁、歧視百姓；右派民粹嫉恨其與權力合謀、恃財蔑法、飛揚跋扈。知識精英的處境比較複雜，左派民粹反感右派知識精英關於市場經濟、民主憲政、普世價值的言論以及親美立場（因此他們被罵為「美奴」和漢奸），右派民粹反感左派知識精英沒有獨立人格、依附於權力、國家主義價值觀和極端民族主義立場。左派與右派民粹所仇恨的知識精英很少有交叉的時候，但左右派民粹的交叉火力都指向精英。知識「精英」在他們那裡已經成為貶意詞[27]。

---

25 這並不等於民粹主義的行為就合理。民粹主義者的誤區在於，官員雖然是普遍腐敗的，但並非每一件腐敗傳聞都是真實的；富人多有不義之財，但對富人的普遍嫉恨也是不理性的；許多學者是墮落和無能的，但並非每一個學者的每個觀點和建議都不值得尊重。

26 演藝界的明星也屬於社會精英，他們具有「名聲」資本。被眾多網民愛戴與崇拜的明星，往往轉眼間就遭到他們的肆意侮罵。

27 網上充斥著「磚家」、「叫獸」的蔑稱，公共知識分子（「公知」）也被汙名化，女性「公知」常被稱為「公母」。

（三）「未民主先民粹」：精英與大眾的失衡

　　隨著社會的發展進步，平民的力量必然不斷成長，而無精英和反精英的大眾社會，必然會在自由化和民主化的過程中，催生出民粹主義的強勢興起。這就是中國現實非常尷尬的「未民主先民粹」的局面。

　　國內大多數學者並沒有認識到民粹主義的危害，盲目樂觀地相信網民的參與對推動中國民主進程的意義。即使有人看到民粹主義的盲目過火行為，也願意原諒網民的民粹主義行為，將其視為民主化的開端，也是懲罰腐敗，實現社會公平不可缺少的力量。有的人甚至參與其中，推波助瀾。其實，「未民主先民粹」的政治發展路徑不可能建立起健康的民主。

　　從歷史上看，一個國家健康的民主是普通民眾獲得基本的權利和尊嚴，而精英在國家公共事務中具有特殊的地位和權力，民眾與精英間形成一種有張力的、不穩定的平衡。由民眾選擇精英，由精英制定國家公共政策，指導國家。只有在極特殊的關係國家命運的重大場合，才由民眾直接制定公共決策，比如通過憲法和憲法修正案的場合。但在中國，由於精英與民眾的對立，又沒有民主社會裡的民意代表，結果，在網路參與中，民眾直接走向前臺，精英被徹底邊緣化，結果就出現精英與民眾的失衡。這個時候，沒有精英引導的民主就會上演群氓政治、暴民政治，最終的趨歸是強人政治和獨裁政治。

　　在民主社會的政治結構中，精英起到特殊的作用：一方面，他們制約著領袖，因為精英和領袖的差別並不大，在領袖面前有其自尊和獨立的判斷力。精英們聯合起來足以制約領袖，使他難以走向獨裁。另一方面，精英對普通民眾也有引領和組織的作用，對民眾

過度的參與也起到約制的作用。所以,精英在歷史上作為領袖和民眾之間的隔層和紐帶,是一個不可或缺的角色。而在精英不能正常發揮作用的社會裡,一端是高高在上的領袖,一端是與領袖懸殊極大的、一般高一般齊的普通民眾。歷史已經一次次證明,在這種情況下,必然走向個人獨裁。民粹主義的民主化,必然是失敗的民主化,其合乎邏輯的結局是強人政治,或卡理斯瑪型統治。

在古希臘城邦和羅馬共和國後期,當平民崛起後,就把貴族邊緣化了。而當貴族被邊緣化後,平民主導的政治走向墜落和混亂。那個時期嚴肅的思想家普遍對平民主導的平民政治非常失望,有人甚至痛心疾首,稱其為「暴民政治」。這種政治自然而然地最終走向了專制帝國,埋葬了城邦民主與共和國。在羅馬共和國末期,將政治強人推上獨裁地位從而埋葬了共和國的就是以無產者為先鋒的平民派,也稱民主派。

歐洲中世紀末期也經歷了類似的過程:王權崛起伴隨著平民地位的上升,然後王權與平民聯手,上下兩面夾擊貴族,導致貴族制度的衰落。貴族衰落後,歐洲出現了二三百年的絕對主義統治時期。平民擺脫了貴族的統治,卻投入專制王權的懷抱。在法國大革命中,平民首先排擠了貴族獨掌政權,建立了雅各賓派的恐怖統治,即暴民政治,而後正是這些雅各賓派爭先恐後地投入了拿破崙的懷抱。

民粹主義的民主理論認定,如果承認精英的特殊角色,就是承認政治上的不平等。但是一個社會由領袖、精英和民眾構成,這是天然的政治結構。每種角色都有其特殊的不可替代的作用。現代社會消除了人的身分界線,沒有了貴族與平民之分,但沒有也不可能消除精英與民眾之間的差別。在代表制民主制度下,精英不再是貴族,而是民眾選舉的從國家層面到地方層面的代表、政府官員、傳統政黨、民間組織和利益團體的領袖和活動家、工商領袖、各個領

域的專家、有影響的媒體人等。他們不再是身分的團體,但作為一個無形的階層,在現代政治生活中承擔著特殊的角色。現代的政治平等是每個公民在人格上的平等和基本政治權利上平等,其具體表現主要是選擇和監督公共決策者,而不是每個人平均分享國家權力,或每個社會群體按其在總人口中的比例分享權力,更不是每個人在公共決策中具有同等的影響力[28]。這既不現實,也不可欲。雖然在現代社會普通民眾的參與水準已經大幅度提高、參與手段也更發達了,但公共決策對制定者和執行者的要求也相應地大幅度提高了。所以,民眾的直接參與在有限的範圍內有所擴大是可能的,但在大部分領域裡,民眾還需要將權力委託於精英。

其實,精英被邊緣化也並不意味著民眾就有了更大的參與權。精英仍然存在,但他們沒有了獨立性,不能起到應有的作用,或者成為民眾的木偶、處處阿諛大眾的無原則的政客(如希臘羅馬城邦末期);或者成為領袖馴順的奴才(如中國古代科舉制和官僚制度下)。這無疑會降低公共決策和國家治理的水準。近幾十年來,在西方國家,隨著民眾參與意識的增強,直接民主和半直接民主、參與制民主或協商民主、電子民主等形式迅速發展,精英正在日益被邊緣化。美國密西根大學英格爾哈特教授將其稱為由「精英主導型」民主向「引導精英型」民主或「挑戰精英型」民主的轉變[29]。西方主流學者也走入「越民主越好」的誤區,其實,這樣一種轉變正是

---

28 在這個意義上,西方女權主義者和一些少數族裔要求按他/她們在人口中所占的比例分享權力,即屬於民粹主義的要求。

29 Ronald Inglehart, *Culture Shift in Advanced Industrial Society*, Princeton: Princeton University Press, 1990, pp. 335-371. 中譯本見羅奈爾得・英格爾哈特,《發達工業社會的文化轉型》(張秀琴譯,社會科學文獻出版社,2013),第10章。

西方民主走向衰落的徵兆。

（四）由精英民主到大眾民主：民眾參與的制度路徑

在原發型的民主國家，民粹主義是偶發性現象，民主的民粹化是個漫長的過程。這些國家的民主化進程是由精英民主逐漸開放走向大眾民主。民主的發展是循序漸進的，民主參與的權利由上層逐漸擴展到下層，由少數精英逐漸擴展到普通民眾。

在現代民主化過程中，最初的民主只是貴族民主，即只有貴族有參與的權利，而後將富裕的平民吸收進來，接著又下移到有財產、能納稅的普通平民，最後是全體的成年男人，直到少數民族和婦女。大體上，西方的民主化進程就是這樣一點一點擴大的過程。古代希臘羅馬城邦民主的建立也經歷過類似的過程。這個過程說起來簡單，有時候其中的一步就是幾百年或幾代人。具體的操作過程要複雜得多，即使某個群體可以參與公共事務了，開始往往是有限參與，然後再充分參與。有的時候先允許其參與一些地方事務或參與一些特定領域的事務，然後再參與國家層面的政治事務。有的時候還會先授予其選舉權，過一段時間再授予其被選舉權[30]。

---

30 大體上說，西方的婦女「先是獲得法律上的某種獨立和人格平等，如遺囑、財產、婚姻、監護權、訴訟等方面的權利，而後才獲得政治權利。在多數國家，政治權利獲得的順序一般是，先在地方獲得選舉權，由村鎮、鄉鎮、縣、市等依次而上，最後到達國家的層面。從參與權的內容上看，她們往往先獲得對公共教育事務，對學校、醫院、孤兒院、濟貧委員會等機構的管理權，對某些法庭的選舉以及對地方稅收等事務的參與權，而後是對一般政治事務的參與權。在有的國家，婦女同時獲得選舉權與被選舉權，有的國家是先獲得選舉權，而後再獲得被選舉權。」叢日雲，《當代世界的民主化浪

　　西方民主化的循序漸進的發展是由精英民主到大眾民主的過
程,這個過程其實是精英主導的過程,也是公民受到訓練的過程。
最初由精英確定民主的框架,制定民主的遊戲規則,形成民主的文
化,包括行為方式、語言習慣、禮儀符號等,比如開會的規則、辯
論的規則、權力交接的規則等。在由精英構築的這個大的框架比較
成熟的條件下,逐步將下層民眾吸納進來。下層民眾進入這個已經
定型的政治競技場時,只能遵循已形成的習慣,摹仿精英的行為模
式。並且,下層民眾是一批批進入這個場域的,每一批進入時,其
人數都不足以顛覆原有的民主框架,而只能被其所同化[31]。

　　但在中國,普通網民進入公共領域時,並沒有成熟的精英民主
框架。這就好比沒有精英修築的管道和堤壩,民眾參與的滔天洪水
卻洶湧而至,很容易氾濫成災。由於大多數精英長期或作為權力的
化身,或作為權力的依附,與民眾處於對立面,從而失去了民眾的
信任,而具有獨立立場的公共知識分子(主要是右派)又遭到資訊
與思想受政府控制的民粹派的痛恨,這樣,便減弱了他們對民眾公
共參與的引領作用。誠然,中國不可能複製西方民主化過程,中國

(續)————————————
　　潮》(天津人民出版社,1999),頁412-413。
　31　理解精英民主文化對平民的的同化作用,可參考文化地理學家威爾
　　　伯·澤林斯基提出的「第一有效定居理論」:「能有效地建立一個
　　　有生命力的、能夠自我延續的社會的第一批人,其特性對該地區此
　　　後的社會和文化地理具有決定性的意義。不論這頭批定居者人數多
　　　少都是如此——就持久的影響而言,最初的墾殖者即使只是幾百人
　　　甚至幾十人,其活動對該地文化地理所具有的意義,也可能遠遠大
　　　於幾代人之後的成萬新移民的貢獻。」Wilbur Zelinsky, *The Cultural
　　　Geography of the United States*, Englewood Cliffs,N.J.: Prentice Hall,
　　　1992, pp. 13-14.

的民主只是從大眾參與開始，而網民參與天然就是去精英化的。但
我們必須清楚，越是這樣，越需要重視精英對大眾的引領和約束。
有人將當代民粹主義者的形象分為四種類型：自我陶醉型、怨念深
重型、邏輯混亂型和茫然無措型[32]，從這幾種類型，也能發現失去
精英對民眾的心理影響。

（五）龐大社會中「大眾」的雙重凝聚

　　當代中國社會正在迅速地城市化進程中，今天的城市居民已經
超過一半。與此同時，互聯網的出現，使人們之間的空間距離完全
消失。在其他國家的民粹主義進程中，這兩個大眾社會形成是分離
的，但在中國，這兩個進程是疊加進行的，從而加速了社會的「大
眾化」，也加速了大眾的凝聚過程。人們不僅在現實空間凝聚，也
同時在虛擬空間凝聚。由網路熱點議題不斷聚集起虛擬的人群[33]，
而中國龐大的網民群體，對虛擬人群產生群體心理具有加倍的放大
效應。這是一個特殊的具有現代甚至某種後現代特徵的「大眾社
會」，它繼承了傳統平民化社會的思想和心理積澱，內置了毛澤東
時代「群眾運動」的基因，繼續著無精英、無結構的散漫狀態，沒
有現代的民間組織的整合，沒有可以信任的精英的引導，在這種情
況下開始中國的民主化進程，很容易走上民粹主義的歧途，並且民
粹主義的力量和慣性會相當強大，民粹主義的表現也會非常極端。

32　人民論壇問卷調查中心，〈中國公眾的民粹化傾向調查報告
　　（2012）〉，載《人民論壇・學術前沿》，2012年11月（下），頁
　　92。

33　「當個人們聚集到一起時，一個群體就誕生了。」塞奇・莫斯科維
　　奇，《群氓時代》（許列民等譯，江蘇人民出版社，2003），頁19。

三、非公民的「網民」與沒有「民主人」的「民主」參與

從世界歷史範圍來考察，民粹主義興起的時機和環境各不相同。就與民主制度的關係而言：大多數民粹主義運動是在民主制度的框架之內——包括較穩定成熟的民主（如美國）和新建立民主制度而民主政治文化還不夠成熟的國家和地區（如拉美、泰國、臺灣）；有的是在民主制衰落、危機或失敗時期（如希臘城邦和羅馬共和末期、魏瑪共和國時期[34]）；有的是在革命時期或民主化過程中（如法國大革命、1871年的巴黎公社）；還有的是在非民主制度下（沒建立民主制度但有了一定程度的自由化，如當代中國大陸）。

在非民主制度下或在民主化過程中，如果社會出現嚴重的兩極分化，一極是權力寡頭和經濟寡頭，另一極是貧困的、無權的人民大眾，這種啞鈴型的社會結構是產生民粹主義的土壤。當然，單純的普通民眾的悲慘處境並不會產生民粹主義，民粹主義出現還需要民眾一定程度的覺醒（但又不夠成熟），政治秩序給了他們一定的表達空間。所以，在當代中國，網民中的民粹主義者超過不上網的群體，而比較關注公共事務的「積極網民」的民粹傾向超過普通網民。特定的國際環境會產生以極端民族主義表現出來的民族民粹主義，在當代中國，對外的極端民族主義與對內的民粹主義左派合流

---

34 這個時期並不存在典型的民粹主義，但下層平民的行為有類似民粹主義之處。法西斯主義、納粹主義不是民粹主義，但與民粹主義有相通之處，在廣義上，也可視為民粹主義的一種表現形式。比如阿根廷的庇隆主義就明顯受到義大利法西斯主義的影響，而戰後一些納粹分子逃到阿根廷卻如得故園。

35。另外，特定的宗教條件可能會產生原教旨主義的宗教民粹主義。當代中國大陸的網路民粹主義綜合了這幾種民粹主義。

（一）網民：沒有形成民主人格的民主參與者

在走向民主的國家裡，特別是在民主化早期，普通民眾雖然產生了政治參與的願望，但他們中的大多數可能還沒有形成民主的政治人格，這就會出現「沒有民主人的民主參與」的現象。這裡的「民主人」指的是民主的政治人格。

在反對威權政治的氛圍下，民粹主義的人民崇拜很容易獲得話語優勢。人民至上，人民利益就是一切，甚至人民就是真理，人民就是道義正當的承載者，任何對「人民」權力的質疑和約制都會被民主的高調喧囂所吞沒。但是，事實上，要求民主參與的大部分民眾仍然屬於權威主義的政治人格。他們要求政治平等和民主化，但他們本人卻沒有民主化；他們要求參與一切，但其參與的能力還有限；他們反對現實中的專制，但卻呼喚新的政治強人；他們仇視精英要求平等，但卻向具有超凡魅力型（卡理斯瑪型）的政治領袖皈依³⁶；他們要求消除精英與民眾的不平等，卻代之以領袖與民眾間更大的不平等。結果，民粹主義將精英拉到他們的水準，但他們的地位並沒有上升，而是下降了。擺脫了精英，權威主義的民眾就成為集體暴君，或成為政治強人的盲目追隨者和附屬物，受其任意支

---

35 這種極端民族主義的民粹主義主要是左派民粹主義，作為一種國家主義，它還在國內少數民族問題上、臺灣香港問題上表現出來。

36 這一點在推崇重慶模式的民粹主義者那裡表現最為明顯，他們因像當年紅衛兵崇拜毛澤東一樣崇拜具有卡理斯瑪型領導人特徵的薄熙來，而被反對者稱為「薄粉」。

配和擺布。

（二）網民參與：網民領先於公民的困境

當代中國的民粹主義主要表現為網路（或網民）民粹主義。無疑，按各國通例，社會的兩極分化（權力與財富）是民粹主義的溫床。在中國的互聯網上，Netizen（網民或網上公民）有一個自嘲式的名稱「屁民」（shitizen）[37]，近兩年又流行網民自稱為「屌絲」[38]，表明這些網民對自己社會地位和生活境況的認知，也暗含著對權貴的嫉恨。但在中國，民粹主義興起還有特殊的原因。如前所述，在原生型民主國家，由精英民主到大眾民主，是一個漫長的過程，但是，在我們國家，網民的參與幾乎捨去了這樣漫長複雜的過程，把人家上千年的歷史壓縮到幾年或十幾年來完成。普通民眾還沒有成為citizen（公民），卻先成了netizen（網民）。也就是說，還沒有在其他場域作為公民受到參與的訓練，卻一下子作為網民全面地參與國家各領域各層面的事務。這就是問題所在。

這些網民在現實政治生活中，長期沒有任何參與公共事務的權利。在任何領域和國家的各個層級上，普通民眾都是消極被動的「群

37　2008年10月29日，深圳海事局書記林嘉祥涉嫌猥褻11歲女童，被發現後他在現場傲慢地對圍觀民眾說：「我比你們市長級別還高，你們算個屁」（這句話和相關事件未知真假）。此後「屁民」一詞竄紅網路。這句話在網上傳播開來後，「屁民」成為無權勢、受人欺辱輕蔑的平民百姓的代名詞，網民也開始流行以「屁民」自嘲。

38　源於一個髒詞。網民使用這個稱呼自嘲，大意指那些出身清貧，地位卑微，有自尊但常受歧視，渴望成功但前途渺茫的人。往往是指在與各類成功人士、「官二代」、「富二代」、「高富帥」、「白富美」等優勢群體相對而言的處於弱勢的普通平民。

眾」。雖然一次次政治運動將「群眾」捲入政治領域，但那只是被動的、動員式的參與，是作為被領導者、被愚弄者、被利用的工具的參與，有時甚至是強制或隱性強制下的參與，而不是主動的、制度化的參與，不是作為具有獨立政治人格的公民的自覺參與。在這樣的情況下，突然出現了具有自媒體特徵的新媒體——互聯網，借助於互聯網這樣一個便捷的媒介，加上中國這些年教育規模的急劇擴張，具有中等和高等教育經歷的群體大規模增長[39]，從未有過參與經歷的普通民眾突然之間一下子湧到了公共場所和政治的競技場，都能夠對國家的公共問題發表意見、施加影響。從基層事務到國家事務，從國內政治到國際政治，從公共政策到司法審判，從官員腐敗到醫生瀆職，數億網民迅速聚集於一個議題，直接發表他們的判斷和主張，互聯網上不斷爆發出山呼海嘯般的喧囂。通過互聯網創造的虛擬空間，將人們聚集在數位化的廣場上，現代化的廣場政治出現了。古代城邦時代的廣場政治一般是數百到數千人的規模，但新型的廣場政治達到了數億人的規模[40]。古代政治非常簡單，

---

39 2012年中國大陸畢業的研究生和普通本專科生已達673萬餘人。在校的大學生、研究生和接受高等學歷教育的學生近3800多萬人。受中等教育的在校生達9000多萬人。教育部：各級各類學歷教育學生情況（2012），http://www.moe.gov.cn/publicfiles/business/htmlfiles/moe/s7567/201309/156896.html

40 根據中國互聯網路資訊中心（CNNIC）發布的第33次《中國互聯網路發展狀況統計報告》顯示，截止2013年12月，我國網民規模達6.18億，互聯網普及率為45.8%，其中手機網民規模達到5億。截止2013年底，全國103家微博客網站的用戶帳號總數已達12億，博客和個人空間用戶數量為4.37億。中國互聯網資訊中心（CNNIC），http://www.cnnic.net.cn/hlwfzyj/hlwxzbg/hlwtjbg/201403/t20140305_46240.htm。截止目前，微信的使用人數已超過4億China Internet

大部分政治決策都是普通人能夠了解的，但現代政治卻複雜得多，技術的含量也高得多。但借助於互聯網，普通民眾都能對之發表意見，施加影響。這是非常特殊的「參與內爆」，歷史上沒有先例[41]。

網路乃是民主化的工具，這在民主國家和非民主國家都是如此。但在民主國家，網民是公民，在民主制度框架下和在現實空間裡，他們能夠自由表達意見，按代表制民主程序參與公共決策，互聯網只不過使他們有了更直接更便捷的手段而已。西方現代的直接民主和半直接民主是在代表制民主的基礎上的進一步發展。但在中國大陸，一個突出的問題是，中國尚未建立起代表制民主，網民在現實空間裡尚未獲得民主參與的權利，沒有經歷過政治參與的準備和訓練，在政治意義和在心理準備上，他們都不是公民。但如今，他們卻開始了後代表制民主時代的具有直接民主色彩的公共參與。在民主制度下，網民直接參與也不免具有民粹傾向，但在中國大陸，越級參與和無準備的參與無疑加劇了民粹化傾向。所以，在分析中國網路民粹主義特徵時，我們需要特別注意在網民參與中不同網民的區別及其意義：有選票的網民與無選票的網民；有政黨或公民組織的網民與無政黨或其他公民組織的網民；有代表的網民與無代表的網民；有新聞自由的網民與無新聞自由的網民。在中國，網民屬於後一類，它塑造了當代網路民粹主義的大部分特徵。

（三）網民參與：有缺陷的公民學校

如前所述，西方民主化的經驗是自上而下逐步開放民主，其中

（續）———————

Watch.，http://www.chinainternetwatch.com/tag/wechat/。

41　在微博時代初起時，著名公共知識分子笑蜀的名言曾廣泛流傳：「關注就是力量，圍觀改變中國」。

每一步，就是給那些有參與願望、要求的人以民主，給那些具有民主訴求的人以民主。民主擴大的每一步，都伴隨著要求民主的人的抗爭，他們有了民主意識，感到沒有參與權利的恥辱，聯合起來以集體行動進行頑強和有效的抗爭，這本身就證明，他們已經初步具備了政治參與的能力。接著，這些人就獲得了政治參與的權利。在下層平民開始進入公共領域時，他們在爭取民主的抗爭中已經產生了自己的精英，同時，他們也面對著先前由精英們創立的民主框架。平民並沒有創造民主，他們只是加入到精英設計的民主過程中。

毫無疑問，互聯網開闢了由臣民轉化為公民的新途徑，許多網民是在虛擬空間裡完成政治社會化過程的。互聯網成為孵化公民的搖籃，網民參與成為民主的預演，而網民可以視為公民的實習期。中國人在民主化的進程中，比較幸運的是有了互聯網，將中國的民主化進程提前和提速了，公民參與在互聯網上出現了爆炸式的發展。應該說，互聯網也是公民學習參與的學校，中國的公民是在互聯網上首先學習和嘗試參與的，以往只能竊竊私語、發發牢騷的民眾借助互聯網形成了能夠左右公共決策、司法判決、政府行政的公共輿論場。但這幾年的經歷告訴我們，在其他場域不開放的情況下，僅僅在互聯網上的參與，作為網民的參與，會帶來很多問題，甚至潛藏著危險[42]。

---

42 波斯特說：「我們不可能認為這樣一個社會具有民主的特徵，其中『人民』被賦予了決定自己政府性質的權利，但是組成『人民』的個人卻不曾自由地行使自己的意志來選擇自己的政治命運」（R.C. Post: *Constitutional Domains*. Cambridge: Harvard University Press, 1995, p. 102.）轉引自林紅，〈馴服民粹——現代國家建設的征程〉，《讀書》，2013年第7期）。這個「不曾自由地行使」可以理解為「人民」由於種種原因缺乏基本的「公民」訓練，因而還不具備基

　　在民主制度下，網路參與只能作為民主參與的一個補充，但在
中國大陸，在其它管道都被堵死的情況下，它幾乎是民眾參與的唯
一管道。「網路民主」的說法只在引申的意義上是對的，但「網路
民主」不是「電子民主」。網民們只是製造輿論，施加影響和壓力，
並不能直接由網民投票產生公共決策。由於網路輿論影響的不確定
性，使網民容易放大他們的訴求，以極端的方式表達他們的訴求。
大量網民是「無名氏」，他們不必對自己的言論負責，而社會精英、
知識精英、政治精英，在互聯網上常成為被嘲弄的對象，起不到教
育、引領和組織的作用。這就造成網民參與的非理性、僭越性和無
序性。

　　在古代希臘羅馬城邦時代，民眾主要是以戰士的身分參與公共
事務的。到中世紀歐洲，民眾參與國家公共事務的主要身分是納稅
人。在現代民主條件下，民眾是作為政治共同體（國家）中獨立、
平等的成員即公民去參與國家公共事務的。這意味著，參與不僅是
權利，也要承擔責任。戰士們作出宣戰的決定，就要上戰場拼殺；
納稅人做出增加稅收的決定，就要分擔稅款；公民們投票決定國家
事務，就要為此履行義務。但在當代中國，民眾常以「群眾」的身
分參與國家公共事務，那是被動的、被「組織」的動員式參與，沒
有義務可言。沒有獨立人格，便不會培養起責任感。而真正以獨立
的政治人格主動參與國家公共事務的身分卻是「網民」。

　　網民在現實的公共空間裡不是公民，而是「群眾」（the masses,
crowd）。當他們在網上表達的時候，他們是「網上群眾」，而不是
「網上公民」，所以他們沒有受到公共參與的法律規範、遊戲規則、
複雜而規範化的程式、傳統和儀式等的約束（比如開會的規則、辯

（續）────────────────────

　　本的公民意識和能力。

論的規則等），也沒有養成在這些規範約束下形成的行為方式。因為他們一向沒有權利，也就沒有義務的約束，更沒有培養起責任倫理。在網上，他們的表達往往是放縱的、不負責任的。因為他們沒有過參與的訓練，所以也不懂得如何克制和理性的表達、不懂得尊重別人。網路參與產生「群體極化」效應，誇張地放大了現實社會中人們之間的對立[43]，使人們有更多的不信任和敵意，更少寬容和妥協，暴戾之氣瀰漫於網路，也傳染了現實社會[44]。

　　所以，互聯網是一個有缺陷和弊端的公民學校。它訓練公民參政，但卻容易將他們導向民粹式的政治參與。它的匿名化、無序化、直接性和便捷性、群集效應等特徵，既增加了網民參與的信心和勇氣，也使其容易情緒化、走極端；既使網民有力量感，也會使他們缺少理解、尊重和寬容，不易產生理智的討論和理性的妥協；既使他們很便捷地對公共事務發言，但也使他們不必對發言承擔責任；既使他們獲取較多資訊，但也使他們放任自己的思維慣性，從而降低判斷能力[45]。他們會出於正義感維護人權，也會出於偏見和被虛

43　比較微博與微信就會發現，微信中的氣氛比微博要和諧得多。因為微信是實名的而非如微博那樣匿名的，它主要是日常交往圈子中的親友、同事、同行等交流的平臺，人們相互尊重，善意交流，並盡可能掩飾在公共問題上的不同觀點。

44　在一些場合或一些議題上，網民沒有理性討論，只有辱罵。網上的語言暴力已經成為許多網民的習慣，近幾年著名的事件有北大教授孔慶東辱罵記者並自己將其罵人語言發布在微博上的「三媽的」事件。網上的語言暴力時常發展為街頭暴力。較著名的暴力事件有，由網上相互爭吵和漫罵發展到約架街頭，保釣遊行中的打砸燒的行為，大學教師韓德強在大街上毆打老人，毛式左派對茅于軾、袁騰飛的圍攻等。

45　在本人親身經歷和參與的2012年的一個網路事件中，紛紛表達態度

假資訊矇騙而侵犯人權[46]。非理性、輕信、易受暗示、誇大、傳染、不負責任、走極端、語言暴力，總之，網路學校培養出來的網民容易染上勒龐所描述的「群眾心理」的大部分特徵。勒龐的觀察對象主要是19世紀街頭和會場中的「群眾」，當代中國的網民作為一個「心理群體」是網上的「群眾」。如果說中國民眾是通過網民的身分成為公民的，那麼，這種特殊的管道本身潛伏著使還在繈褓中的公民產生畸變的危險傾向。網路培育公民，也腐蝕公民；造就公民，也誤導公民。當公民在網路的胚胎中孕育成形的時候，不利的環境會敗壞他們，使他發生流產或畸變。在其它領域不開放而互聯網也只是部分開放的情況下，網民是發育為成熟的現代公民，還是墮落為暴民、「電子法西斯」，仍具有不確定性。

（四）在互聯網之外：半自由的互聯網與嚴格受控的教育與大眾傳媒

有些學者按民粹主義發生的一般規律，強調中國社會兩極分化對民粹主義興起的推動作用。誠然，中國社會的兩極分化已經達到危險的極限，但憑此推斷網路民粹主義則有些牽強。其實，社會的底層、改革中利益受損者、各種弱勢群體，在中國社會並沒有與他們的人數相對應的輿論表現。真正的工農大眾，仍然停留於自發地、本能地、應激地反抗對他們眼前利益受到的直接侵犯，表現為在拆遷、徵地、環境、偶發的社會事件等場合作出反應，並沒有更高的

（續）————————————————

　　的網民包括一些著名的學者，都沒有弄清基本事實，也沒有發現他們所相信的媒體對事件描述明顯的自相矛盾和漏洞。

46 我相信，這些年，由網民參與造成的一些政治壓力產生了消極的和負面的影響，網民參與司法審判也製造了許多冤假錯案。

更普遍的目標，也沒有形成大規模的運動[47]。

當代中國網路民粹主義的一大特徵，不是利益導向而是教育宣傳導向的，由這種宣傳教育所形成的價值觀、思維方式和知識視野起到了關鍵的作用。普通農民、工人、農民工上網率較低，網上公共參與率更低。網路民粹主義不管多麼熱鬧，他們很少捲入其中。他們時而成為網民關注、同情、救助和聲援的對象，但他們本身在網民中的比重很低，是相對沉默的一群。可見，民粹主義的「底層立場」並沒有達到真正的底層，更多地是中層或中下層的立場，以及知識精英偶爾表現出的對底層命運的同情。中國民粹派的主體不是「無套褲漢」，而是受過中等或高等教育的平民大眾，是「網上無套褲漢」。

在發達民主國家，公民在享受了數百年的思想言論自由和新聞自由之後，才出現自媒體。但中國民眾在沒有享受到新聞自由的情況下，出現了比較難以控制的新媒體互聯網。所以，一般而言的新媒體或自媒體的影響，在中國特定情況下，會出現扭曲變形。要認識中國大陸的網路民粹主義，還要了解網民在網路之外所受到的宣傳教育，了解他們在成為網民之前內在精神世界的特徵，了解互聯網的半自由半受控的特點及由此帶來的影響。

對中國網民來說，一個基本的事實是，儘管互聯網是相對開放、多元的空間，但網民們是在不開放或開放程度很低的場域受到教育的，在那裡形塑了他們最初的精神世界：他們的知識視野、思維方

---

47 網路之外的民粹主義主要表現在每年大規模發生的「群體性事件」中，這些「群體性事件」的主要參與者是下層民眾。所有這些「群體性事件」都是局部發生的，其影響遠不如網路民粹主義。而且這個論題已超出本文的範圍，在此不論。

式、價值觀念、語言習慣和行為方式等。他們是以這樣的人格特徵
進入虛擬空間,參與公共事務的。甚至在成為網民後,官辦媒體的
影響仍然是巨大的。他們上網發言的時候,不僅依據網上的資訊,
也依據CCTV、《環球時報》、《參考消息》等提供的資訊。有的
人在成為網民後,會改變他們原有的觀念和思維方式,但對很多人
而言,他們在上網之前和在網路之外形成的價值偏好、思維定勢,
是他們選擇、判斷和評價網上多元資訊的立足點。有的時候,我們
看到,網民的智慧和豐富知識匯到一起,是任何一個專家學者無法
相比的。但我們也得承認,在一些場合,特別是在涉及到官民對立、
貧富對立的議題時,涉及到民族主義情感、對外事務和國際關係領
域時,一些網民的偏見根深蒂固,其判斷力的低下是驚人的。

　　互聯網時代的到來,使普通民眾能夠以公民的身分在網上發表
言論、參與國家公共事務,但此前他們在學校裡並沒有受到健康的
公民教育,嚴格受控的大眾傳媒給他們的資訊和灌輸的價值觀念也
有極大的缺陷。這樣,就使公民所在的兩個場域出現不協調:一個
場域是受控的教育(特別是中小學教育)和大眾傳媒,它向民眾傳
播了大量片面和虛假的資訊、有缺陷的價值觀念、培養了非理性的
表達方式和行為模式;另一個場域是有限開放的互聯網,在這裡,
每個能夠上網的人都有機會對公共事務表達自己的判斷、意見和訴
求。雖然網路民意並不等於電子民主,但在有的場合,數億網民也
能夠形成聲勢浩大的壓力,有時甚至能夠綁架政府、左右司法、迫
使專家噤聲[48]。網民如此巨大的能量,卻不一定是正能量[49],有時

48　比如,在進入老齡化社會後,提高退休年齡是一個合理的做法,但
　　政府這個動議提出後,遭到網民強烈的反對,網上罵聲一片。一些
　　專家不再敢為這個政策辯護。一個案件如果被網民關注,立即變成

是負能量，甚至是邪惡的能量。

　　也就是說，他們所受到的教育是要他們成為忠實的追隨者和馴服的工具，可現在他們卻有條件自主的表達和表現自己；他們在網路上獲得了表達的機會，但他們所受的教育卻使他們沒有獲得充分的、多元的和平衡的資訊；網路為他們提供了參與公共事務的便捷方式，使他們很容易成為網民，但他們掌握的資訊是片面的、失真的，他們的思維方式是有缺陷的，他們的價值觀念是偏激的或不健康的，他們的行為方式和表達方式缺乏寬容、妥協和理性精神[50]。一句話，他們已經參與公共事務，但卻沒有形成現代公民的政治人格。

　　弔詭的是，中共雖然執政六十多年，卻仍然延續著以往造反時代的「革命教育」，紅色革命過程中用以動員民眾的意識形態和行為方式，都含有民粹主義因素。網民們生活在「權貴資本主義」的社會裡，但他們受到的教育是將窮人道德化、富人妖魔化、將劫富濟貧合理化的教育；網民生活在和平的秩序下，但他們受到的教育則不尊重規則，缺少文明、和平、仁愛的價值，充滿著暴戾和暴力；網民生活在中國日益融入全球化進程的環境下，但網民受到的教育

（續）

　　群眾審判，法院有時會順從網民壓力作出違法判決。比如劉湧案、藥家鑫案、李天一案、都是在網民的壓力下作出的判決，李昌奎案則是在網民的壓力下對終審判決進行改判。

49 在官方的宣傳中，將支持官方的觀點表達稱為「正能量」，本文在這裡與之不同，是在一般意義上使用這一術語的。

50 勒龐針對法國的教育曾痛心地說：「法國的教育制度把多數受過這種教育的人變成了社會的敵人。」古斯塔夫・勒龐，《烏合之眾》，頁104。勒龐接下來對法國教育弊端的揭露，大部分內容也符合當代中國的教育。

是排外仇外的教育。當正統的教育在今天仍然在向青少年灌輸革命
史和革命理論的時候，同時把民粹主義思維方式和價值觀念傳染給
年輕一代。當受到這種教育的網民面對當代「權貴資本主義」的現
實時，自然用這一套來作出判斷和評價，並用當年中共所操持的話
語來表達他們的不滿和控訴，從他們所受教育中尋求對抗之道。

　　互聯網使公眾獲取信息的管道多元化了，但目前中國的互聯網
並非自由媒體，最多算半自由媒體。它只是以新技術提高了政治控
制的成本，但它仍然是可控的、受控的媒體，仍然是「帶著鐐銬起
舞」。比起完全受控的單方面灌輸的大眾傳播來，人們在互聯網上
獲得的資訊要豐富得多。但是，政治制度的大環境，加上防火牆、
網管、網評員等具體措施，使網民獲得的資訊仍然是有限的。

　　大體上說，網上的資訊可以分三類：第一類是官方喜歡的和允
許的；第二類是官方雖然不喜歡但能夠容忍的，或管控的成本太高
邊際效應太低的；第三類是官方不喜歡和不允許的。對於第三類資
訊，官方的控制是非常成功的。官方對這類資訊的控制分級進行。
最敏感的政治性資訊和言論基本能夠被全面封殺[51]，而不太敏感的
政治資訊會部分地封殺，有限地傳播。所以，上網並不意味著能夠
自由地獲取資訊。一個網民是否能夠獲取多元平衡的資訊，取決於
他在互聯網之外所受到的教育，這種教育也在一定程度上決定了他
擺脫官方控制獲取獨立資訊的願望。冷酷的現實是，極端的應試教
育和功利化的教育培養出來的學生求知欲很低，大多數學生缺少追
求真理、獲取多元資訊、了解社會真相的願望。他們主要從搜狐、
新浪等受官方控制很強的門戶網站接觸新聞，而不是關注有獨立立

51　像1980年代末在北京發生的那次震驚世界的政治事件，大多數大學
　　新生一無所知。高年級學生也知之甚少。

場的學者的博客和微博，有較豐富內容的學術網站，更遑論為獲取政治性資訊而「翻牆」[52]。所以，一般網民獲得的與傳統媒體不同的資訊仍是從可控的管道無序地溢出的，它們仍然是不平衡的資訊。並且，作為「小眾傳播」、個性化傳播的手段，網民可以主動獲取自己需要的、符合自己價值偏好的資訊，拒絕、遮罩不喜歡的資訊，這加劇了他們獲得的資訊的不平衡性。這樣，對互聯網的有限控制，對網民的分化和極化產生了特殊的影響。

如果資訊完全被控，民眾處於完全封閉的社會裡，只會成為精神完全受控的「群眾」，而充分開放的資訊則會使群眾成為「充分獲知的公民」，但傳統媒體和教育的嚴格受控與網路的部分開放，才會造就脫逸官方控制的民粹主義。卡內提說：「只有解放群眾才能真正創造出群眾」[53]，我以為，正確地說，只有部分地解放「群眾」，才能創造出「群眾」。

當然，在互聯網這種有限開放的空間裡，其多元化、網路化、個性化的資訊傳播方式，畢竟優於社會官方嚴格控制的大眾傳媒，它使網民在一定範圍內能夠各取所需。這本來有利於人們廣泛地獲取多元化資訊，如果他們有意願，也能在很大程度上衝破官方的管控。事實上，也的確有許多網民利用互聯網之便，擺脫官方宣傳教育的影響，獨立地獲取資訊和思考。但部分開放的資訊又帶來了資訊的分化和網民的極化，加劇了令人擔憂的「群體極化」（group polarization）傾向。當代中國的社會分化不完全是由占有財富和權

---

52 許多年輕的網民會為尋找遊戲軟體或看電影而「翻牆」，不會為了
　　了解多元的政治資訊而「翻牆」。

53 埃利亞斯・卡內提，《群眾與權力》（馮文光等譯，中央編譯出版
　　社，2003），頁3。

力決定的，還由占有資訊的不平衡決定。通過互聯網上的論壇、QQ
群、博客、微博、微信，價值立場相近的網民聚集在一起，他們只
關注對自己有利的資訊，相信自己需要的資訊，排斥不利的資訊。
立場相近的網民們相互鼓勵和激發，於是強化了網民內部的分化和
對立。

　　要使網民成為具有現代文明教養、充分知情的、有健全判斷能
力的公民，就需要開放新聞自由、言論自由，開放大眾傳媒和教育，
同時，也要解除對互聯網的管制，保障公民獲得充分的資訊，保障
多元觀念的平等競爭。如果不開放這些領域，我們的公民不能獲得
多元化的平衡資訊，不了解真實的中國社會，不了解真實的歷史，
不了解真實的外國和中外關係[54]，也不了解與自己對立一方觀點主
張的根據所在，如奧爾特加所說，有缺陷的教育和受控的媒體使他
們成為「有知識的無知者」（learned ignoramus）[55]，他們憑著被灌
輸的滿腦子偏見和虛假資訊在網上發言，影響公共事務。片面的資
訊誤導了他們，他們製造的輿論又會誤導國家。

　　正因為網民們受到的是有缺陷的教育，由此形成有缺陷的思維
方式、有缺陷的表達方式，使他們中的許多人不知道怎樣跟公民同
胞們溝通，不懂得如何邏輯地思考、理性的表達和交流。更為嚴重
的，是數十年來，我們的教育和媒體向民眾一邊倒地灌輸國家主義
觀念，缺少對仁愛與和平的價值、尊重個體的價值的傳播。合理化

---

54 關於大陸宣傳教育對塑造激進民族主義的作用，參見拙作
　　"Nationalism and Democratization in Contemporary China," *Journal of
　　Contemporary China*, pp. 831-848, Number 62, Nov. 2009.〈當代中國
　　激進民族主義興起的原因〉，《領導者》（香港），2008年10月（總
　　第48期），頁97-110。
55 奧爾特加‧加塞特，《大眾的反叛》，頁108。

暴力,甚至崇尚暴力,至少缺乏對暴力的反思和批判。這些價值觀念都或隱或顯地支配著網路民粹主義的言論,使民粹主義的網民參與顯露出不祥的前景。

尾論

當代中國大陸的網民政治參與是一種沒有代表制民主支撐的、一步到位式的、非制度性直接參與,是沒有經過民主訓練的、缺少精英引導的、平民化的、一哄而上型的和無序化的「網路民主」。網民所受的教育和大眾傳媒的影響也使他們不能獲取充分的、多元的和平衡的資訊,成為充分知情的公民,網民們被灌輸了根深蒂固的國家主義價值觀(主要是左翼民粹),許多網民缺少理性地、邏輯地思考的能力、不懂得尊重、寬容和妥協的價值,習慣於以充滿敵意與好鬥的態度和暴力的方式對待其他公民。也就是說,這些網民還沒有成為合格的、健康的公民。他們中的大多數雖然有民主意識,但卻沒有形成民主的政治人格。所以,網民的政治參與就成了沒有「民主人」的民主參與。如果不能消解和馴化網路民粹主義,其後果對於民主化進程必然是破壞性的、甚至是災難性的。它的消極影響會使人們對網民參與感到失望,甚至敗壞民主的聲譽,結果是民主的倒退。如果民粹主義者主導了政治進程,社會沒有對他們的有效制約,結果將是暴民政治,而暴民政治的歸宿必然是強人政治、卡理斯瑪型權威的統治。

所以,表面看起來是開放參與產生了民粹主義,但開放參與只是使民粹主義有了表現的機會。產生民粹主義的真正根源是民眾長期處於無權狀態、被壓迫和被剝奪的狀態,只要這種狀況不變,民粹主義就有其存在的理由。而民粹主義在中國之所以表現比較極

端，還有其特殊原因，主要在於當民眾參與意識覺醒並有了互聯網
這樣的參與手段後，沒有及時、適時地開放其他公民參與的場域，
使公民受到適當的公民教育訓練的結果；是在互聯網時代已經到
來，民眾參與迅猛發展，但在教育和大眾傳播領域甚至對互聯網這
樣的新媒體仍然實行嚴格控制的結果。要消解和馴化民粹主義，除
了一般而言的解決社會不公問題，還需要進一步開放公民公共參與
的場域，以解決民眾的無權問題，並受到參與的訓練，成長成自己
的精英。同時，還要進一步開放互聯網和其他教育、大眾傳媒，使
公民成為充分知情的公民。總之，不是封堵公民參與，而是擴大參
與，並培養出健康的公民，網民公共參與才能步入正途。

　　叢日雲，中國政法大學政治學系教授，主要從事政治學理論、
西方政治思想史、當代中國政治的研究與教學。主要著作有：《西
方政治文化傳統》、《當代世界的民主化浪潮》、《在上帝與愷撒
之間——基督教二元政治觀與近代自由主義》等。

動物與社會

近幾十年來，動物議題在西方世界的發展蓬勃，從倫理學反思動物的道德地位開始，逐漸擴展成為「動物研究」（animal studies），涉及動物的學術領域大幅度擴張。一如當年文化研究對幾乎所有的人文、社會學科領域造成龐大衝擊，思考「動物」所帶來的觀點也讓文學、法學、歷史學、人類學、社會學都受到刺激，學界關於動物的討論活力遽增。另一方面，關注動物的各類社會運動也蓬勃發展，挑戰社會與文化中各種歧視、虐待動物的成見習慣，多少改變了人類的道德感性。

　　有見於動物議題在台灣也愈來愈受到重視，《思想》組織本專輯，邀請不同視角的作者探討他們所關心的幾個動物議題。無庸贅言，這裡所能涵蓋的議題非常有限，並不足以呈現動物與人類的多面關係。由於台灣的動保運動已經積累了二十餘年經驗，亟待整理反省，故先邀請汪盈利回顧流浪狗議題在台灣的歷程。此外，陳宜中對莽萍的專訪，綜述動保運動及動物立法在中國大陸的狀況，與台灣經驗也多可以相互參考。

　　由於篇幅限制，本專輯所邀約的部分文章必須延到下一期發表，謹此向作者與讀者致歉。

——錢永祥

50年間消逝的生命：

台灣流浪動物議題簡史

汪盈利

前言

　　妳在行走時，是否曾有流浪犬或流浪貓進入妳的視線？或許還不小心和牠們四目對望？牠們很可能看到人就快速閃開，或者呈現戒備，但更有可能是慢慢走向妳，搖搖尾巴或喵喵叫，希望你能摸摸牠，給牠這一餐的溫飽，在妳身旁示好、撒嬌，期待妳可以像消失的舊主人一樣，保護牠，給牠一個家。

　　因為與牠們在街頭相遇的經驗，我開始接觸流浪動物議題。1990年代，我就讀台北市郊區的小學，附近群山環繞，住家和學校周圍，高壓電塔邊、行走的道路上，總是有許多流浪犬，「流浪犬」的現身與討論，變成生活中的一部份。清晨清潔隊員的破裂水桶裡，裝著因寒流來襲凍死的中型瘦狗，隨著小水桶螺旋置身，剛剛好的皮毛骨堆疊，蓬鬆的尾巴可以蓋著頂圍成一個圈；冷雨中，路燈下躺著僵硬的貓咪，眼睛瞪大直直的看，好像有一千斤重，我撿不起來；鄰居的愛心媽媽家裡收養了四、五隻流浪犬，並常常帶附近的流浪犬去結紮、幫忙送養找家庭，也替大樓後隱蔽小公園內被十字弓射穿頭部的流浪貓收屍、超渡。

　　那時的我常常想，流浪犬怎麼出現的？為什麼路上會有這麼多的流浪動物？為什麼牠們沒有家？為什麼這個現象會變成一個困擾我的問題？

　　我和愛心媽媽這類對於流浪貓狗在生活周圍的受苦、死亡「同情心過度氾濫」的人，在都市忙碌的生活步調裡，顯得格格不入。畢竟多數人應對的態度那麼自然、從容，認為這些生命的出現或消失並無意義，社會上面對這個議題的主要態度是：別給人類惹麻煩。

　　後來長大點，發現原來有專門關注流浪動物的人與組織，更有不少人因為接觸了流浪動物議題，投奔了動物保護運動[1]的大門，我自己就是一例。台灣的動物保護運動自1990年代出現以來，相較於動物表演、經濟動物與實驗動物，野生動物與流浪動物是較受大眾理解的議題。野生動物自台灣生態保育意識抬頭後，即受到社會關注是有原因的。1992年台灣因野生動物產製品的販售，遭到貿易制裁並使國際形象受損，保育野生動物也進階為國家門面維護的正當訴求，針對特定物種與棲地進行保育措施，減低人對動物和環境的干擾行為。而流浪動物主要源自飼主棄養，以及非法寵物繁殖業者的不當繁殖，政府與社會在流浪動物照顧上必須付出巨額成本，替不負責任的飼主與無良業者解決社會問題，加上流浪動物議題的主要動物主角是貓與狗，與人的互動關係較為親近，大眾容易有共感，也讓流浪動物議題成為最受大眾矚目、最熱門的動物保護議題。

　　觀察1990年代前後成立的動物保護團體，可以發現其宗旨大多是以流浪犬的救助、照顧為主要目標。如果依團體的數量，與對流浪犬所投注的資源，我們也可以說，流浪犬議題的關注，是1990年代台灣大多數動保團體的最大焦點。到今天，關注範圍已經擴及至

1　「動物保護」一詞的含意非常複雜，爭議也很多，在此暫不討論。

流浪貓,於是「流浪動物」更是台灣動保運動的主要工作。

其實,流浪動物這個議題在台灣是有其歷史的。1965年開始,流浪犬的數量上升,超過街頭負荷,造成了環境與治安的問題,政府回應民間成立捕犬隊,將街上的狗抓到暗處的收容/留置所,用各種「創新」與「高效率」的方式撲殺流浪犬。1988年第一個流浪犬收容團體,以人道主義觀點對政府提出「人道捕捉、人道撲殺」的訴求,要求政府必須降低流浪犬撲殺過程的痛苦。往後經由台灣各界動保團體的努力,動物保護法也於1998年正式立法通過,讓流浪動物管理有法可參循,「人道捕捉、人道撲殺」從而於法有據。從1965年至今2015年,已經過了50年。本文擬回顧台灣流浪動物議題,包括流浪動物的成因,何時成為社會問題;政府面對流浪動物如何回應;民間動保團體在解嚴前後以何種方式介入,替流浪動物發聲;1998年動保法立法後,台灣流浪動物的情況,又有哪些改變。回顧之後,我們可以了解在街頭巷尾求生的流浪動物,在台灣這50年來的曲折但不改其悲慘的生死命運。

一、流浪犬成為社會問題(1965-)

翻閱報紙,台灣最早討論流浪動物對治安與環境造成問題,是在1965年。也就是從這時候開始,「流浪動物」變成社會問題。而後政府相關單位雖然於1969年有意嚴格執行狗口登記[2],但成效不彰,流浪動物問題演變成為社會公害,甚至在1994年躍居台北市公害投訴首位。

---

2   1950年代政府為狂犬病防治,即有制訂「狗口登記」的飼主(畜主)
     管理制度,但未嚴格執行。而1969年始有意「加強管理」。

　　1950年代台灣狂犬病盛行，為了控制疫情，當時政府行政機關
與警察單位，有過長時間的大規模殘忍的犬隻撲殺，另外政府也結
合衛生署與農委會，規畫狂犬病防治，進行飼主（畜主）管理，要
求狗口登記。這一系列的防治工作，確實有效的抑制了狂犬病繼續
流行，於1959年宣布台灣狂犬病絕跡。根據1950年代的新聞報紙來
推測，在大規模「見犬就殺」的狂犬病防治撲殺行動，與狗肉銷售
市場熱絡的影響下，流浪犬的數量應不至於多至「隨處可見」，形
成「流浪動物」這一社會議題。

　　令人疑惑的是，從1959年狂犬病絕跡，到1965年流浪犬議題又
開始成為社會問題，六年之間流浪犬哪裡來的？從1965年到1994年
成為公害投訴之首，近30年，政府針對流浪犬議題沒有回應嗎？

二、寵物變垃圾——流浪犬成因（1960年代-1970年代）

　　1992年，行政院環保署委託台大昆蟲系石正人教授與台大獸醫
系葉力森教授，進行《改善野犬管理現況資料與民眾意見彙整計劃》
研究，發現都市棄犬來源的責任歸屬為下列三者：寵物繁殖業者，
不適任飼主，與放任的政府單位。

　　1960年代開始，台灣的經濟發展與都市化的程度急速進展，對
於寵物的需求急遽上升；另一方面，豢養國外品種的名犬，成為有
錢人追求身分地位的時髦活動，國外名犬一隻動輒數萬元，兩類需
求的結合，一時之間犬市興起。

　　犬市興起帶動販犬業發展，加上政府確認的「客廳即工廠」政
策大力推行家庭副業，飼養名犬內銷與外銷也含列其中。因進入障
礙低，不少民眾投入繁殖副業，參與者越來越多。到1970年代，寵
物繁殖業已達至「非常盛行」，當時台北特定區塊，可見馬路上都

是寵物店，後面巷子都是私人繁殖業的「盛況」。

家庭式寵物繁殖業的發展，並非台灣的特殊情況，日本也因產業結構與家庭結構轉型，有過類似的進程。但台灣在寵物繁殖業快速發展的階段，政府單位並沒有相關的法律與制度去管理業者。最後造就惡性競爭，價格崩盤，且因犬隻做為商品，具有「不可存貨」、「販賣時間限定」的特質，犬隻販賣市場飽和，過了黃金販賣時期飼養費不敷成本，業者開始有了「放生」的棄養行為。

家庭副業的投資崩盤，讓名犬變棄犬。加上當時代犬隻絕育觀念、飼主責任與動物福利的觀念皆未普及，棄養和流浪犬自體快速繁殖，造成流浪動物數量急遽上升，到1965年後數量更加龐大，嚴重影響社會環境與「治安」。

早在1950年代政府為防治狂犬病，就已要求犬隻飼主進行狗口登記，但當時法律未對遺棄寵物的飼主，有確切的懲罰制度，對寵物繁殖業也無法規範，面對惡質寵物繁殖業者與不適任飼主丟棄犬隻，政府束手無策。

三、政府的解決方案——全面撲殺（1970年代-）

當流浪犬變成社會問題，政府迫於輿論必須回應，並提出解決方案。1969年開始，政府預期透過加強狗口登記與撲殺，處理流浪犬問題；而具縣市行政指標性的台北市，於1970年依據「廢棄物清理法」，由環境清潔處籌備第一個機動性的「野狗撲殺隊」，並在1971開始執行捕捉與撲殺的行動。日後各縣市政府群起傚仿，從而確定了依據「廢棄物清理法」捕捉與撲殺流浪犬，業管單位是隸屬

環保清潔隊下的「捕犬隊」[3]。

「野狗撲殺隊」將每日捕捉的流浪犬用棍子打暈,注射氰酸鉀毒針處死,整個過程往往亂棍交加,哀嚎遍野,但街頭流浪犬的數量卻沒有少過。台北市算是有預算的,可以施打氰酸鉀毒針,其他縣市沒預算的就各出奇招,水淹、電擊、毒氣、施打空氣、餓死或棄置垃圾掩埋場放任至死。

1992年發生幼童遭流浪犬攻擊重傷後,台北市環保專線及公害專線變成捕犬專線,因民眾申訴電話不斷,捕犬隊每日捕進大量犬隻。為講求效率,捕捉方式是以細鐵絲圈套住流浪犬頸部,快速甩入捕犬車內;而公立的流浪犬隻收容留置所,間間爆滿,為了騰出更多的空間,收容留置所大量撲殺流浪犬隻,以應付每日高量快速新進的流浪犬,加速撲殺的情形慘不忍睹。

四、動物保護運動介入——人道主義(1980年代)、動保法立法(1990年代)

面對政府處理流浪犬議題的粗劣與暴力,民間團體設想以不同的方式處理。

3 　根據台灣動物社會研究會2006年至2009年的調查報告,大部分的縣市政府的捕犬業務仍是隸屬於清潔隊,由清潔隊設立捕犬專線,任何民眾均可通報捕捉流浪動物,而清潔隊受理通報電話時,並不會仔細過濾出真正的問題犬,也不會轉介給動物保護機關、團體,尋求捕捉以外的協助。這個情況直至今日仍然改變不大。 資料來源:台灣「奇蹟」——從生命到垃圾(2006年-2009年台灣動物社會研究會台灣收容/留置所的調查),網址:http://animal-action.east.org.tw/modules/tinyd0/index.php?id=4#type01(截取時間2015/04/12)

　　1988年第一個流浪犬收容團體成立——中華民保護動物協會流
浪動物之家[4]，將街上流浪的狗帶回協會成立的保育場，替收容留置
的流浪犬製作狗卡管理，並招募與培訓志工，輪班照顧與舉辦認養
活動。此外，捕捉與撲殺這兩個過程，是當時關注流浪動物的人士
最為詬病的地方，做為解嚴初期第一個流浪動物收容團體，流浪動
物之家也向政府提出「人道捕捉」與「人道撲殺」的訴求。但捕犬
隊缺乏捕犬工具、捕犬人員完全無專業與經驗，政府也未編列教育
訓練與犬隻飼養的預算，對於民間「人道捕捉」與「人道撲殺」的
訴求，捕犬人員徒呼無奈。

　　1994年，解嚴後第一個以「動物保護」做為宗旨的社運團體——
關懷生命協會[5]，開始針對流浪犬問題有所討論。社會大眾最為關注
的，是降低、控制流浪動物的數量與如何管理流浪動物，關懷生命
協會嘗試釐清民眾、動物福利團體與政府三方面對於流浪犬問題的
不同立場；之後於1995年舉辦「流浪動物控制管理與福利政策」國
際研習會，除邀請外國專家於會中示範人道捕犬技巧，並就應急、
治標與治本等三方面提出因應之道：

　　應急：杜絕棄犬繁殖條件，推廣絕育，以人道方式捕犬，提升
捕犬業務形象，設置中途之家與收容所，提高認養率，對符合安樂
死條件之狗隻施以安樂死。

　　治標：良好之犬籍管理制度，須規範買賣與繁殖業者及畜主，
做好登記與註記工作與推廣，為寵物絕育。

　　治本：應由教育與立法著手，推行人道教育與宣導動物福利的

4　後流浪動物之家從中華民國保護動物協會獨立，另成立財團法人流
　　浪動物之家基金會：http://www.hsapf.org.tw/。（擷取時間2015/04/12）

5　關懷生命協會，http://www.lca.org.tw/。（擷取時間2015/04/12）

理念，建立民眾不亂買、不亂養、不棄養的正確飼養觀念，促使動物保護法早日立法實施。

　　針對上述應急項目，關懷生命協會設計執行不同專案計畫，從1996年「讓痛苦到牠為止——流浪犬絕育計劃」、1997年從流浪犬結紮延伸至流浪貓的「讓痛苦到牠為止——流浪犬貓絕育計劃」，配合「劫後新生喜相逢」（認養）、「幫我植入晶片，給我一張身分卡」（晶片註記），推動源頭控管、結紮、認養、晶片註記，四方面管理流浪動物問題。

　　關懷生命協會的志工群，將流浪動物結紮、認養、晶片註記等管理方式，文字化成可實務操作的手冊，且執行前對獸醫院的合作意願有詳細的調查，最後以社工員的溝通模式，在第一線與民眾、流浪動物動保團體和獸醫師等多方面的協調，說明計畫案的內容。雖然後來計畫未能持續執行，但推廣成效很高，使流浪動物保護團體，面對流浪犬管理有了可參照的實務手冊。

　　然而上述的方案都僅是應急，當時可以提供行政執行的法規，只有未落實的狗口管理，但社會需要一個可以涵蓋全面範圍的法律，檢討現有制度以推動源頭控管。民間自發性協助處理流浪動物的問題，在流浪動物管理問題裡，屬於最末端，無法解決整個社會的流浪犬問題。就流浪犬上游成因而論，既缺乏法律管理寵物業者，「狗口登記」未能積極執行，所以飼主也缺乏管理。流浪犬處理的權責劃分，在行政單位模糊不清，到底屬環保署管理的「廢棄物」，還是應由農政單位處理的「犬隻」？各縣市捕犬隊編制情形也不同，有些有正式編制，有些屬機動編制，加上許多地區的收容留置所缺乏獸醫編制支援，結果政府體制內的收容留置所管理的犬隻，根本無生命品質可言。

　　在1990年代，與動物相關的法律條文，除了野保法與保護牲畜

辦法以外，大部分動物相關法律訂定的立基點是動物利用、人畜共通疾病防疫與不干擾社會秩序的考量；野保法的適用範圍限定在野生動物，保護牲畜辦法也只規範到牲畜類動物，全面性的動物保護法規付諸缺如。

　　1992年流浪犬隻咬傷人事件後，當時行政院長郝柏村下令農委會處理相關業務，爾後由農委會畜牧處開始計畫制訂相關法規以處理流浪犬問題。1993年12月，畜牧處委託台灣大學獸醫學系進行「動物保護法草案」之草擬，由專家學者共二十人組成「動物保護法草案起草小組」，提供草案之諮詢、建議及審查工作，並聯繫國內環保、生態保育民間團體、國內動物福利或相關專業人士等，針對動保法草擬集思廣益。計畫執行期間曾與英國、瑞士、香港、新加坡、美國、荷蘭等多國民間動保團體接洽，洽詢動保專業意見供立法參考。

　　然而動保法的立法推動，正好牽涉國內重大經濟投資——賽馬業。當時的主要投資者前國代林資清已投資四十億元，且政商關係良好，國民黨政府也有意藉由推動賽馬業增加國庫收入。關懷生命協會因堅持動保法內「反賽馬條款」，使得立法過程加倍艱辛，法案數度遭行政院修改、立法院冷凍。

　　好在體制內遊說的管道雖遭堵，體制外的施壓卻持續壯大。關懷生命協會串連全台21個動保團體，形成「全國推動動物保護法立法聯盟」對立法院共同施壓，並透過議題運動、出版、活動、教育、媒體，曝光流浪動物收容所慘況，強調目前無任何法源管制動物問題，爭取各界認同，最後透過關懷生命協會海外志工，串連海內外各組織團體，要求世界各國對台進行貿易施壓。

　　國外貿易壓力對台灣政府的決策，是具有影響力的。國內外的強力要求，加上政府對貿易制裁的恐慌下，1998年10月13日，台灣

的動保法,在高道德,利益牽涉相對小,延宕五年後終於三讀通過,
正式立法。

五、後動保法時代──執法成效檢測(1998-)

1998年,動保法通過。有了法律依據,我們應該回到立法前最
根本的提問:動保法立法後,流浪動物的數量確實減少了嗎?政府
的流浪動物管理制度,改善了嗎?被集中到暗處,放在收容留置所
的流浪動物,牠們最後的撲殺過程,符合人道標準了嗎?

(一) 台灣公立收容留置所調查(2006年-2009年)

公立收容所內動物應具備的動物福利標準,未在1998年動保法
的討論範圍內。2000年農委會動植物防疫檢疫局出版《動物收容所
管理作業手冊》,但未訂立相關執行細則,僅由各縣市政府「自由
心證」。

2006-2009年,台灣動物社會研究會[6],依照收容所作業流程[7],

---

6   台灣動物社會研究會,網址:http://www.east.org.tw/。(擷取時間
     2015/04/12)

7   可參閱台灣動物社會研究會《體檢政府動物保護政策、施政及「全
     台流浪犬、貓留置收容狀況」調查分析報告》編輯之「認識收容所
     的動物福利問題」所列出的16個項目。(捕犬,卸下車、入籠舍,
     動物點交、健康評估、分籠作業,晶片掃描、確認犬籍,拍照、協
     尋、鼓勵認領養,建立動物基本資料,清掃籠舍,餵食、飲水,移
     籠,動物的社交行為和生活豐富化,清潔身體、修剪毛髮、除蚤,
     認養、領回,認養後追蹤,動物保定,醫療、術後照顧,安樂死與
     緊急人道安樂死措施。)網址:http://animal-action.east.org.tw/

調查全台326鄉鎮內動物收容留置所的動物福利情形[8]，調查結果顯示，立法12年後，收容留置所的動物福利情況，改善極其有限。在尚未制定動物保護法之前，政府對流浪犬的「處置」是依據「廢棄物清理法」，主管機關是環保署，執行單位則是各縣市政府負責清理垃圾的清潔隊。但動物保護法立法12年後，83%的鄉鎮市仍是由清理、清運垃圾的清潔隊負責捕捉流浪犬[9]；另外全台140個收容留置所，虐待流浪犬的高達104個[10]，清潔隊員在捕捉到犬貓後，往往將其關在清潔隊或垃圾場的一角，長達數日。

　　其實早在動保法立法前，關懷生命協會就曾與英國世界動物保護協會（World Society for the Protection of Animals，簡稱WSPA）[11]合作，在1996-1997年以動物福利狀況之評估標準[12]，調查全台65處

（續）────────────────

modules/tinyd0/index.php?id=3。（擷取時間2015/04/12）

8　《體檢政府動物保護政策、施政及「全台流浪犬、貓留置收容狀況」調查分析報告》，整份調查報告可參閱網址：http://animal-action.east.org.tw/。（擷取時間2015/04/12）各鄉鎮市調查影像：https://picasaweb.google.com/east.taiwan2008。（擷取時間2015/04/12）

9　《體檢政府動物保護政策、施政及「全台流浪犬、貓留置收容狀況」調查分析報告》陸、政策檢討：http://animal-action.east.org.tw/modules/tinyd3/index.php?id=15#no06-1（擷取時間2015/04/12）

10　顧美芬（2009年11月04日）。〈全台超過7成動物收容所成動物受虐場〉。《新頭殼newtalk》台北報導。http://newtalk.tw/news/view/2009-11-04/1719。（擷取時間2015/04/12）

11　該協會現更名為「World Animal Protection」，網址：http://www.worldanimalprotection.org.uk/about/wspa-new-name-change。（擷取時間2015/04/12）

12　以動物福利標準，動物應具備的五項自由：1.免於飢餓；2.免於傷害、病痛；3.免於緊迫、不適；4.免於痛苦、恐懼；5.自由表現行為。

公立流浪動物收容留置所的動物福利狀況[13]。當時收容留置所內動物福利情況非常悽慘,直指台灣缺乏動物保護法為最大癥結,並且透過調查報告分析,也提出收容所角色扮演與功能定位偏差、捕犬作業外包、有錢捕捉無錢善後、民眾飼養觀念錯誤等公立流浪犬收容留置所管理問題。另人驚訝的是,1997年與2009年調查的情況,居然差異不大。無止境的捕捉,撲殺,捕捉,撲殺,捕捉,撲殺,最後台灣流浪犬貓每年平均成長率仍在10%以上,進入收容留置所飽受磨難後,結果是餓死,慘死,病死,等死。流浪犬貓在政府部門行政體系裡,被處置的態度一直都視作為垃圾。

1998年立法後,原則上應確實執法、積極依法制訂相關實行細則、建立並稽核收容所作業標準,但實際情況是:動保法只提供了政府流浪動物安樂死的合法依據,並以消極的態度面對流浪動物議題,形成上游成因無控管,下游收容無福利,最後死亡難安樂。

雪上加霜的是,經部份動保團體抗議,2010年動保法第十二條第七款從「收容於動物收容處所或直轄市、縣(市)主管機關指定之場所,經通知或公告逾七日而無人認領、認養或無適當之處置者。」修正為「公告逾十二日」,不符合疾病防疫與動物福利的收容處所,如同電影《十二夜》[14]裡的呈現,讓流浪犬的煉獄旅程,由七天延

13　整份調查報告,可參閱:關懷生命協會(1997),《犬殤:台灣公立流浪犬收容所、留置場所調查報告》。台北:關懷生命協會。參考網址:http://www.lca.org.tw/avot/1996twhelter.pdf。(擷取時間2015/04/12)

14　九把刀監製、Raye執導的2013年台灣電影紀錄片,影片希望傳達「領養,不棄養」的觀念,讓狗狗們不用經歷生命倒數12日的殘酷。完整紀錄片可參閱https://www.youtube.com/watch?v=aCRzgAWj7Ni。(擷取時間2015/04/12)

長至十二天。

（二）終結「不安樂」的安樂死——在地TNR與收容所監督

　　所謂「安樂死」，意指「好的死亡」（good death）。而動物安樂死，意指以最低的受痛苦程度，把動物生命「人為地結束」。

　　依據農委會公佈之「脊椎動物適用及禁用之麻醉及安樂死方法」，巴比妥鹽及其衍生物中 sodium pentobarbital 的效果最佳，目前廣泛使用於大部分動物的安樂死，以期在最短時間內，使動物承受最少痛苦而死亡。台灣流浪動物的安樂死也使用巴比妥鹽，但此類藥劑使用過程很重要的一個步驟是「保定」，由執行人員從流浪動物後方溫柔環抱，使動物放鬆，呈現蹲臥雙腳前放的姿勢，之後，獸醫師才於靜脈注射巴比妥鹽執行安樂死。

　　但根據收容留置所的動物福利情形，要確切執行符合動物福利的安樂死，幾乎是天方夜譚。因為收容留置所內的流浪動物非常緊迫、痛苦、驚恐，會奮力掙扎、抵抗，甚或咬傷執行人員，更別妄談確切執行保定步驟了。

　　在收容留置所惡劣的收容環境下，動保團體也分化成兩調運動路線，同時介入流浪動物議題：一為不讓動物進入收容所，推行在地TNR（「誘捕，結紮，放回」）[15]；另一條路線為監督收容所動物福利，要求收容處所的管理與資訊透明化，收容與安樂死執行過

15　如關懷生命協會、地方性動保團體與校園動保社團，都以TNR的推　　廣為主，2007年作家朱天衣發起更發起環島巡迴免費結紮車：　　http://blog.roodo.com/tnrdog/archives/3397691.html。（擷取時間2015/　　04/12）

程精緻化[16]。兩種路線雖然意義截然不同，但是目的均是減少收容
所內「不安樂」的安樂死。

　　要求在政府收容所執行「安樂死」，原本是希望給受苦流浪動
物避免痛苦死去的「最後禮物」，可惜在流浪犬上游控管無效，加
上無相關配套措施的情況下，安樂死的「無痛苦」的特色，變成政
府處理流浪動物壓力的廉價出口，只要沒有痛苦，就可以回應1988
年以來民間對政府處理流浪動物「人道撲殺」的訴求。從1970年代
起，政府面對流浪動物的政策一直沒有改變過，倚賴「全面撲殺」
降低流浪動物數量，只是手段從殘忍的虐殺變成安樂死。

結語：2017年起，公立收容所全面零安樂死（2015年- ）

　　1990年代我讀小學，家裡附近的流浪犬小不點生下一窩小狗，
在冬天無處可去時，鄰居愛心媽媽將狗狗安置在地下一樓的樓梯間
暫住。小狗半夜要喝奶的聲音，吵到一位強調自己是大學畢業的中
年男子鄰居。他循聲找到小不點一家，踹的小不點屁滾尿流，無處
躲藏，只能哀嚎求饒。鄰居愛心媽媽下樓解救，一直保證斷奶後會

16　如台灣動物社會研究會的「改善動物福利及增進流浪犬社會功能系
　　列計畫」，包括臺灣民眾「動物態度」學術研討會，「動物福利、
　　獸醫倫理與臨終關懷」研討會，「收容所動物福利與實務」系列一：
　　「公立收容機構動物福利與實務」，「收容所動物福利與實務」系
　　列二：「動物收容所設計與管理」。透過一系列針對官方與民眾的
　　實務研討會，了解動物在怎麼樣的情況下獸醫才會建議安樂死、符
　　合動物福利的安樂死流程，以及符合動物福利的收容所應該怎麼樣
　　規劃與建置。該系列討論的相關出版品可參閱：http://www.east.
　　org.tw/public_list.php?s_id=60。（擷取時間2015/04/12）

全數送出，那名大學畢業的中年男子才罷休。臨走前說：「如果到時沒送走，我會把牠們全部毒死！」有了他這句祝福，小不點一家很快就找到主人了；那名中年男子，也曾在我溜狗時叫住我，叫我不要亂走草坪，因為他在草坪裡放了捕獸夾減少流浪犬，夾到家犬和飼主他不負責的。這算是他的好心提醒。

後來知道流浪動物有法律可以保護了，但怎麼保護、如何保護並不很清楚，只知道無法查出方位的鄰居半夜虐狗，狗的哀嚎在大樓與山谷間迴盪時，姊姊開窗大喊：「你再虐待狗，我就打電話報警！」哀嚎就會停止；那名大學畢業的中年男子之後對家裡有養狗的人，也沒有那麼氣燄囂張、態度惡劣，好像有那麼點改變。

動保法立法前後的這段期間，我們一家也跟著動保團體在新聞上曝光的新聞報導和獸醫師教導的觀念，帶著狗結紮、打預防針、掛狗牌、打晶片。但對於沒有主人的流浪犬，仍然是感到很挫折的。終究家裡最多只能收養到五隻狗，抱不回家的就改在附近餵養。捲毛用他的厚厚毛配上躲雨遮蔽小角落，安全度過了冬天，他溫馴親人，不過度熱情，總安安靜靜跟著我們家的狗一起溜著。有一天，山上山下都找遍，但再也找不到我們餵養的捲毛，當下的失落、心痛與罪惡感，到現在記憶猶新，因為我知道在路上的流浪動物要過怎麼樣的生活，也知道消失的流浪動物會被帶去哪裡。我在動物醫院，曾看過動保刊物針對收容所現況的訪問報導。照片裡高掛的巨型吊籠，與籠子下滿溢的水泥水池，小學的我，了解那是要用來做甚麼的。報導也陳述了收容所工作同仁的無奈，為了解決一個人造的社會問題，被迫成為劊子手。

自1960年代台灣流浪犬開始形成社會問題，至今已過半世紀，寵物管制一直未能落實。回過頭看流浪動物的問題，大部分流浪動物的來源是飼主遺棄，以及寵物繁殖業者無控管的生產。這些是問

題的源頭、最上層的起因。收容所管理精緻化或在地TNR要有效用，前提是「**不再製造流浪動物**」，只有落實根源的制度管理與執行，收容所管理精緻化或在地TNR的投入，才能做到「**最末端減量**」抒解流浪動物問題。

2015年1月23日，動保法第一項第七款修改，自2017年開始，收容留置所內的流浪動物將全面零安樂死。這是一個冒險的政策，成敗端視能不能管制流浪動物的來源。如何做到上游控管，針對寵物繁殖業者的管理、從飼主著手的寵物管制、研擬課徵寵物稅、進行動物福利教育推廣等，民間團體已提供非常多參考建議，並且也願意與政府一起合作。

除了上游減量，零安樂死也與收容所功能的彰顯密切相關。在街頭的流浪動物，在找到新主人之前，還是會需要有一個暫時安置的地方，以政府單位而言非常有可能是在收容所。將目前的留置所廢除，收容所轉型為符合疾病防疫與動物福利，並且親近大眾的認養機構，也是刻不容緩的。

其實，台灣在寵物管理與流浪動物管理上，有非常大的機會可以解決問題。第一，地理環境四面環海，是封閉環境的島型國家，不會有他國動物越界問題；二，台灣土地面積與人口數，屬世界上相對較小的國家，管理複雜性相對低；三，台灣各地現已設有收容流留置所與眾多民間團體，兩方可相互交流與合作。

到2017年以前的這段時間是非常關鍵的時刻，法條修改需要確實執行與非常周延的配套措施，原初立法和修法的目的、良意才有可能實現呈現，否則只有名目的改變，如同將收容留置所的收容天數從7天延長為12天，就是非常明顯的前車之鑑。如果政府沒有完整的因應配套，僅應付民間團體訴求略施小惠，必然讓收容的流浪動物整體生命品質極度低落，安樂死固然減少，但折磨至死的會相應

增加。如果2017年零安樂死可以如期如質的確實執行，這將會是台灣政府經歷半世紀的以後，在流浪動物議題上豎立全新的里程碑。

　　汪盈利，交通大學社會與文化研究所畢業。動保運動志工，關注動物保護／動物權利／動物福利運動團體的組織運行與社運戰術，著有《動保足履關懷二十年》。

是後人類？還是後動物？：
從《何謂後人文主義？》談起[*]

黃宗慧

　　自後人類主義（posthumanism）繼後結構主義、後現代主義成為西方學界的另一顯學以來，關於「何謂後人類？」的答案始終莫衷一是。顧名思義，既然是「後」人類，攸關人類此概念的一切傳統思維，都可能是被挑戰或推翻的對象，然而除了這個共通點之外，後人類論述各自發展出許多不同的研究面向。有的著重探討生命科技——特別是基因工程——一旦高度發展與介入，將如何改變人的身分界定方式，又將如何衝擊我們對於正義、道德、美好生活等概念的看法；簡單舉一例來說，如果基因工程發展至可以用安全又有效的方式提高孩童智商的地步，能不能將之普及化？又將會造成什麼樣的效應[1]？也有的論述樂觀擁抱後人類的樣態，認為後人類並不是人類進化過程中的「下一階段」，而是提供了一種對主體性的不

[*]　本文部分內容原發表於2013年第九屆國科會外文學門研習營主題演講「後人文的生命觀」場次。感謝籌備委員會、研習營規畫主持人馮品佳教授及執行長李紀舍教授當時的邀請，亦感謝《思想》編輯鼓勵我將此講稿改寫為本篇論文。

[1]　Francis Fukuyama, *Our Posthuman Future: Consequences of Our Biotechnology Revolution* （New York: Farrar, Straus and Giroux, 2002）, pp. 81-83.

同看法——人類存有的初生情境就已是向不同異質開放的狀態，猶
如不斷接上義肢（prosthesis）：基因工程或資訊科技只不過是讓我
們更清楚地看到人與非人、自然與科技界線的模糊，看到賽伯格[2]的
無所不在，而了解到人早已是「後人」的狀態，並且學習去掌控這
種和其他異質不斷連接的後人類身體，將可以讓我們對於身分或主
體性的定義不再那麼封閉局限[3]。以上所舉的只是一部分的論點，事
實上關於何謂後人類主義的論爭還在持續發展中，但可以想見的
是，不管學者們對後人類持保留態度或是樂見其成，人類中心主義
在這波思潮下，已隨著「人」的概念被反覆問題化而連帶受到檢視，
也因此我們在後人類論述中，看到了動物研究隨之興起的可能。但
是動物研究是否真的託後人類研究之福而受到了更多重視呢？本文
將以近年來在動物研究與後人類研究中均頗為活躍的沃夫（Cary
Wolfe）為例，透過他前後出版的兩本著作，討論當後人類研究與動
物研究接軌時，動物倫理的重要性是否確能浮凸出來。

一、獨厚後結構的後人文主義？

提到以動物研究為取向的後人類學者，著有《猿猴、賽伯格和

---

2 賽伯格（cyborg）一字乃由機器御控學（cybernetics）與有機體
   （organism）兩字所組成，亦譯為「人機合體」。
3 可參閱如Joanna Zylinska, *The Ethics of Cultural Studies*（London:
   Continuum, 2005）, p. 123; Bernard Steigler, *Technics and Time, 1: The
   Fault of Epimetheus* （Stanford: Stanford University Press, 1998）, pp.
   152-153; Katherine Hayles, *How We Became Posthuman? Virtual
   Bodies in Cybernetics, Literature, and Informatics* （Chicago: Chicago
   University Press, 1999）, p. 3.

女人：重新發明自然》的哈洛葳（Donna J. Haraway）自然是其中的
先驅，但若是要探討近年來在此領域影響深遠的，則不可能不談沃
夫。自沃夫2010年出版《何謂後人文主義？》一書以來，他的說法
就頗有主導目前後人文／類研究的趨勢。沃夫在此書中開宗明義的
宣稱，他所謂的後人文主義有別於一般所理解的後人類主義，如果
「後人類」（posthuman）此字中的「後」，意思是指「之後」，那
麼他所定義的「後人文主義」非但一點也不後人類，甚至是其反義
詞，因為他所推崇的是「後—人文主義」（post-humanism），而非
「後人類—主義」（posthuman-ism）。對他來說，後人類主義所追
求的如果是人類形體被超越「之後」的一種景況，甚至是想超越物
質肉身性、打造完美或不老的身體，那麼這種後人類主義充其量只
是一種「超人類主義」（transhumanism），且只會加劇人文主義本
身對完美、理性、能動性的執著[4]。必須說明的是，把「後人」的重

4　Wolfe, Cary. *What is Posthumanism?* (Minneapolis: Minnesota, 2010),
　　pp. xv. 但超人類是否只有沃夫所看見的這個面向呢？透過讓機器
　　與身體共生所創造出來的雜種人，是不是也可能如某些超人類派所
　　期待的那樣，產生新的革命能量？例如藝術家史泰拉克（Stelarc）
　　便認為，人類其實是因為自許在各種生命形式中占有最高位階，才
　　會偏執地害怕科技反撲讓人失去此一優勢，他因此反其道而行，在
　　作品中不斷展演身體被科技穿透的樣態，甚至把人呈現為像是依附
　　在機器這個宿主身上的寄生蟲，他對身體進行各種科技實驗，目的
　　是呼籲人們接受而非抗拒科技的入侵，這樣的思維和過去害怕科技
　　發展終將帶來反撲的人類中心主義相當不同。如果從這類的角度來
　　理解，超人類透過科技進行的增能輔助、讓異質入侵、和他者合體，
　　又未必如沃夫所說的那麼缺乏倫理的面向。但因為本篇論文接下來
　　的重點將鎖定在與動物研究相關的面向，故有關超人類主義的倫理
　　爭議將不繼續申述。有關史泰拉克的作品與理念則可參見*Stelarc:*

點放在後人文主義、而非對於人類未來形象的想像，沃夫絕非第一個。哈珊（Ihab Hassan）早在1977年便指出，後人一詞的出現，「源於過去五百年來的人文主義已走到盡頭」[5]。只是在當時，後人還像是一個意義不明的新詞，它究竟只是新近出現的口號？還是預示著文化未來的潛能？尚難以斷言，哈珊因此形容當時人文主義的轉向，是變成了某種「我們只能無助地稱之為後人文主義」的東西[6]。但沃夫的態度則明確肯定得多，任何人文主義的負面遺緒都是沃夫要處理的主題；在此情況下，過去人文主義對於主體及意義的思考都局限在人類身上這點，自然也是沃夫會去反思的[7]。而非人動物就在這樣的情況下，成為這本書的主要議題之一。

　　然而學者蘭布拉德在撰寫《何謂後人文主義？》的評介時，對於此書探討動物的方式卻頗有疑慮：從他的批評中不難發現，他認為沃夫的後人文主義依然有獨厚人類之嫌。蘭布拉德認為，由於沃夫獨尊解構哲學家德希達與系統理論派魯曼的看法，因此不管他分析的對象是後結構主義理論本身還是動物權哲學、是藝術、電影、詩還是數位媒體，一律都是應用前兩者的立場去找出其中的人文主義遺毒、揭示出他認為不夠後人文的面向。但在如此進行一連串解構的同時，他自己卻也不能免於在理論與實踐之間樹立了二元對立：例如他特別強調該書所要討論的不是「當地報紙會報導的，社

（續）────────────────

　　　　The Monograph, Marquard Smith, ed.（Cambridge: MIT, 2005）.

　5　引自 *Posthumanism: Readers in Cultural Criticism*, Neil Badmington, ed.（New York: Palgrave, 2000）, p. 2.

　6　同前註；著重處係筆者附加。

　7　Michael Lunblad, "Consider the Dragonfly: Cary Wolfe's Posthumanism," *Substance* 40.3 （2011）: 146-153. 此處所引出自該文pp. 146-147。

群中某些動物過量的問題」，又說如果討論這些問題時想贏得讀者
的認同，那麼就要援引辛格、里根及納斯鮑姆等人的邏輯；這樣的
說法透露了沃夫對於一般動物權的論述頗有保留，所以才刻意把自
己的理論和那些實際處理動物權議題的哲學家區隔開來，彷彿理論
的思考與實踐的層次必然是斷裂的[8]。事實上，在沃夫的分類中，這
幾位哲學家的研究取徑都是偏向人文主義式的，所以即使他們關心
的對象已延伸到非人的他者，沃夫仍認為他們是「人文主義式的後
人文主義」（humanist posthumanism），而只有像德希達或魯曼，
才符合他所謂的「後人文主義式的後人文主義」（posthumanist
posthumanism）[9]；由於沃夫全書似乎把研究的思考取徑看得比研究
對象來得關鍵，因此予人他所在乎的其實是「後」人的理論思維夠
不夠「後結構」之感，至於論述的對象有沒有包括非人動物的實際
處境，反而不是他的重點。蘭布拉德更推論，此書較缺乏對於動物
倫理的實際關懷，原因在於沃夫的論述太依賴德希達的理論框架。
由於在人和非人的互動中，必然有某些特定情境會讓我們對不同的
生命形式有不同的對待方式，但若依附德希達式的解構觀點勢必不
會提供任何對待動物的原則與作法，所以在蘭布拉德看來，沃夫並
沒有真正提出足以回應動物問題的倫理觀[10]。

　　無獨有偶，貝克對沃夫的批判也呼應了蘭布拉德的觀點，他在
《藝術家／動物》一書的後記中，以〈藝術進入後─動物年代？〉
為題，檢視了沃夫在《何謂後人文主義？》中對於蘇蔻（Sue Coe）

8　同前註，p. 150.

9　Cary Wolfe, *What is Posthumanism?*（Minneapolis: Minnesota, 2010），
　　p. 124.

10　同註7，特別是p. 146, 148, 153.

與卡茨（Eduardo Kac）這兩位藝術家不甚公平的評價，而造成其評價偏頗的原因，就貝克看來，也與沃夫太偏重後結構的價值有關[11]。對沃夫來說，這兩位藝術家雖然都關心動物的議題，但兩者卻優劣立判。前者是赤裸裸地直接呈現屠宰場裡動物的遭遇——「血汗工廠」中困在格子籠裡不得轉身的蛋雞、想掙脫屠刀卻無處可逃的豬、癱倒在骯髒的血水堆旁舔血止渴的待宰羔羊……，後者不管是把水母基因植入兔子體內創作出《螢光兔》，或是其他透過基因轉殖技術與電腦科技介入完成的作品，在沃夫眼中都是「化藝術為哲學」之舉[12]，符合他所定義的後人文——勇於挑戰人與非人、自然與非自然的界線。在貝克看來，沃夫這樣的偏好其實和1990年代，甚至更早於1990年代就出現的學院「品味」有關，依附著一種因處在「解構的時代」而對任何「去中心」、「除魅」、「置換」都趨之若鶩的成規——但在奉此種趨勢為圭臬時，卻沒發現這等於是解構了成規卻又弔詭地掉入另種成規中[13]。或許也就是這樣的品味，使得沃夫認定執著於呈現動物受虐情境的蘇蔻仍不脫人文主義的思想，認為她心心念念要揭露大眾未能見到的真相，結果卻讓作品的意義顯

---

11 見*Artist/Animal*一書後記"Post-Animal Era"一文。筆者在〈後現代的戲耍或後人文的倫理？以卡茨的臆／想世界為例〉中曾論及沃夫對蘇蔻的評價，也以該文檢視了卡茨的諸多作品以及他欲表達的理念，在此不再重述，僅補充當時未提及的，貝克為蘇蔻所做的「平反」。拙作見《中外文學》42.3（2013年9月），頁13-47。

12 Steve Baker, *Artist/Animal* （Minneapolis: University of Minnesota Press, 2013）, p. 231.

13 同前註，p. 231。亦見於p. 265註14，其中貝克引用了布萊德貝里（Malcolm Bradbury）《醫生犯罪》（*Doctor Criminale*）小說中的人物對於解構風潮的觀察，來說明「遵循解構的成規」此一弔詭。

得太明白、太單一，彷彿只有一種閱讀的方式，也因此作為一個藝術家，蘇蔻顯得有所不足、甚至可說是失敗的[14]。然而貝克卻在這樣的評述中觀察到，沃夫所使用的判斷標準，一言以蔽之，就是認為比較不那麼視覺傾向、不是那麼明白表達作品意涵的，就必然比較複雜、比較具有後人文的精神[15]。但貝克質疑的是，認定以視覺主導的作品就是人文主義式的，是否太過簡化與武斷？貝克還發現，只因為蘇蔻常描繪動物的臉，沃夫就認為她作品中的「面目性」（faciality）顯現了她對於「可見性」（visibility）的仰賴，並再次以此說明她的視覺中心傾向乃出自於人文主義[16]；然而對於動物面目的再現難道不可能是因為她拒絕將動物看成一個可以被概括而論的整體，所以才一一賦予牠們不同的樣貌？若是如此，深受沃夫推崇的德希達不也曾為文強調動物的殊異性、肯定這種看待動物的方式[17]？另外，蘇蔻有關動物苦難的畫作時而呼應人類所遭遇的驚恐與折磨——如911恐怖攻擊或是集中營的景象，雖然這在沃夫看來可能正是她服膺人文主義的證據，但貝克卻主張，她是以視覺意象表達了德希達經常被引用、而沃夫本身也相當稱讚的一段話：當代動物所遭受的各種形式的暴力，已相當於「人類被屠殺滅種的那種最糟情境下的暴力」[18]。事實上，在這篇後記中，貝克不只一次刻意援引德希達的動物倫理觀來為蘇蔻平反，似乎有意點出沃夫的雙重

---

14 同註12，pp. 230-231及p. 238.

15 同註12，p. 231及p. 236.

16 同註12，p. 230及p. 232.

17 同註12，p. 232.

18 同註12，p. 234。此處所引出自德希達"The Animal That Therefore I Am（More to Follow），" *Critical Inquiry* 28.2）2002）: 369-418. 引自p. 394.

標準。先前曾提到沃夫刻意把德希達與辛格等哲學家區隔開來，認為只有前者才符合真正後人文主義的精神，這次沃夫在藝術的範疇內又做了類似的判斷，認定卡茨是後人文主義式的後人文主義者，而蘇蔻充其量只是人文主義式的後人文主義者[19]。如此看來，至少以《何謂後人文主義？》而言，沃夫所追求的「後」確實是偏向後結構的，加上全書也的確欠缺關於動物真實處境的倫理思考，若要批評他獨厚人類，甚至有「後—動物」之虞，應該也言之成理。

二、生命政治思考的介入

律法之前皆為「肉」

然而以後結構的進路思考動物問題，必然在動物倫理的實踐上派不上用場嗎？又或者這是長期以來一般對於後結構主義缺乏政治效力的刻板印象？例如當蘭布拉德建議沃夫應該走出德希達的影響去探討新的問題時[20]，是否已經預設了解構主義必然自我解構、必然沒有政治上的實效？沃夫2012年出版的《律法之前：生命政治框架內的人與其他動物》[21]像是要回應這類對解構的批評一般，透過分析許多實例證明了理論與實踐的接軌可能。如同此書的副標題所標示，在此書中他意欲將人與其他動物都放進生命政治的框架中討論，也因此關懷的對象確實延伸到《何謂後人文主義？》被認為沒

19　同註12，p. 238.

20　同註7，p. 148.

21　Cary Wolfe, *Before the Law: Humans and Other Animals in a Biopolitical Frame*（Chicago: University of Chicago Press, 2013）. 方便起見，之後提及此書時僅使用主標題《律法之前》。

有真正處理的非人動物上。但其實更正確地說，《律法之前》所處理的，是生命治理如何作用在「肉」（"flesh"）上面，當生命治理的對象不只是人，而是作用在「肉」之上的時候，非人動物當然會被納入。

　　生命治理的對象是「肉」，這點是近期研究生命政治的學者頗喜歡強調的。「肉」不同於「主體」、「個人」，甚至也不同於「身體」，身體畢竟是一個比較具有封閉性的概念，是一種「組織」（organization），肉則是開放的、是允許能量及其他有機物質流動的一個「結構」（structure）──儘管這種流動對於結構本身來說必然具有潛在的威脅[22]；一言以蔽之，凡是會去追求免疫狀態的，都是生命政治框架中的肉[23]。確立了要探討的對象是「肉」之後，沃夫在《律法之前》裡有不少篇幅都是在談生命政治的議題如何把非人動物也涵括進來，而這樣的發展又如何可能產生更深入的思考，不只是思考動物的問題，甚至也會重新思考應如何看待在談論著動物的「我們」本身。以工廠化農場經營的問題而言，在提出批判之時，我們不只是在處理一個動物權運動的問題，也會看見整個晚期資本主義的商品化問題怎樣侵入了生活的各個面向，怎樣作用在不管是人還是動物的肉之上。沃夫所舉的例子之一，是使用基因標記

22　同前註，p. 50. 關於組織與結構的不同，沃夫所參考的是提出自生發（autopoietic）概念的馬圖拉納（Humberto R. Maturana）與瓦雷拉（Francisco J. Varela）的說法。關於自生發的概念，本文第四節中將略作解釋，亦可參考筆者在〈後現代的戲耍或後人文的倫理？以卡茨的聽／想世界為例〉一文的說明，特別是pp. 33-36.

23　同註21，p. 50。在此沃夫所引用的是埃斯波系托（Roberto Esposito）的解釋，參見 *Bios: Biopolitics and Philosophy*（Minneapolis: Minnesota University Press, 2008），pp. 121.

（genetic markers）和估計育種值（Estimated Breeding Values）這類
工廠化農場所採取的作法。這種作法純粹把動物當成牟利的商品，
透過基因科技達到把利益最大化的目標，例如研究基因和肉質軟嫩
程度與脂肪量的關聯，作為選種、育種的標準，以生產出更高的附
加價值；儘管反對人士主張，經濟動物的肉質不是基因科技就能主
宰的，諸如飼養者與動物之間以及動物與環境之間各種不可預期、
難以量化的因素都會介入，但資本主義為了它所預想的最大利益，
還是會化約地以個體的某些特質是否符合此項利益來作篩選[24]。類
似的問題其實早已出現在基改作物的爭議上，反對者認為，基改背
後的邏輯是「所有生命與非生命都需要改進——而且生命本身是可
以改進的」，但這樣的觀點不但可議，還反映了資本主義社會貧乏
的道德觀和過度的功利主義：「他們把每個生物都當成樂高積木——
認為生物不過是湊在一起的一群基因，可以任意調動排列組合，好
更符合人類需求」[25]。在資本主義高度發展的今天，人們其實也在
不同「市場」上被挑斤論兩，所以對於生命被商品化的這種現象應
該並不陌生，沃夫陳述中工廠化農場的現象，只是更凸顯出人與非
人動物其實同樣是生命治理下的肉，儘管就反抗的可能性與自由度
來說，人通常比經濟動物擁有得更多。

自體免疫危機的啟示：從911到禽流感

　　如果生命治理的對象是肉，而任何肉，如前所言，都會追求對

24　同註21，pp. 35-36.

25　瑞秋・舒曼（Rachel Schurman）、威廉・孟若（William A. Munro），
　　池思親譯，《把「吃什麼」的權力要回來》（台北：臉譜，2014），
　　頁162。

於外在威脅免疫的狀態，那麼沃夫若是要繼續追隨著德希達的腳步思考倫理的問題，立即要處理的就是「自體免疫危機」（autoimmunitary crisis）之說可能引起的質疑：任何肉都會啟動自我保護的免疫反應，力求排除他者，但如果依解構哲學的提醒，這樣的作法又必然引發自體免疫危機，難道對於來自他者的威脅都要照單全收才符合所謂的倫理？如果解構的哲學並不能提供任何出路，關於自體免疫危機的提醒又可以有什麼幫助？的確，在解構的路線下，不論是德希達或沃夫確實都頗為強調自體免疫的必然發生，例如當德希達用自體免疫危機之說來分析911事件時，就著重於凸顯其中的逆反：追求免疫反倒會造成自我攻擊，因為原本為自我保護而啟動的機制本身，也會成為要被對抗的對象。但在斷言解構必然造成理論與實踐的斷裂、缺乏政治實效性之前，我們不妨先了解德希達如何使用解構的理論來思考911事件，以便作進一步思辨。

　　基本上，德希達帶入了時間的因素來分析911的三個自體免疫階段，而這三階段在他看來都展現了同樣自我解構的邏輯。911事件牽涉的第一個時間面向得要追溯回冷戰時期：911的恐怖「自殺」攻擊是「兩種自殺合一」，不僅是這些劫機者的「自殺」，也是美國的「自殺」，因為這些所謂的恐怖分子可說是冷戰時期美國全力支持阿富汗反蘇時所訓練培養出來的[26]。第二個時間面向，則是發現911「比冷戰還糟」的階段：911比冷戰還糟，是因為它讓我們發現創傷並無法被定調為記憶中的過去事件，事實上，所有的創傷之所以成為創傷，都是因為它的未來性，是因為還可能再發生，而且可能比

26　Giovanna Borradori, ed., *Philosophy in a Time of Terror: Dialogues with Jurgen Habermas and Jacques Derrida* （Chicago: University of Chicago Press, 2004）, p. 151.

已發生的任何事件還要糟——如果有人能宣稱911僅此一次下不為
例，整個哀悼過程將會變短很多。德希達發現，911之後的紐約，人
人無權不談911（特別是在公開場合），集體重複此事件雖是一種想
處理創傷的方式、想找到適當的方式描述此事件，以否認事件帶來
的無力感，但想把911定義成某一個歷史上的重大事件，想就此把事
件歸檔、「了結」的這種嘗試終究難免自體免疫危機[27]；以電視上
反覆播放的911災難畫面為例，大量放送這些場景很弔詭地成為恐怖
分子與美國政府共同的願望——儘管一方是要達到造成驚恐的效
果，而另一方是要透過彰顯恐怖分子攻擊之猛烈，來宣示反恐的必
要與決心[28]。至於第三個時間面向，則是「壓抑的惡性循環」，也
就是反恐可能造成的問題；德希達認為壓抑本身必然會引發自體免
疫效應，911帶來更強力的反恐，而更強力的反恐與更強力的恐怖活
動反撲不斷反覆循環，說明的正是這種效應[29]。

　　顯然，德希達之所以重省如何定義恐怖、如何定義恐怖主義，
並點出戰爭與恐怖主義這兩個標籤在不同情境下何以會產生交換的
可能，都是因為深知自體免疫機制可能帶來的威脅與風險，但乍看
之下這種解構式的提醒確實只會陷入行動上的無能，甚至只會推得
「自體免疫危機是無可避免的」這種虛無的結論。但如果放下對於
解構哲學必然缺乏政治實效性的定見，我們會發現談論自體免疫危
機者絕不只限於解構派的學者。「自體免疫錯亂」（autoimmune
disorder）的概念被廣泛用來檢視各種「防疫」現象的自我瓦解，且
甚至已經不是比喻性的說法，而是真的用來理解疾病的防疫；例如

27　同前註，p. 89及p. 189.

28　同註26，pp. 108-109.

29　同註26，p. 99.

當《動物資本》的作者舒金討論到禽流感的問題時，其實也是用自體免疫錯亂這套說法來理解對於他者的避之唯恐不及如何可能造成更大的問題與恐慌：她一方面指出世界衛生組織、先進富裕的國家以及恐慌的民眾如何大量屯積禽流感的用藥「克流感」，使得禽流感的恐怖威脅不只是生物自然的層次，因為藥品缺貨的恐慌是整套關於健康安全管理的論述所製造出來的，這就是自體免疫危機的實例；而另方面，為了戰勝疾病甚至不惜使用可能造成幻覺、精神錯亂、抽搐、腦炎乃至死亡等副作用的克流感，則又是自體免疫造成自我攻擊的第二個面向[30]。

值得一提的是，撰寫此論文的2015年1、2月間，台灣禽流感的疫情也在升高之中，但農委會不論對於疫情的確診或是有效的防疫都顯得相當無能，因此遭受的批判反而不是過度防疫，而是防疫不足；表面看起來這因此不適合用自體免疫的論述來理解，因為我們並沒有看到由過度防疫的安全管理論述所造成的恐慌現象。但其實台灣所進行的，不利於防疫的防疫措施，同樣有自體免疫錯亂的問題，即是以為淨空式的全面撲殺就可以確保安全。根據台灣動物社會研究會的報導，農委會的防疫措施就是針對檢出H5亞型的家禽「全場撲殺」。農委會主委陳保基在立院備詢時更表示，「2003年H5N2侵入台灣時，就是沒有清除乾淨，『這次爆發我一定要清除乾淨。』」[31]，然而經動保團體深入調查了解，短時間內想要清除乾淨的結果，就是所進行的大量撲殺都未能按符合國際規範的人道撲殺標準作業程序進行，任由各縣市自行處理的下場，使得撲殺過程

---

30 Nicole Shukin, *Animal Capital: Rendering Life in Biopolitical Times* （Minneapolis: University of Minnesota Press, 2009）, pp. 215-216.

31 引自胡慕情：http://opinion.cw.com.tw/blog/profile/37/article/2308。

中死禽、病禽、活禽堆疊在一起,增加病毒傳播機會,反而會更不利於防疫,[32]這種誤以為完全殲滅他者就可以保障自我安全的思維與造成的後果,亦驗證了自體免疫錯亂的說法。

三、毒藥即解藥?:解構倫理觀的理論與實踐

但是,點出自體免疫的危機到底有什麼用呢?回到舒金的論述,她認為禽流感防疫的缺失可以變成一個契機,讓我們發現過去防疫的概念在批判性思考與倫理上究竟有何缺失;她同時也引用了德希達一貫的概念——毒藥(pharmakon)同時就是解藥——來思考可能的出路[33]。雖然解構哲學關於自體免疫危機的說法,不時予人虛無悲觀的感覺,但解構派其實認為,即使自體免疫反應必然帶來威脅,但依然可能從中去發現機會所在,因為「最糟的也就是最好的」[34]。更進一步說,「自體免疫此概念的功能之一就是作為朋友與敵人此古典對立之外的第三項」[35];也只有當我們不再依賴傳統形上學的二元對立模式來思考時,才能理解提出自體免疫此概念的意義何在。自體免疫雖然多多少少是「自殺式的」[36],但它不只是指為了防疫反倒毀滅自己這樣的字面意義,因為此概念已使得自殺本身的意義不再具有完整性:「自殺可以殺死一個身體,但自體免

---

32 完整資料可參見台灣動物社會研究會的網站http://www.east.org.tw/that_content.php?id=511。

33 同註30,p. 221.

34 同註26,p. 124.

35 同註26,p. 151.

36 Jacques Derrida, *Rogues: Two Essays on Reason* (Stanford: Stanford University Press, 2005), p. 45.

疫的自殺首先就把自我（self）此概念取消了，如果不再有一個在場
（present）的自我足以取走自己的生命，自殺此概念也等於被摧毀
了」[37]。在自體免疫的情況中，因為太想防護自己免於他者威脅而
造成了自我危機，這裡的「敵人」是自我還是他者？顯然已經不能
用既有的觀念來看待，也因此可能開啟對於自我與他者不同的思
考，就如同德希達經常被引用的這段話所言：「自體免疫不是絕對
的疾病或惡。它使得我們向他者暴顯，向朝著我們而來的什麼（what）
與誰（who）暴顯——這意指它必然是無法預料的。若不是自體免
疫，若是絕對免疫的狀態，將不會有任何事情發生或到來，我們將
不再等待，等候，或期待，不再期待彼此，或期待任何事件」[38]。

　　但是這種所謂自體免疫其實是在希望中有著威脅、在危機中又
有轉機的說法，還是有其引人疑慮之處。儘管對於解構派的信奉者
而言，「最糟的就是最好的」意味著要去發掘「最好的」，而不是
就此消極地停留在「最糟的」狀態，但回到實際的面向上，為了避
免過度防疫造成的自體免疫錯亂，難道不管他者是什麼樣貌，都必
須無條件地接納，即使可能因此成為宿主、造成自身的風險？這樣
豈不是不切實際地推崇「無條件的悅納異己」（unconditional
hospitality）？特別當德希達強調容忍（tolerance）並不能算是悅納
異己，頂多只是「有條件的悅納異己」時[39]，我們確實難免懷疑，
難道只有無條件的悅納異己才算數？那麼這樣的追求是否太過虛

---

37 Maebh Long, "Derrida Interviewing Derrida: Autoimmunity and the
　　Laws of the Interview," *Australian Humanities Review* 54 （2013）:
　　103-119. 引文出自p. 114.

38 同註36，p. 152.

39 同註26，pp. 127-128.

幻？但德希達也並非在訴諸一種烏托邦式的理想。他曾提到，若要
落實倫理的責任，其實需要在有條件的悅納異己與無條件的悅納異
己這兩者之間不斷進行協商處理，而每一次的協商，都是一個獨特
的事件[40]。也就是說，不可能有一個一體適用的原則告訴我們，在
面對他者可能帶來的威脅時，自我要對它開放到什麼程度；當然，
單單從這樣的結論中，我們仍看不出所謂兩種悅納異己之間的協商
要怎麼進行、如何發生，所以解構哲學的「實踐性」對某些論者來
說依然是不夠的。先前我們已經看到，蘭布拉德對沃夫的《何謂後
人文主義？》有所批評，原因之一也就在於他認為從德希達式的倫
理觀不可能推論出一套對待動物的原則。值得的注意的是，雖然德
希達式的倫理觀確實不可能提供一套道德原則——這甚至是解構派
要反對的，但這不表示到頭來解構的思辨對於倫理的實踐毫無幫
助，而反解構派「以其人之道還治其人」地認定解構哲學本身還是
推得了一套一體適用的原則，那就是「無條件的悅納異己」，此說
法也未必公允。沃夫在《律法之前》此書便從理論的釐清與實例的
提供，相當程度地回應了上述的批評，並且透過不同的例子，讓悅
納異己的對象，有了比較具體、不同的樣貌。

　　事實上，沃夫此書的一個重點，就是澄清「要不就無條件的悅
納異己，要不就等著自體免疫錯亂發生」的誤解，並指出這種非此
即彼邏輯的問題所在。他雖然主要是跟隨著德希達的路線，但卻更
明確地去強調，有限的、有選擇的悅納異己正是無條件的悅納異己
之所以可能的條件：悅納異己需要有實現的可能，才會讓我們能朝
向所有潛在可能的他者開放——即使這開放是發生在未來；而無條
件的悅納異則成為一種提醒：此刻所作的選擇雖可能是必須的，卻

---

40 同註26，p. 130.

也可能是錯誤的。在實踐中，我們會不斷發現無法一視同仁地對所有形式的生命負全責，但也因為我們作出了選擇，才使得落實倫理責任成為可能，因為只有在不同情境下透過思辨作出的選擇與決定，才算是倫理的決定。如果真能有一套一體適用的原則可以幫我們作出決定，讓我們知道在什麼情況就該作什麼決定，那麼我們其實並沒有在作任何決定，遑論承擔了任何倫理的責任[41]。換句話說，沃夫所理解的倫理行動，是一方面落實有條件的悅納異己，但另方面又用無條件的悅納異己作為一個努力的方向，不斷去思考，到底怎麼樣才算無條件的悅納異己。

沃夫不只是透過理論來說明這樣的觀點，也用了許多例子去反覆進行這種思考。例如人工合成肉／試管肉（synthetic meat/in vitro meat）算不算生命[42]？關於提取動物的成肌細胞並透過科技培養為肉品的作法，雖然相關的生物科技目前還未發展完全，但已有包括動保團體在內的人士樂觀以待，認為這可望一舉解決人類飢餓的問題以及經濟動物受苦的問題，只是如果把此議題放進生命政治的框架中來思考，情況其實會複雜許多。沃夫指出，表面看起來，合成肉不需要犧牲動物，符合辛格「減少動物受苦」的福利觀，而合成肉本身不算動物，所以也不會違反納斯鮑姆所謂動物基本的能力應被允許充分發展的原則[43]。但沃夫繼續引進了相反的立場，讓我們發現倫理思考之困難：如果對待經濟動物的殘酷難以改善，很大一部分的原因在於生產者與消費端兩者間的距離太遠，那麼合成肉是否繼續在拉大這個距離？況且發展這些科技，最後得利的是否依然

---

41 同註21，特別是pp. 85-88.

42 同註21，p. 97.

43 同註21，p. 96.

還是大公司大企業？發展試管肉的科技是像表面看起來那樣符合動物權的主張，與工廠化農場經營中畜養與操縱等種種對生命的控制恰恰相反，還是根本是在延續類似的控制？但從另一方面來說，反對試管肉者，其原因都是出自對生命倫理的思考嗎？是否也可能是因為覺得「真實的」肉還是比合成肉好？而這個「比較好」的論斷，是否又是因為涉及了動物的犧牲？再者犧牲之所以會讓肉比較好吃，是否是因為它標示著人類主體的優位性與自性（ipseity）[44]？沃夫連串提問雖不一定要指向特定答案，但已足以開啟更深度的思考。

若證諸日常的場景，也確實有一些線索可以讓我們反思，抗拒合成肉的理由會不會是基於把「吃真的肉」視為個人選擇與主體性的彰顯、不想犧牲「動物可以為人而犧牲」這樣的「權益」。我們會發現，如果一個人說自己是為了宗教或健康理由吃素，通常比較不會再被追問與質疑，但若說是為了動物福利吃素，就可能引發如下的詰問：不想讓動物受苦犧牲所以不吃肉，那穿皮鞋、穿毛衣又如何呢？生病的時候要不要使用經過動物實驗的用藥呢？諸如此類試圖指出「吃素」仍為德不卒的看法其實並不罕見，而透過對合成肉這類問題的思考，我們除了較能體認前面所說的，倫理的決定需要針對不同情境不斷思辨之外，或許也能更清楚地看到，是什麼樣的思維阻礙著我們做到「無條件的悅納異己」，例如我們是否早已預設，人的生命絕對比其他的生命更有價值？但這個預設真的是無可挑戰的嗎？當沃夫也循著德希達的路線去談恐怖主義的問題時，我們會發現，至少對他而言，人的優位性並不是那麼理所當然，所以他特別指出，一般想到恐怖主義，就是聯想到恐怖攻擊事件，德希達則進一步問，恐怖主義只會透過死亡與殺戮來進行嗎？如果我

---

44 同註21，pp. 97-98.

們「不想知道有人正造成他者的死亡」，這是否多少也算恐怖主義的一種？而在這個問題上沃夫甚至比德希達更基進，因為他認為「讓他者死」（letting die）這種恐怖主義，不只是指不想知道有多少人死於饑餓、死於愛滋、死於缺乏醫療；對於工廠化生產的肉品涉及多少動物的犧牲避而不問，也該列入此等恐怖主義之中[45]。

　　基本上，沃夫在此書中一貫的論證方式，就是透過不同例證讓我們發現，我們對待他者的方式的確不可能一視同仁。書中充滿了關於「雙重標準」的陳述：他注意到目前人類社會傾向保護某些物種（例如西班牙國會在2008年就研擬賦予大猩猩人權）[46]，也注意到寵物業的快速興起（現在已經有幫寵物處理分離焦慮的藥物，類似人吃的百憂解），可見某些動物的地位確實和其他許多動物不同、被看成和人屬於同一個社群；但是當有些動物的地位及權利開始受到重視時，前述工廠化肉品生產所造成的大量屠宰卻依然存在，且乏人關心[47]。值得注意的是，沃夫並非想就此推論，既然到處都有雙重標準的問題，無條件的悅納異己根本不可能做到，不如直接放棄，而是如前所言，要以無條件的悅納異己作為努力的方向，才會不斷發現現況的不足、悅納異己的有限，也因此才可能不斷修正與調整，繼續朝向無條件的悅納異己發展，從而負起比先前更多的倫理責任[48]。這也就是德希達所說的，倫理將會在兩種悅納異己的協商之間發生。換句話說，沃夫指出這些人與動物關係中既存的差別待遇，不是為了合理化現況，而是要強調，沒有不帶特殊視角、不

45　同註21，p 100.

46　同註21，pp. 11-12.

47　同註21，p. 54.

48　同註21，p. 86.

用視情況而定的倫理決定[49]。

有了上述的理解再回到關於自體免疫危機的提問時,我們將不至於推論,解構的主張是,即使為了自我保護而進行防疫,對於所有來自他者的威脅也要照單全收,才能符合無條件悅納異己的理想。相反的,沃夫認為正因為不可能有一套原則足以讓我們在不同情境下對待不同他者時都能遵循應用,所以如果在面對不同的生命形式時,不去區隔我們為免疫所進行的自我保護必然如何有所不同,反而是在規避問題[50]。沃夫也不認為回到生物中心主義就可能平等對待所有不同的生命,甚至一般被視為政治正確的生物多樣性(biodiversity)其實也有其盲點,因為對多樣性的強調裡,往往還是對不同物種作了價值判斷,例如必然會是瀕絕物種優先[51]。所以我們必須更誠實地去面對悅納異己在實踐上的各種困境,比如說當我們沿著德希達的路線,解構了「只有人才有回應(respond)的能力,動物只能反應(react)」這種說法、肯定動物也有回應的能力之後,並不可能就此推論所有的動物都具有相同的回應能力,要就此做到眾生平等更有實際上的困難;因此需要重新思考的是,人可以如何因應不同物種的不同回應方式[52];而在討論不同動物回應的能力並不相同時,也不能落入「動物是否有溝通的能力、有論理的能力、有哀悼的能力」那一整套傳統哲學用以否定動物能力的人類

---

49 同註21,p. 85.

50 同註21,p. 103.

51 同註21,p. 60.

52 有關德希達如何解構此回應與反應的二元對立,可參見他的"And Say the Animal Responded?" *Zootologies: The Question of the Animal*, Cary Wolfe ed.(Minneapolis: University of Minnesota Press, 2003), pp. 121-146.

中心思維之中，而是要重省先前對於「能力」的界定[53]。如此我們
將會發現，能力會因為個體所置身的不同脈絡、和周遭的連結方式
改變而有所變化；甚至人的能力就一定比較高這樣的想法，也只是
因為我們通常處在人類為自己打造出來的、有利於自己的世界，換
到不同的情境下，就未必還具有這樣的能力[54]。沃夫進一步用心理
學家羅森塔爾（Robert Rosenthal）進行的老鼠實驗為例，來說明所
謂的「能力」並不是一開始就給定的。如果兩批實驗者，一批被告
知分到的是聰明的老鼠，一批被告知分到比較笨的，結果分到聰明
老鼠的那組會因為覺得自己比較受重視，進行實驗時和老鼠會有更
多正面、給予鼓勵的互動，老鼠也果然就表現得比被告知比較笨的
對照組好，但事實上兩組老鼠是完全相同的來源[55]。這個例子說明
了所謂的回應能力──不論是同類之間回應彼此或是回應環境的能
力，總是牽涉到很多因素的多重互動；基因的、生理的、為適應而
變化的、乃至於環境與社會的因素都可能介入我們所謂與生俱來的
能力[56]。至此我們可以比照一下提出「物體導向本體論」
（object-oriented ontology）的布萊恩（Levi R. Bryant）與沃夫的相

---

53 舉例而言，針對以使用工具的能力作為判斷其他物種智慧高低的標
　　準這點，沃夫引用了生物學者的看法，提醒我們重新檢視這些標準
　　以及我們對於能力的定義。例如該如何看待群居昆蟲使用工具的能
　　力與其智慧之間的關係？這些昆蟲所建築的巢穴結構往往令人驚
　　異，顯現了高度使用工具的能力，但就頭部集中化（cephalization）
　　與行為可塑性（behavioral plasticity）而言，牠們又並不符合我們過
　　去所定義的，具有智慧的動物。詳 *Before the Law*, p. 128.
54 同註21，pp. 84-85.
55 同註21，pp. 67-68.
56 同註21，p. 77.

異之處。布萊恩強調人也是物體，並沒有比其他的物體具有更高的
地位，而物體在不同情境中可以和其他不同的物體連接，之後就會
建立不同的關係，成為不同的行為者（different agents）。舉例來說，
使用鎚子的我、使用電腦的我、以及沒有進入這些工具關係的我，
這幾種我就是不同的行為者，因為所具有的「能力」都不同。雖然
這裡對「能力」的說法似乎呼應沃夫的講法，但布萊恩關於個體的
身分可以隨時充滿變化的說法，似乎把不同物體之間連接的可能看
得太自由，如此推論下去，好像所有的他者之間真的都有可能相互
回應，而面對任何他者，要實踐悅納異己好像也沒有限制？這恐怕
就是我們不得不質疑的了。就像沃夫所說的，如果拿起鎚子、和鎚
子連結之後，我拿起鎚子前的身分就消失了，變成完全不同的存在，
那麼這個身分一開始是否具有拿起鎚子的能力？恐怕都成問題[57]。

　　沃夫之所以不同意布萊恩，是因為沃夫雖然一再強調物種的分
界本身需要被不斷地解構與重省，但所謂的解構既不是只去瓦解人
與動物中間那條線，也不是要變成布萊恩所描述的那樣，把所有生
物與無生物都看成物體，物體之間變得好像沒有分界線。沃夫認為
物種間的區隔與界線必然還是存在的，只是可以不斷被解構，也就
是說這些分界線不但是複數的，且是隨時可能要變動、要重畫的[58]。
舉例來說，雖然當我們談論有條件的悅納異己時，往往還是讓人覺
得難免會落入哺乳動物中心主義或是脊椎動物中心主義，因為我們
若強調以回應的可能作為某種參考標準，似乎不免仍會以具溝通能
力及行為可塑性的哺乳類優先，如此一來，我們悅納的「異己」也
並不是真的那麼「異於己」；但沃夫強調，其實溝通甚至後設溝通

57　同註21，p. 131.
58　同註21，p. 74.

的能力並不限於脊椎動物，像章魚這些頭足類動物，就打破了我們認為生物的智慧高低和演化先後順序之間有一致性這樣的定見。所謂哺乳類的智慧高於鳥類、爬蟲類、兩棲類、魚類這樣的排序，或是只有過著群體生活且平均壽命比較長的動物才會因為與環境有較複雜的互動而發展出比較高的能力這類的看法，都因為不適用於頭足類，顯然需要被修正。透過頭足類的例子，我們會了解到某些畫線方式的僵化和錯誤，也就有可能去反思：我們過去那種種族主義式的、認為某些種族就有某些特色的想法，是不是也複製在我們對物種的看法上[59]？

四、結語：朝向無條件悅納異己的未來

當沃夫點出不同物種有不同回應世界的方式時，很重要的一個意義在於讓我們看到，悅納異己並不是我們能單向強加於他者的。而所謂必須依據其他物種不同的回應能力與方式來展現悅納異己，悅納異己的行為不能單向施加於某個生命形式之上，這樣的主張和沃夫信仰的自生發觀念當然也是密切相關的。提出系統理論的魯曼曾如此定義自生發系統：「透過構成它們的元素，這些系統生產出構成它們的元素。這裡牽涉的因此是自我指涉的封閉系統」。值得注意的是，在進行這種循環的過程中，看似封閉的系統其實還是和環境保持著連結，只不過環境無法支配或決定系統要如何與外在連結——雖然外在環境可以觸動個體內在的生成，但每個自生發系統內在的結構會使得種種與外在的配接有一定的限制，自生發系統之

59　同註21，pp. 71-72.

間的連接與共同進化也就不可能是完全無限制的自由連接變化[60]。如果理解到每個不同形式的生命都是一個自生發系統，就會明白它們必然各自有其與外在世界發生關係的特殊方式，也因此悅納異己的方式不可能任由我們單方面決定；沃夫也提醒，悅納異己的過程往往還有無意識面向的介入，所以若是不區隔不同形式的生命所具有的殊異性、主張無差別心地擁抱所有的生命其實是不切實際的[61]。

　　但沃夫延續德希達的倫理觀所推展出來的實踐層次也就發展到此為止了。我們的確看到他自《何謂後人文主義？》之後的改變，像是經由生命政治的思考，把「肉」當成討論的重點而非獨厚人類主體，也釐清了提出自體免疫危機並不是為了歌頌無條件的悅納異己，但我們可能用什麼方式來延伸悅納異己？他所謂其中所涉及的無意識面向又是什麼？顯然還有更多需要處理的關鍵，而不能只是在哲學領域探討。或許若要談悅納異己的實踐，諸如演化學、生態學、甚至精神分析等其他更多領域的思考都必須介入。例如生物學家提到的，由於在人類演化過程中，蛇和蜘蛛這些生物曾對生存帶來高度威脅，故有相當比例的人對於這些動物仍會表現出「懼生物性」（biophobia），雖然「恐懼的強度，會因個人的遺傳與經歷差異，而有所不同」[62]，但若要談悅納異己，這種懼生物性有沒有可

60　以上解釋摘自筆者〈後現代的戲耍或後人文的倫理？以卡茨的臆／想世界為例〉一文，頁33。其中引用的魯曼對自生發系統的定義則可見Niklas Luhmann, *Essays on Self-Reference*（New York: Columbia University Press, 1990），p. 191.

61　同註21，p. 104. 關於自生發及無意識的說法則見其訪談Ron Broglio, "After Animality, Before the Law: Interview with Cary Wolfe," *Angelaki* 18.1（March 2013）: 181-189. 正文論及之處出自該文p. 184。

62　《生物圈的未來》，威爾森著，楊玉齡譯（台北：天下遠見，2002），

能克服、該怎麼克服,後天接觸的文化又會如何強化我們對特定物
種的恐懼,都是無法迴避的問題;至於沃夫所謂悅納異己過程中的
無意識層面,目前他僅以這不僅涉及「精神分析的無意識,事實上
也是生物的與生理的」一語帶過,顯然也還有必要再深入處理[63]。
就這點而言,舒金在《動物資本》一書提到情感(affect)在此類討
論中的重要性,或許可以作為其中一種思考的方向。她指出,當人
與動物的跨物種交流在全球化年代持續發生時,物種間的親族關係
(interspecies kinship)雖可能造成跨物種傳染病,因而引起恐慌,
甚至出現將動物過度病態化的呈現——前述的禽流感就是具體的例
證,但這種生物界線的流動性與後人類思潮下開啟的跨物種親族關
係,也可能被當成值得追求的理想甚至被戀物化[64];而主導這兩種
現象的情感——恐懼與愛——看似位於兩極,但在人與動物共存的
關係中,兩者卻可能同樣都是具有傷害性的[65]。如果沃夫/德希達

(續)———————————————

　　　頁222。根據威爾森(Edward O. Wilson)的說法,與生俱來對蛇、
　　　蜘蛛、昆蟲與蝙蝠厭惡的遺傳率約占百分之三十。關於懼生物性的
　　　說明主要見於此書之頁222-225。

63　Ron Broglio, "After Animality, Before the Law: Interview with Cary
　　　Wolfe," p. 184.

64　舒金主要是透過分析柯博特(Gregory Colbert)的《塵與雪》(Ashes
　　　and Snow)系列攝影來批判這種把動物戀物化的作法,僅管他提供
　　　的是人與動物和諧共存的浪漫影像,但是選擇非白人與珍稀動物入
　　　鏡所透露的帝國主義心態、對生物多樣性的盲目推崇,以及以情慾
　　　化的方式呈現作品中女性與動物的關係等等,舒金認為都有進一步
　　　檢視的必要。換句話說,我們不能僅把作品表面呈現出的浪漫之愛
　　　當成人與動物問題的解藥。有關跨物種親族關係的探討,日後將專
　　　文處理。

65　同註30,p. 189.

的路線讓我們警覺到恐慌與排斥的情感可能造成的自體免疫危機，舒金的提醒則讓我們得以去思考，即使在看似值得推崇的悅納異己的行為之中，也可能夾帶著把動物他者戀物化的情感，甚至商品化的傾向，因此在悅納異己的倫理實踐過程裡，始終還有更多因素必須被檢視、被考慮進來。

今天談論動物倫理的問題時，經常會遇到的狀況是，悅納異己的大方向雖然在理論上的接受很高，但因為在實踐上，我們往往頂多只能實現有條件的悅納異己，於是又得面對邏輯不一、為德不卒或偽善等種種質疑。其實就像先前反覆申述的，所謂的倫理是透過「有條件與無條件的悅納異己之間的協商」才能發生，而每一次的協商都是一個獨特的事件，所以追求邏輯一致的悅納異己，往往只會導致倫理行動上的失能。這樣來思考「後」人的問題，我們或許可以說，只有理解到「後」的限度，才可能去面對在實踐上的各種困境；而浸潤在生命政治與後結構理論下的後人文主義如果足以讓我們針對「有條件的悅納異己」作出更深刻的思考，探討諸如「為何是這些條件下才能悅納異己」、「為何悅納的對象是這一類的異己」等問題，某種程度上就可以說是對於動物福利運動具有政治實效的。無條件的悅納異己雖是未來式，但是當此類論述讓有條件的悅納異己成為進行式之際，已如同許諾了一個讓我們比起現在還更能為他者負起責任的，倫理的未來。

黃宗慧，國立台灣大學外國語文學系教授，主要研究領域為精神分析、動物研究、當代文學理論，相關論著曾刊登於《歐美研究》、《中外文學》、《文化研究》、《同心圓》等學術期刊，編著包括《台灣動物小說選》（2004）。

回首第一代英國反動物實驗運動

李鑑慧

　　動物實驗與現代生活關係密切，廣泛應用於各種科學研究，舉凡生化、基因、醫藥、農業與國防，乃至化妝品與日常用品等之測試，都少不了動物實驗。英國於2013年涉及動物的科學程序逾400萬件。全球單在2005這一年，因科學研究之名而殺害的動物數量，就超過1億1500萬[1]。動物實驗在多數人心目中，恐怕已是當代科學的必備元素及現代社會的既定事實，難以撼動，更無法廢除。但是，19世紀的英國卻有那麼一群人，並不如此認為，他們以「完全廢止」動物實驗為目標，並且樂觀地相信，一種符合人道精神的科學或許並非奢望。

　　約自19世紀中期，西歐各國掀起所謂「實驗室革命」，經由實驗室的興建及實驗方法的推展，許多學科建立起科學地位。醫學亦

---

[1]　參　閱　https://www.gov.uk/government/uploads/system/uploads/attachment_data/file/327854/spanimals13.pdf；由於許多國家並無完整統計資料，對於動物與科學程序之定義也不同，以致全球實驗動物數量的估算也就充滿困難。相關問題探討可見以下文章，本文所徵引之全球數量亦來自此一研究 Katy Taylor, *et al.*, "Estimates for Worldwide Laboratory Animal Use in 2005," *Alternatives to Laboratory Animals* 38 （2008）, pp. 327-342.

於此時透過生理、藥理與病理學等領域之實驗研究，發展其實證基礎並推進其專業化。在這時代背景下，動物也就成為實驗對象。相較於德、法等國，英國的生理學發展較晚，但仍於1870年代迅速起步，動保人士也緊接其後，施壓國會，要求立法管制動物實驗。

1875年，英國政府首先成立「皇家調查委員會」，對於動物實驗的現狀展開調查。1876年，在正反雙方的激烈遊說下，英國通過世界第一個動物實驗管制法，建立相關的審核、登記與稽查制度。然而，動保界認為此一法案過於寬鬆，例如它允許教學用途及不施予麻醉之實驗。失望之餘，動保運動從此迅速集結，發展成為一個更具群眾基礎的社會運動。單在1876這一年，英國便已成立五個反動物實驗團體，日後多發展為全國性組織，分會遍及英國各大城鎮。運動參與者大多來自中上階層，其領導階層亦不乏深具社會名望者。他們熟練地運用英國改革運動所慣用之各種抗爭手段，例如簽名陳情、巡迴演講、文宣出版、海報張貼、媒體投書、大小型集會等，展開了延續至今未曾中斷的「反動物實驗運動」（Anti-Vivisection Movement）[2]。

此一歷時悠久的運動，在19世紀發展初期有兩點特色值得一提：一是目標的激進性；二是論述的寬廣性。

1876年到1898年之間，英國反動物實驗運動的主要團體，幾乎

2　20世紀初期以前的動物實驗，主要是生理學研究中的活體解剖，故反對者多以「活體解剖」（vivisection）一詞統稱所有以活體動物為對象之實驗，反動物實驗團體亦皆以anti-vivisection為名。惟此用語並不表示反動物實驗者僅僅反對活體解剖，而是包括一切會引發動物痛苦之侵入與非侵入性程序包括注射、灌餵或控制實驗環境（例如改變溫度、真空化）等。為避免歷史用辭可能造成之誤會，本文一律將anti-vivisection譯為「反動物實驗」而非「反動物活體解剖」。

一致地以「全面禁止」動物實驗為最高目標[3]；運動者雖然主要關切的是動物的痛苦，但其所提法案並不特別做出區別，因為痛苦與否難以認定，儘管施以麻醉，亦難以確保痛苦之完全免除，同時也增加審核與稽查上的難度；而英國內政部自1880年代初，開始將審核大權轉移至科學社群本身的作法，也進一步強化了運動者對於審核之不信任，於是乾脆要求全數廢除，以絕後患。

　　考量時代客觀情勢，「全面禁止」的立場似乎並非全然不切實際。首先，此時動物實驗仍處於發展開端，規模不大。1876年，動物實驗管制法通過之前，動物實驗主要乃是由少數仕紳與醫生在私人實驗室中進行。1876年之後，法令規定實驗人員及實驗室皆須註冊並領有執照，這使得研究者必須依附於機構，而此時科學研究之機構化仍在起步，結果英國動物實驗的成長速度在這之後的一、二十年間都仍十分有限。1880年，英國登記有案的動物實驗，包括教學示範，僅311件；領有執照之動物實驗者約45位。1890年代，案件數量因細菌學所帶動的接種實驗和疫苗開發而大幅增加，但於1896年亦僅7500件[4]。其次，就具體效益而言，由於實驗生理學尚在發展階段，動物實驗是否真能帶給人類具體貢獻仍有待觀察。一般所謂的重大貢獻，例如盤尼西林、胰島素等之醫療應用，遲至20世紀方才確立。

　　這一切，使得反動物實驗者在運動前二十年，並不認為他們所要打的是一場不可能勝利之仗。在未能預見科學日後全面發展狀況

3　運動自1876至1884年之間，每年於國會所提，皆為全面廢止動物實驗之相關法案，參閱Richard D. French, *Anti-Vivisection and Medical Science in Victorian Society*（Princeton: Princeton University Press, 1975），p. 172.

4　*ibid*, pp. 173, 298, 393-401.

下，運動者樂觀地相信，動物實驗這初現形的「新罪惡」（new vice），不過是科學「少年期」的短暫偏差，經由糾正，尚得以攘除；實驗室中的各類實驗器械，有朝一日也將如中世紀的殘酷刑具般遭到歷史淘汰，僅存於博物館陳列櫃中[5]。這份信心，也體現於運動集會中每每常見之樂觀歡呼與勝利喊話。

　　或許是出於這樣一種信心，動保運動在論述上，相較於今日，也更具寬廣性；其所反省的並不僅僅是動物實驗本身，更包括正值劇烈轉變中之科學、醫學乃至於整體社會之價值走向。

　　至1870年代，英國動保運動已累積相當豐富之道德論述。19世紀英國受福音主義之影響，瀰漫著濃厚的宗教氣息以及對於人類道德之關注。動保運動自1820年代發軔以來，主要訴諸基督教道德，並援用聖經中之概念例如創造論、神所授予人類統管萬物之權柄，以及基督的慈悲精神等等；其核心論述乃是：動物與人類一樣同為神所創造，亦為神所鍾愛；握有統管權柄之人類應擔負重責，效法基督慈悲的精神，善待神的受造物，而不是濫用職權虐待之。此外，歷經浪漫主義的洗禮，英國對於動物之感受能力（sentience），有著一定認可，改革者多如邊沁一般相信，不論動物是否具有理性或語言，其感受痛苦之能力，便是人類道德考量的充分基礎。運動者另外也訴諸時代對於人類道德之關注，提醒人們坐視動物受苦將使人性趨向殘酷，危及人群與社稷，是以必須積極立法，禁止虐待動物之行為[6]。

5　Frances Power Cobbe, "The Fallacy of Restriction Applied to Vivisection," in Susan Hamilton ed., *Animal Welfare and Anti-Vivisection 1870-1910 Volume I. Frances Power Cobbe*（London: Routledge, 2004）, pp. 322-331, at p. 331.

6　關於19世紀動保運動與基督教傳統，參閱李鑑慧，〈十九世紀英國

　　除了一般常見之動保論述，反動物實驗運動也發展出針對動物
實驗的專有論述。在他們看來，動物實驗與一般常見之動物虐待的
差異，在於它並非出於人們的無知或疏忽，而是科學家為了求取知
識或其所宣稱的人類福祉（例如治療疾病、延長壽命等）所從事之
高度計畫性行為。究其本質，乃是人類為了一己目的而犧牲弱小動
物的行為，不但殘酷，同時也展現了人性之自私與怯懦。如此作為，
恰恰與英國19世紀道德論述中所推舉之「自我犧牲」與「利他精神」
相背，也與新教之核心信念──「基督救贖」──形成強烈對比。
在運動者眼中，基督為了整體人類之救贖，捨棄肉身於十字架上，
所展現的乃是一種高位者為低位者犧牲的寬大典範；然而，科學家
之作為卻恰恰相反，是強者為了己身利益而犧牲弱者[7]。

　　運動者並追問，如果動物實驗是殘酷、自私且違基督教道德，
那麼，一個容許其存在、並賦予其從事者巨大權威與社會名望的社
會，是一個什麼樣的社會？反映出何種價值？此一質問，使得動保
論述具有更寬廣之文化意涵，也將之帶向19世紀有關宗教與科學、
知識之目的、文明發展之目標等多方面之討論。有關這部份的討論，
我們得由19世紀科學所歷經的一場科學意識型態轉移談起。

　　19世紀的科學觀，大抵歷經由上半期之「自然神學」（natural
theology）轉向下半期的「科學自然主義」（scientific naturalism）
之歷程。對於自然神學論者而言，科學與神學並不衝突，甚且密切

（續）────────────────

　　動物保護運動與基督教傳統〉，《新史學》，20: 1 (2009)，頁125-179；
　　Chien-hui Li, "Mobilizing Christianity in the Anti-vivisection
　　Movement in Victorian Britain," *Journal of Animal Ethics*, 2: 2（2012），
　　pp. 141-161.

7　參閱 Chien-hui Li, "Mobilizing Christianity in the Anti-vivisection
　　Movement in Victorian Britain," *Journal of Animal Ethics*, pp. 148-150.

結合。仰賴理性之自然探究，乃是仰賴信仰之啟示神學（revealed religion）之外另一條理解神、追尋神的重要途徑；自然中一切神奇創造、精巧設計及完美秩序和法則，不但可資證明神之存在，並能展現神之大能、智慧與良善。探究大自然之工作，因之也猶如宗教之追尋一般，足以帶領人們理解神之本質以及神對世界之計畫。科學探究之初始動機與最終目的，也因之是宗教性的。受自然神學之影響，19世紀前期之科學往往融合了神學內涵，使用宗教語言，並且在社會中扮演著強化信仰之功用。

另一方面，科學自然主義者則力圖打破自然神學自啟蒙時代以來的支配；論者多服膺於經驗與實證主義，相信唯有建立在理性與經驗上的知識，方為真實的知識。至於其他獲取知識的傳統方法，例如聖典、宗教權威、內在良知或直覺等，皆為其所駁斥。受自然主義影響，他們相信宇宙有其統一性（uniformity），一切現象，甚至包括人性與社會，皆受自然法則支配，故也應以自然法則解釋之。19世紀盛行的原子論、熱力學及演化論，也被認為足以充分解釋宇宙之構成、運動與發展，並為之建構起一套機械論宇宙觀；在此，宗教與神學並無容身之地。在科學自然主義者看來，自然神學之一切無從驗證的宗教宣稱與形而上概念，不但不應干涉科學，更應完全退出科學領域。許多人更進一步認為，一切形上學或本體論探討，因非立基於經驗，故而無法驗證，是以應被排除在科學乃至知識領域之外。科學自然主義者的勃勃雄心，在「英國推動科學學會」（British Association for the Advancement of Science）會長約翰・亭代爾常被引用的一段話中昭然若揭：「科學要從神學手中奪回宇宙論整個領域。任何侵犯科學研究的計畫或體系，皆應放棄其所有控

制意圖並反為科學所控制。」[8]

這群科學研究者，主要以湯瑪斯・赫胥黎、約翰・亭代爾、威廉・克里夫（William Clifford）及約翰・洛柏克（John Lubbock）等人為代表。科學自然主義既是其理念，亦是其工具，一方面藉以破除早先存在於科學研究之業餘主義，積極帶動所謂科學之「專業化」，另一方面則更希冀以之建立一個世俗化的英國，將英國由一個受宗教主導之文化，轉變成為科學主導。為此，他們積極介入教士與哲人傳統的專屬領域，努力建構他者與自身之新形象。在知識面上，他們逾越傳統自然研究界線，跨入社會，嘗試以自然法則解釋人性與道德發展乃至社會運作等問題。在社會中，他們則企圖使科學影響深入教育體系與政府官僚，並四處開闢論述戰場；一方面將教會描繪為落後、武斷、非理性且深陷派系鬥爭，另一方面則將自身與啟蒙、實用、理性、反權威及思想解放等價值結合，積極說服政府與社會大眾，唯有其所代表之「新科學」方能確保英國之經濟發展、工業領先及帝國支配。

整體而言，在19世紀下半期，此一新興科學社群成功地將其自身與國家命運結合並贏得政府支持；不但取得科學專業化所需之大量資金挹注、體制發展與廣泛就業機會，並創造出一個高度倚重科學專業之政治文化，甚至讓「科學崇拜」（the cult of science）成為1870年代以降的一個文化現象及嘲諷辭：科學彷彿取代了宗教，成為解決人類一切問題與憂患的新權威、新神祇，科學研究者則成為「新祭師階層」[9]。

8　John Tyndall, *Fragments of Science* （New York: D. Appleton & Co., 1896）, p. 197.

9　關於科學自然主義，參閱 Frank M. Turner, *Between Science and Religion: The Reaction to Scientific Naturalism in Late Victorian*

　　科學自然主義的推行，並非不受阻礙；19世紀甚囂塵上的所謂
「科學與宗教之爭」即因之而起。簡言之，科學自然主義之影響力
雖於1860至1870年代達到高峰，但1880年代之後，來自社會及知識
界多股批判力量卻使其聲勢受挫，例如哲學界的唯心主義思潮及心
理學界威廉・詹姆士、亨利・伯格森、詹姆士・沃德（James Ward）
等人所帶領的重返主觀意識與心靈力量的新思維，乃至神祕主義運
動（occultist movement）與精神研究（psychical research）等，皆於
不同層面並透過不同方式，對科學自然主義提出批判。1870年代中
期之後所興起的反動物實驗運動，也同樣參與於此一批判浪潮之
中，在檢討科學實作倫理的同時，更檢視因實驗室之興起而改頭換
面之科學與醫學所可能帶來之文化效應。

　　反動物實驗運動中雖然不乏無神論者，但其多數成員仍為基督
徒或有神論者。他們並不排斥科學自身，但卻認為科學探索應受自
然神學所引導。對他們來說，知識探求或有其現實用途，但這並非
其最終目的；唯有藉之所能獲致之宗教與靈性體悟，才是其最高意
義。在這思維的引導下，運動者也積極參與於19世紀十分熱絡的大
眾自然史文化中，一方面傳播有利於運動推展之自然史知識，另一
方面則藉著自然神學論述，培養人們虔敬愛德之心；他們相信，一
個虔信之社會，將能確保一個道德之社會，也才能夠確保動物之免

（續）──────────────────────

　　　England（New Haven: Yale University Press, 1974）; Frank M. Turner,
　　　Contesting Cultural Authority: Essays in Victorian Intellectual Life
　　　（Cambridge: Cambridge University Press, 1993）; Gowan Dawson and
　　　Bernard Lightman eds., *Victorian Scientific Naturalism: Community,*
　　　Identity and Continuity（Chicago: University of Chicago Press, 2014）;
　　　Bernard Lightman and Michael S. Reidy eds., *The Age of Scientific*
　　　Naturalism（London: Pickering & Chatto, 2014）.

於受虐[10]。

　　面對科學自然主義這來勢洶洶的科學新思潮，反動物實驗運動者所憂心的，正是科學自成道德體系並晉身成為新神祇之趨勢。他們的批判於是也就由科學自然主義的各個面向紛紛展開。首先，對多數信仰者來說，對於自然的探究與知識追尋，一旦與宗教或靈性意義分離，將無足輕重，與真理無涉，就如反動物實驗運動主要領導人法蘭西斯·柯柏所言，「如果我們拒絕將科學與神之王座連結，科學將只不過是事實的累積，而非連貫的真理金鍊」[11]。他們並且相信，科學一旦脫離宗教之引導，不但將助長唯物論與無神論思想，也將脫離道德約束，帶來只為知識不顧一切的不良後果；而19世紀日益興盛的宗教懷疑主義與不可知論以及動物實驗等等，皆是此一不良後果的明證。也因此，面對19世紀對於知識的狂熱追求與高度崇拜，運動者並不歡欣鼓舞，反倒頻頻提出警訊。基督教傳統中，對於世俗知識追尋之危機的提醒，也經常被運動者引用，藉以訓誡失去宗教韁繩之科學探究所可能帶來之靈性與道德危機。無論是亞當夏娃誤食知識之樹的果實之故事，或是例如「加增知識的、就加增憂傷」（傳道書，1：18）、「知識是叫人自高自大，惟有愛心能造就人」（哥林多前書，8：1）等等聖經話語，皆常見於反動物實驗論述中。

　　此外，在知識探索的取向上，此時知識界所盛行的物質化約主義，亦為運動者所批判。受科學自然主義所影響，此時諸多知識分子不但相信人既屬於自然、必能以自然法則解釋之，他們並且相信，

10　參閱李鑑慧，〈挪用自然史：英國十九世紀動物保護運動與大眾自然史文化〉，《成大歷史學報》，38（2010.6），頁131-178。

11　Frances Power Cobbe, "Magnanimous Atheism," in *The Peak in Darien*（Boston: Geo. H. Ellis, 1882）, pp. 9-74, at p. 50.

人類心靈奧秘亦潛藏於物質之中。在此一信念之下，過去歸屬宗教
或形上學領域之課題，例如人類情感、道德、智能及意志等，開始
成為科學研究課題；生物體之物質結構、化學反應與生理運作等，
也成為研究者尋覓之處。這對於人類心靈與行為的自然主義式解
釋，隨著生理學及生理心理學（physiological psychology）等學科的
發展而日益盛行。1870年代起，學術界更挑起關於「物質」與「心
靈」彼此關聯性的激辯，歷時數十年而不衰。19世紀末，英國唯心
論浪潮所欲回應的，也正是自然主義對於人類靈性與道德自主空間
的抹煞。

　　對於反動物實驗者來說，此一科學知識潮流充滿隱憂。首先，
這排他式的、對於自然與心靈的自然主義式解釋，終將造成「重物
質」而「輕靈性」的思考習慣與生命態度。就如同柯柏常舉之例，
在這類解釋下，母親的淚水將不再是哀傷的表現，而是磷酸鹽等化
學反應現象，只是腦部給予淚腺的一種訊號[12]。此外，生物化約論
在賦予物質因素決定性解釋力量的同時，形同貶抑了思想、意識、
情感與自由意志等過去具有靈性意涵之自主力量，連帶將侵蝕植基
於人類自由意志之基督教道德，帶來一種唯物論生命觀。就如當時
運動刊物所宣稱：「動物實驗與唯物論科學之間的關係十分緊密；
沒有任何東西可以比生理實驗室中所發現到的『思想與理性不過是
大腦物質中的血流與化學反應之產物』這類想法還能帶給基督教的
敵人更大的愉悅。我們當然不是說所有的動物實驗者與生物學家都
必然是唯物論者，但要證明基督教實難存在於生理學實驗室中卻是

12　F.P. Cobbe, *The Scientific Spirit of the Age* （Boston: Geo. H. Ellis,
　　1888）, p. 12.

很容易的。」[13]此時運動者所憂心譴責的,自然不單是動物實驗之
殘酷,更是那源起於實驗室的學術探究潮流,可能進一步創造出來
一種容許動物實驗之罪惡的社會整體道德境況。

最後,科學自然主義侵犯傳統人文領域,企圖以自然法則指導
人類道德與社會運作之企圖,亦同樣引發反動物實驗者的強烈反
彈,而其砲火則指向助長此一風潮最為強有力的達爾文主義。自18
世紀以來,生物演化論早已有許多學者提出,達爾文之貢獻乃是在
於提出以物競天擇理論做為演化機制;儘管其天擇說在19世紀仍多
有爭議,但達爾文卻使演化論受到學界重視。以赫胥黎為首的科學
自然主義者,更是刻意藉助達爾文之名與其學說,鼓吹演化理論,
並以之作為解釋萬物發展之法則,排除傳統神意之介入。反動物實
驗者因其不同宗教信念與科學認識,對於達爾文主義各面向的看法
並不一致,但是達爾文對於人類道德起源的自然主義式解釋,及其
物競天擇說的道德效應,卻引起運動者的普遍反彈。在《人類起源》
(1871)中,達爾文明白指出,人類道德感如同生物物質形體一般,
同樣是人類歷代祖先為適應環境所逐漸型塑而成,同樣受到天擇法
則所支配。換句話說,人類道德感之存有及其內涵,就如同其它生
物官能,為其「生存價值」(survival values)所決定。如此說法,
對於相信道德具有絕對與神聖本質的人們來說,毋寧是一重大冒
犯:道德自此淪為歷史環境作用下的一種「偶然」產物;道德之內
涵亦可能因「生存需要」而更替。此外,達爾文天擇說對於馬爾薩
斯與史賓塞所率先提出之「適者生存、不適者淘汰」的說法之援用,
更普遍引發人們對於達爾文理論之道德效應的擔憂。在反動物實驗
者眼中,「天擇」之演化機制無形中所肯定的,乃是一種效益主義

---

13 *Zoophilist*, Aug. 1902, p. 93.

式的倫理，更是一種「弱肉強食」的世界秩序。而自達爾文學說提
出以來，學界內外企圖以之解釋社會發展的人們，或是以之合理化
維多利亞社會的市場法則、父權社會及階級關係與帝國和種族地位
等現況的諸多聲浪，更是在在證實了道德人士們的擔憂。最讓反動
物實驗者震驚的是，許多科學家競相以「生存競爭」與「弱者犧牲」
等自然法則，企圖為動物實驗提出辯護，就如著名的劍橋生理學家
麥可‧福斯特所言：「達爾文先生指出了所有生物都受『生存競爭』
所型塑……人類存在之境況，賦予人類有權使用他周遭的世界，包
括了其中的動物生命，來協助人類己身的生存鬥爭。」[14]類似論點，
同樣也迴響於醫學雜誌《刺絡針》（*Lancet*）：「大自然是滿手血
腥的……所有動物相互捕食，弱者恆敗。」[15]倫敦名醫安德魯‧克
拉克爵士（Sir Andrew Clarke）甚至宣稱，「生命之法即犧牲之法，
無人能逃」，動物實驗只要是出於必要，不但是人類的「特權」，
更是「道德責任」[16]。

　　科學界所宣揚的這樣一些倫理看法，在反動物實驗者看來，毋
寧正是基督教精神之對立面。他們對比「基督教道德」與「達爾文
道德」兩者之差異；相應於基督教福音例如「憐憫的人有福了，因
為他們將承受憐憫」（馬太福音5: 7），運動者反諷其對手所持乃是
「新科學福音」（New Gospel of Science），當中宣告：「殘酷無情
的人有福了，因為他們將獲得有用的知識」[17]。動物實驗的正反雙

---

14 Michael Foster, "Vivisection," *Macmillan's Magazine*, Mar. 1874, pp.
    367-376, at pp. 368-369.

15 *Lancet*, Jan. 2, 1875, pp. 19-23, at p. 20.

16 "The Church Congress," *The Times*, Oct. 7, 1892, p. 6.

17 F.P. Cobbe, "The New Morality," in *The Modern Rack: Papers on
    Vivisection*（London: Swan Sonneschein & Co., 1889）, pp. 65-69, at p.

方,代表的正是道德的兩端,前者強調憐憫、利他與自我犧牲的傳統基督教道德,後者則是達爾文理論所宣告的弱肉強食之「新道德」;而科學界之罔顧動物受苦並繼而以自然法則正當化之,正應驗了動保運動者對當代科學精神之道德危害的憂慮。

反動物實驗運動者也在醫學文化的轉變中看見同樣的時代隱憂。19世紀下半期乃是一般所謂「現代醫學」的開端,藉由生理、病理、解剖及藥理學等學科之實證基礎,醫學建立起科學性,並開始其專業化歷程。透過實驗室與醫院的興建、各基礎學科之納入醫學教育、研究職業生涯之建立、醫學專業階層化等實質建制等等,醫學也漸擺脫舊有紊亂不一之訓練養成與醫療實踐,並在社會上取得專業地位與文化權威。在這現代專業性建立的過程中,實驗室始終是主導醫學發展的最重要場域,也是所有醫學生所必經的訓練場所;在職業內部分化中,從事實驗研究的醫師,也成為醫學專業中的頂端菁英,享有最高專業地位與名聲。直至1890年代,仰賴細菌學說的推展,倫敦都會陸續建立之預防醫學中心,更成為現代文明之象徵與希望。而這一切轉變皆與當代實驗室及動物實驗脫離不了關係,也就同樣成為反動物實驗者的檢討對象[18]。

首先,針對新式醫學教育,反動物實驗者相信,目睹或從事殘酷作為,將使人心麻木殘酷,但如今動物實驗已然成為醫學教育中的必要環節,受此訓練,未來醫者的品格與照護品質,豈不令人擔

(續)————————————————

65.

18 關於19世紀醫學與實驗室之發展,參閱P. Williams & A. Cunningham eds., *The Laboratory Revolution in Medicine*(Cambridge: Cambridge University Press, 1992); W. E. Bynum, *Science and the Practice of Medicine in the Nineteenth Century*(Cambridge: Cambridge University Press, 1994).

憂？其次，以實驗室為其權威所在地的現代醫學，看重的不再是病
床邊的醫療實踐，而是實驗操作；醫者眼中所見也不再是「病人」，
而是「疾病」自身；病人不再是醫療關係中的主體，而僅是疾病之
「樣本」與「個案」[19]。在運動者眼中，醫學此一走向，重知識而
遠人性，終將損及人類利益。19世紀末，有些醫院為研究需求而擅
自以窮苦病患做為實驗對象的駭人聽聞，在運動者眼中，正是此一
發展態勢下的必然後果。此外，運動者也相信，醫療科學終將帶來
一種與基督教精神相左、以「物質」與「肉體」利益至上的社會文
化。去除疾病，解除肉體痛苦，乃至延長壽命，在在成為醫學與整
體社會不惜代價──包括道德代價──所全力追求的目標。19世紀
下半期以來，為了公衛與疾病防治所推動的侵犯個人權利之法案，
例如「強制預防接種法」（Vaccination Acts）與「反傳染疾病法」
（Contagious Disease Acts）等[20]，以及為使人類免於微小疼痛而帶
給動物巨大痛苦的動物實驗，在運動者眼中，不外都是一種重物質
而輕精神之整體社會文化之展現。此一現象，也使得運動者並不單

19　參閱F.P. Cobbe, "The Medical Profession and Its Morality," *Modern
　　Review* （1881），pp. 7-24.

20　英國於1853年通過第一個針對新生兒的強制性預防接種法案，之後
　　並陸續立法加強規範。強制性接種因其安全問題、對人身之侵犯以
　　及民俗醫療觀念等，引發民眾強烈反彈與不合作運動。歷經反對者
　　數十年之爭取，英國於1907年通過法令，出於良心理由而拒絕讓新
　　生兒施打疫苗的父母親才終於得以免於受罰。「反傳染疾病法」乃
　　是1864, 1866, 1869年英國政府為防治性傳染病所通過的三個法
　　案，賦予警察職權，得以在海港或軍隊駐紮城鎮，逮捕任何疑似從
　　娼的婦女，並得以將之送往醫院接受強制檢查與治療。這些法案被
　　認為展現雙重道德標準，例如罰娼不罰嫖，並且汙名化婦女及其身
　　體自主權，因而引發社會反彈及一波波強大女權運動，最後於1886
　　年廢除。

純只是反動物實驗者，更經常也同時是反對接種者、醫學文化的批
判者，或是簡樸生活與另類療法的提倡者。

　　總而言之，面對科學、科技與醫學之飛速發展，反動物實驗者
實難分享時代之樂觀與雀躍，而是憂見宗教之式微、道德之淪喪，
以及一種更廣義的精神價值之漸趨邊緣化；這一切，他們認為，不
但將使人們失去存在意義與終極理想，也將使英國文明步向道德衰
退之路。他們也因此頻發警訊，提醒人們「新科學」與「新醫學」
所將帶來的「新道德」與「新秩序」。他們如此呼籲：「科學，在
許多人手中，已脫離其固有位置，挑戰了唯有宗教方可擁有的位置。
科學必須是宗教的婢女，而非女主人」[21]；「應讓她〔科學〕知曉
其位；她是第二，不是第一。」[22] 他們並進一步闡述，此一科學所
推行的乃是一「倚強凌弱」的新道德，「所經之處，必無情輾碾」[23]；
而那解剖台上無從抵抗的動物，則是新秩序底下一切受壓迫者之象
徵。一個更完整的關於科學的宗教譬喻，也因之常見於運動中：科
學不只是那被膜拜的新神祇，祂的「殿堂」乃是當代科學的實驗室，
祂的「新祭師」則是那些「領有執照，得以任意操演那不堪啟齒的
血汙儀式者」；而其受害者則是「在邪惡祭壇上被刑求的狗兒們」[24]。

　　面對動物實驗及其所揭示之道德新秩序之乍臨，英國第一代的
反動物實驗者實充滿著無可置信之情；他們難以接受人類的知識進
展竟然必須仰賴對於動物進行切割、挖鑿、插管或使之癱瘓等等計
畫性「刑求」。這些行徑，宛如已為時代所摒棄之宗教裁判所之酷

21　"Vivisection meeting at Shrewsbury," *Home Chronicler*, Oct. 27, 1877,
　　pp. 1130-1132, at p. 1130.
22　*Zoophilist*, Jun. 1902, p. 34.
23　"The Juggernaut of Science," *Zoophilist*, May 1898, pp. 7-8.
24　*Zoophilist*, Jun. 1902, p. 34.

刑或是羅馬競技場搏鬥；更不可思議的是，這些野蠻作為，竟再現
於自詡道德進步的世界文明之首——英國[25]。這樣一種道德憤慨情
緒，也讓運動者有時難免在言論中疏於定義，因而對「科學」、「醫
學」或甚至是科學家、生理學家或醫生等等，做出全稱式的批判與
詆毀，甚且冠以「無神論」、「唯物論」或「撒旦」等標籤。此外，
運動之中也不乏對於科學發展無知者；許多人也對科學之效益採取
一味否定的態度。1890年代，當細菌理論開始展現它在疫苗開發與
外科手術消毒上的重大用途時，運動仍對之多所嘲諷，例如蕭伯納
在《醫生的兩難》（*The Doctor's Dilemma*; 1911）劇中，對細菌理
論、疫苗接種、動物實驗及當代醫生形象極盡嘲弄之能事。這也難
怪運動者也經常擔負著「反科學」或「反進步」之罪名，給人一種
狂熱、偏激的印象。當然，此些評價也恰恰反映了反動物實驗運動
之批評者對於「科學」與「進步」之有別於運動人士的界定與期許。

經過二十多年的宣傳與攻防戰，英國的反動物實驗運動儘管累
積了大量批判性論述，但卻並未促成任何實質法令或制度上的轉
變。直至19世紀末，運動中愈來愈多人認為，完全廢止之理想已難
企及，各運動團體也紛紛轉向更為可行的「管制」立場[26]。20世紀，

---

25 參閱Mona Caird, "The Inquisition of Science" & "A Sentimental View
of Vivisection," 收錄於 Susan Hamilton, *Animal Welfare &
Anti-Vivisection 1870-1910. Volume II Anti-Vivisection Writings*
（London: Routledge, 2004）, pp. 82-139.

26 1898年，英國最主要的反動物實驗團體「全國反動物實驗協會」
（National Anti-Vivisection Society；NAVS）也將協會目標由「廢
除」改為「管制」，不過這也引發了反對者的不滿；在柯柏的帶領
下，憤而出走，成立另一團體「英國廢止動物實驗聯盟」（British
Union for the Abolition of Vivisection；BUAV）。NAVS與BUAV兩
個團體皆運作至今，為英國目前兩個最大反動物實驗團體。

醫界一次次的重大研究進展，例如盤尼西林、胰島素之發現及肺結核、梅毒和熱帶疾病等重大疾病在治療與預防上的突破，也帶給反動物實驗運動一波波不小的衝擊。面對科學之連傳捷報及其地位之日益鞏固，運動者多已不敢奢望全面廢除動物實驗；當代科學、醫學乃至整體社會文化之價值反省，也非日後運動所敢輕易碰觸之龐大課題。

運動文化尚有如此之轉變，遑論一般社會輿論。在這科學、科技影響無孔不入、科學主義益發根深柢固的21世紀，人們多半不再設想一個免於大規模動物受苦之科學文化；動物實驗似乎也成為人類文明中另一個已被「常規化」的「難以想像之事」[27]。往正面看，我們或許已更為務實並具現實意識，明白潮流所趨與事態之不可抵擋；但或許，身處共犯結構中的我們實已為失敗主義所壟罩，也因之失去一種對於「另類世界」或「另類價值」的想像與追求勇氣。

對照今日，英國第一代的反動物實驗者所擁有之優勢，或許正來自其所處之特殊時空位置：站在新舊交替的多重時代轉折點，面對剛萌芽的動物實驗、科學自然主義思潮及現代醫學文化的建立等等，運動者除了擁有傳統信仰體系所能提供之思想參照點之外，更傾向探究諸多時代新問題的根柢與關聯，反而因此敢於想像一個不存在動物實驗之世界，並進而對那容許其存在之整體社會提出全面性批判。

---

27 人類學家Lisa Peattie以納粹集中營中納粹與囚犯所共同建立的常態化秩序與生活為例，指出人類具有一種傾向，能夠將無論在經驗上、社會上或道德上極端不正常（abnormal）之狀況納入生活常規之中，而非尋求轉變；此一現象，她稱之為「難以想像之事的常規化」，參閱Lisa Peattie, "Normalizing the Unthinkable," *Bulletin of Atomic Scientists*, 40: 3 （1984）, pp. 32-36.

　　最早對反動物實驗運動的科學批判論述提出考察的史家法蘭奇如此說道，19世紀的動物實驗者所抗議的，並非動物實驗自身，而是「那即將來臨的世紀之樣貌」[28]。也正因如此，承續19世紀科學文明的我們，似乎更有理由回首那「想像著我們」而發出警世之鳴的第一代反動物實驗運動。

　　李鑑慧，任教於國立成功大學歷史學系，研究興趣為英國近代史及人與動物關係史。

28　French, *Antivivisection and Medical Science in Victorian Society*, p. 412.

簡談電影與動物研究

唐葆真

　　第16六屆台北電影節於2014年7月落幕，影展各單元的選擇多半繼承傳統電影研究的幾個傳統：（一）作者論，如「焦點影人：德尼柯特」、「導演聚焦：沃伊切赫斯馬喬夫斯基」；（二）地區／國族傳統，如「波蘭經典回顧」、「法國經典奇想」；（三）片種：紀錄片、劇情長片、動畫片等。眾多單元中，最另類也最令人眼睛一亮的莫過於「看動物。看人」這個收入五部探討動物[1]及人類關係的紀錄片單元[2]。五部片來自歐美亞三洲，各自呈現了經濟動物、同伴動物、流浪動物、動物園動物等不同動物在人類社會中的生存樣態。根據台北電影節策展人郭敏容的說法，這樣的安排旨在逐漸打破歷屆影展「以人為主」的框架與現象，但這並不代表「電影裡有動物就可以選入，而是這些影片對動物都有不同的看法」[3]。透過這

1　所有在本文中出現的「動物」一詞皆指「非人動物」。

2　五部電影為：《豢養獄》（*Animal Love*）、《凝視動物的100種方式》（*Bestiaire*）、《演猴論》（*Masked Monkey—The Evolution of Darwin's Theory*）、《來自猩猩的妳》（*Nénette*）、《街角毛朋友》（*Taskafa, Stories of the Street*）。

3　見洪健倫，〈讓影展逐漸突破「以人為主」的框架：專訪2014台北電影節策展人郭敏容〉。《放映週報》，2014年6月 17日，檢索日

些紀錄片，我們可一窺人、動物、影像間的複雜關係：當人們在觀
看動物時，實際上也反身地觀看著自身，同時後設地觀看人透過藝
術的中介觀看動物，並正面迎向影像中動物的臉面與回視。故當電
影工作者再現真實動物於影像中時，他們總已開展出各種豐富的觀
看結構，以及各種認識人、動物、人與動物關係的嶄新視野。

　　在電影節中出現「看動物。看人」這種極具概念性的單元，除
了代表當代影展機制對傳統策展偏重以作者論、地區／國族傳統做
為指導原則的反省與檢討，及「動物」主題在票房上的親切號召力
（誠如郭敏容所言：「之所以想要從『動物』開始做，因為它是相
較起來較具備親和力的切入方式」）之外，對於前述多層次觀看結
構的探討可謂關鍵，反映出當今電影研究、藝術史、視覺文化學界
對於「非人動物」作為研究主題的濃厚興趣與熱潮，並與目前人文
學界中的倫理轉向、後人類主義興起、物／客體研究（object studies）
的趨勢高度相關。

　　本文由台北電影節的獨特單元設計起頭，便是希望在這動物研
究風起雲湧的年代，由電影出發，淺談目前學界中電影研究與動物
研究的相會之處，尤其聚焦電影如何幫助我們正向思考人類與動物
間的關係，並於文末提出目前學界研究之外一些仍具開發潛力的討
論向度作結。

真實動物的消失與再現動物的崛起

　　欲討論電影研究與動物研究的關係，19九世紀電影發明前動

（續）────────────────────────

　　期2014年6月17日。 http://www.funscreen.com.tw/headline.asp?H_No
　　=520

物、視覺性、視覺再現之間的關聯是一個好的切入點。藝評家伯格
在其著名的〈為何觀看動物？〉（"Why Look at Animals?"）一文中
提到，工業革命以前，人與動物曾經脣齒相依，兩者間的密切關係
並不僅限於後者幫助前者經濟生產，或提供前者食物、毛料、皮革，
而是彼此看與被看、互相驚喜、相互陪伴的緊密共存[4]。但隨著日後
西方工業革命的到來，19世紀初期動物淪為生產機器，至內燃機發
明後被快速取代，導致工業革命後期動物淪為支持人類日常生活所
需的原物料[5]。從此時期開始，除少數被選為居家寵物的動物之外，
多數動物逐漸從人類的日常生活中消失，成為只能在動物園、動物
模型、圖畫書、商業影像中所見的景觀。接續伯格的說法，電影學
者立皮特也認為19世紀後真實動物被轉變為純粹影像，現代性或可
被定義為野生動物從人類居住地中消失，並重新在文化領域中出現
的過程，其再次現身的場所包含哲學、精神分析、各式科技媒體如
電視、電影、收音機中[6]。其中立皮特點名科技媒體──尤其電影──
終成為動物在現代社會中的陵墓，為動物身影的最後可見之處[7]。

　　每次讀到伯格筆下的動物園中的動物作為供人單向欣賞的景
像，以及立皮特所討論的電影時，總覺得兩人的文字中散發一種追
尋未果的惆悵感：在影像中介之下，人類永遠無法回到那個和真實
動物共存相依的黃金年代[8]。不過，這種追憶似水年華的想像或許只

4　John Berger, *Selected Essays*, edited by Geoff Dyer （New York:
　　Vintage International, 2001）, pp. 259-261.

5　Ibid. p. 265.

6　Akira Mizuta Lippit, *Electric Animal: Toward a Rhetoric of Wildlife*
　　（Minneapolis: University of Minnesota Press, 2000）, p. 25.

7　Ibid. p. 187.

8　伯特也對兩人略微悲觀的論調有所批評，尤其是立皮特的電影論

是一種懷舊心理投射，事實上動物一直以來都不僅只以真實樣態出現，也同樣以再現之姿存在於人類社會中——伯格自己就寫道，藝術史上第一個繪畫主題便是動物，甚至所用的顏料亦可能為動物之血[9]。進一步追溯影像發展史更可發現動物不可抹滅的指示性（indexical）痕跡。早在1619年，耶穌會德籍牧師施耐爾（Christopher Scheiner）便將剛死不久的牛或其他大型動物的眼睛挖出，將眼後薄膜小心移除不讓內部液體流出，放置一薄紙或蛋殼取代薄膜作為（較適合科學家觀察的）人造視網膜，再將整個眼睛放入類似快門般的特殊裝置內，瞳孔朝室外接受光源，後眼則在暗室中[10]。此時光線透過牛眼中的晶體投射於薄紙或蛋殼上，呈現室外環境的倒立影像。17世紀幾個科學革命要角如克卜勒、笛卡爾便利用、改善此牛眼裝置，觀察眼睛作為成像機械的運作過程，寫出幾部早期光學研究的重要著作，後來並影響攝影機的發明。

(續)——————————————

　　　述。他認為立皮特文中散發的失落感來自於其對19世紀歷史的解釋
　　　過於粗糙，並將動物視為一抽象符號，而忽視了動物在電影中所可
　　　能展現的能動性，見Jonathan Burt, *Animals in Film* （London:
　　　Reaktion, 2002），pp. 29-30. 不過伯特自己對於動物演員在電影中能
　　　動性的討論著重在其「演技」，意即，動物戲前受訓程度良好程度，
　　　這樣的「能動性」定義似乎也略顯單純。再者，伯特對於動物演員
　　　的討論多半聚焦在敘事內容層面，而忽略了電影形式中拍攝動物演
　　　員的幾個重要工具：幻術攝影（trick photography）、視覺特效等。
　　　如何看待在電影語言中介下，動物演員的「演技」所反映出的主體
　　　能動性，是另一個值得探討的議題。

　9　Berger, *Selected Essays*, p. 261.
　10　William C Wees, *Light Moving in Time: Studies in the Visual Aesthetics
　　　of Avant-Garde Film* （Berkeley: University of California Press, 1992），
　　　p. 33.

　　1870年代，英法兩位攝影師發展連續攝影（chronophotography）技術，捕捉移動中的動物影像。受僱於加州一位愛馬的大亨，英人莫布里奇（Eadweard Muybridge）在1872年將多架高速快門相機固定在一條貫穿在賽馬場上的繩子之上，當馬跑過觸動快門時，啟動多台相機即時捕捉馬奔馳的身影。沖印結果便是一整組動態玻璃板相片，記錄著馬奔跑時的分解動作，並證明了馬在飛奔時，會有一瞬間四腳同時離地。（原來早期電影裝置的運作功率也是以「馬力」作為單位！）1970年代另一位法籍攝影師馬黑（Étienne-Jules Marey）也以連續攝影研究昆蟲及鳥類等小型動物的移動方式；1980年代他更將不同時間拍攝的鳥類移動影像重複曝光於同一張玻璃板上，讓人們在一張照片中便可看到鳥類飛行過程中各瞬間的姿態。大體上，兩位攝影師所發展的技術模式接近，皆可視為電影的前身。進一步細探，馬黑發展連續攝影的動機出自科學研究上的應用，故其詳實記錄動物移動時的樣態；莫布里奇發展連續攝影雖然也始於研究，但他在1970年代後的作品中注重一系列相片的整體美感，常會在大量的玻璃板中篩選數張姿勢最為優美的影像後再集結成冊發表。從電影作為藝術創作的角度而論，莫布里奇兼具科學價值與主觀審美觀的連續攝影集，或許更適合被稱為藝術電影的先驅。

　　從這一段由動物的血、牛的大眼、飛行中的鳥、奔跑中的馬所勾勒出的簡易再現史看來，動物從來不僅是繪畫、攝影、電影中的再現母題，更扮演著藝術創作具象實體的物質性基底，與驅使技術革新與發明的動力。就此層面回顧伯格與立皮特的觀點，與其說兩人闡明了19世紀起一段真實動物消失與再現動物興起的客觀歷史，毋寧說兩人在其研究對象——動物園及電影——與真實動物間建構

出帶有目的論色彩的系譜[11]。而既然真實動物與再現動物總已密切
相關，絕非單純此消彼長，我們在藉由後者接近前者時，除了感到
伯格與立皮特文中散發的失落與惆悵感外，是否也獲得其他較為積
極正面的啟發？

　　另外，視覺再現涵蓋範圍龐大，即使聚焦於本文所關注的電影，
電影中的再現動物類型仍然多樣。一般常見溫馨可愛的小動物影
片、客觀理性的野外生態紀錄片提供人們認識真實動物的方式自然
迥異，但大體上都是透過引發觀者興趣，促使他們進一步認識真實
動物的方法（誠如本文開頭提及，台北電影節選擇舉辦動物單元是
基於票房號召力）。只是動物電影並非全數平易近人，例如直接捕
捉伯格與立皮特筆下真實動物消失與再現動物現身瞬間的屠宰場影
片——真實動物以影像的形式不停地經歷死亡，卻也弔詭地在影像
中永生。因為觸及殺生、死亡等最慘不忍睹的畫面，屠宰場影片通
常被視為票房毒藥。回顧前段所提出的問題，我們在觀看這種不但
很難引起對動物的興趣，更令人失落無比的影片時，如何還能以正
面的角度切入，進而受到啟發？

屠宰場中的野獸之血

　　電影研究者伯特在談到動物與再現的關聯時，提出了一套頗有
建設性的說法。他引用幾位歷史學者的研究指出，19世紀末照相機

11　真正在人與動物間的劃下一道鴻溝的還是語言，以及語言背後所盤
　　旋的西方哲學理體中心之傳統。這點在兩人的著作中也都有提及，
　　立皮特更是以大量篇幅討論人與動物間因語言所造成的哲學思維
　　上的隔閡。

所拍下城市中動物受虐的殘酷影像，引起當時人們反省對待動物他者的方式，進一步促成動物福利發展、社會改革，甚至都市的現代化[12]。動物影像在此所標誌的不只是真實動物從我們生活圈中的消失與不可復得，更是具有高度倫理意義的改革契機。但到底什麼樣的殘酷影像才能引發正面反思，伯特並未提出具體例子或詳細分析。電影史上不少片子循著此19世紀末的殘酷攝影傳統，呈現動物被宰殺時的影像。在此我想以一個長約20分鐘的短片，以及觀看該影片時可能的觀影模式作為例子，補充伯特未言明之處：弗朗居（Georges Franju）於1949年拍攝巴黎城景與城郊屠宰場一天工作內容的《野獸之血》（*Le Sang des bêtes*）[13]。

　　全片開場的前十五個鏡頭，伴隨女聲旁白，呈現巴黎市郊的景光。幾個室外地點中置有精心佈置、超現實色彩強烈的物件，例如樹枝上懸掛的那盞華麗吊燈。人物活動與這些物件關係緊密，例如一個鏡頭中，前景放置著一環貌似廢棄彈簧之物，其後一群孩子手拉手轉圈，兩者因形狀類似而在構圖上相互呼應。另外，幾個鏡頭轉換方式高度風格化，例如以圓扇開闔帶出一對情侶接吻之景。眾多獨具巧思的設計皆預示接下來出現在屠宰場的畫面具實驗片性質，而非純紀錄片式的捕捉。

　　攝影機進入屠宰場後，旁白轉為語調平緩的男聲，一雙手冷靜地向鏡頭一一展示宰殺動物所需的道具，包含鎚子與電擊棒。接下來的幾個長鏡頭以遠景捕捉一名員工帶著一匹白馬至屠宰處的過程；員工領著白馬前進、後退、轉圈，這幾個動作設計好似特意向

---

12 Burt, *Animals in Film*, p. 33-35.
13 該片英文版相當好找，著名影音網站上就有。DVD版則由The Criterion Collection與弗朗居另一部經典電影《無臉之眼》（*Les yeux sans visage*）聯合發行。

鏡頭逐步展示白馬的身體細節。接著鏡頭突然橫跨180度線特寫拍攝白馬頭部，員工以電擊棒碰觸白馬額頭。下一個鏡頭切換為原先的遠景時，白馬以最戲劇性的姿勢應聲倒地而亡。

觀看至此，將本片放回戰後歐洲的時空脈絡下，很難不令人聯想到剛結束不久的納粹大屠殺中，施害者冷靜地檢視受害者（如同以遠景觀看白馬的攝影機與我們），並以科學工具、手法殺生的歷史事件。但即使觀者理性地將白馬（以及接下來在片中出現的動物）當作哀悼二戰的譬喻，將影像拉至歷史的遠端以安撫自身情緒，在面對突然以特寫呈現的殘酷影像時，也不免收到經由視覺傳遞至身體其他部位的共感衝擊——作嘔、雞皮疙瘩掉滿地、雙手遮眼不忍再看等反應——而直接面對眼前動物受難的事實。這一景不管看過幾遍，每次重看仍可感到強大的震撼，其感染力強度、速度可比殺死白馬的電流，瞬間衝破觀者的精神防線。

配合旁白，接下來的鏡頭以一連串中至近景呈現迅速、有效率的放血、剝皮、取革、去骨、分解屍體等過程。在馬的肉塊與斷肢中，旁白描述處理馬屍的屠夫曾在工作時誤傷自己，導致右腿截肢，鏡頭隨後切換至他劈砍倒吊馬屍腿部之景。這裡旁白與剪接的配合除了明示在屠宰場工作的職業傷害風險之外，更暗示人與馬間物質肉身層面的直接連結，甚至碰觸了西方社會中的食人禁忌——傷害馬腿同時也傷害人腿、食馬亦食人[14]。透過此連結，我們看到屠宰廠員工與動物間並非單純二戰施暴者與受害人間的譬喻關係，兩者亦為彼此近距離靠近的屠宰場別喻（metonomy）結構下，同一整體

---

14 Noa Steimatsky, "Visuality and Viscera," in *The Five Senses of Cinema*, edited by Alice Autelitano et. al（Udine: Forum, 2005），pp. 135-154, p. 138.

之分部——外表雖異，本質實同。

　　上述討論勾勒出《野獸之血》中幾個動物電影中的常見要素：真實動物在影像中的現身與死亡、人類與動物的連結及互動、動物們的象徵意涵等。除此之外，《野獸之血》也觸及到「從非人動物的角度感受世界」這個在動物研究領域裡被熱烈討論的議題。影片中段幾位屠夫合力肢解牛屍後，其中一位負責將倒吊的牛屍鋸成兩半，構圖上，倒吊牛屍除了指涉幾幅林布蘭與培根名畫中的相似母題外[15]，更成為該畫面的景框。隨著屠夫一寸一寸地向下鋸屍，如下拉拉鏈般將屍體分成兩半，此時所在位置曖昧的攝影機彷彿讓我們占據屍體的內部，向外觀看拉著鋸子的屠夫及其臉孔。但就在我們習於從「肉的內部」觀看時，鏡頭突然切換，改由屠夫左方90度角處拍攝，我們的觀看角度瞬間被拉回本片一貫的旁觀者視野。教堂鐘聲接著響起，和鋸肉聲時而疊合，此時鏡頭將焦點帶離鋸屍現場，改以大遠景拍攝巴黎各處城景。鐘聲結束，在市區中晃了一圈的鏡頭回到最初「肉的內部」，此時牛屍已被切割為兩半。在這因教堂鐘響而具有濃厚宗教感的段落裡，我們一次次地被拉出肉身之外；任何試圖待在肉身內部的企圖，以及因占據該位置而可能建立起對肉的認同感皆被超驗的天降之音所否定。故當我們再次回到屠宰場時，肉身已被切割完全，內外之別早已被破壞。

　　以上各種層次塌陷與互侵——疏離與靠近、譬喻與表面（the literal）、馬肉與人肉、肉身內與肉身外——在在模糊人類與非人動物兩個分類範疇間的界線，更是讓觀者不再置身事外，開始反省動物在人類社會處境中的關鍵[16]。而一座位於巴黎城郊的屠宰場一旦

15　如前者的*Carcass of Beef*（1657）、後者的*Painting*（1946）。

16　當然，殘酷影像在每人心中所引發的情緒種類各異，若是引發強烈

在鏡頭下與其他近郊城景並置，也有如病毒般感染蔓延，改變整個
城市的樣貌。宏觀地分析全片場景選擇，可大致看出其出現順序依
循城景－屠宰場－城景－屠宰場的循環模式。除了第一段帶有超現
實色彩的城郊景觀外，其他城景多為空鏡，常遠拍眾多建築物的頂
端，或少人活動的城區。這些鏡頭除了發揮轉場之效與展示城市景
色外，普遍缺乏個性。不過每當看完接隨城景的屠宰場片段後，震
驚的觀者可能會後遺式地重新檢視這些城景，將自身驚恐的情緒投
射其上：原先平淡的景觀突然有了陰森的臉孔，只因它們是如此冷
靜地袖手旁觀屠宰場中的一切[17]。走出戲院的人們，或許也會因此
另眼看待平時自身活動的世界。

從動物電影到電影動物

　　上一節提到《野獸之血》中呈現了以非人類的角度看世界的企
圖，又以天降之音（聲音的deus ex machina）表示此企圖之不可為。
其實在電影技術發展史中，這兩者間的拉鋸十分常見，許多人們耳
熟能詳的電影拍攝術語都藏有人本主義的色彩，例如所謂特寫鏡頭

（續）─────────────────

　　反感使人不再觀看，並不願再碰觸此議題，則反而造成反效果。針
　　對這點，黃宗慧認為殘酷動物影像欲達動保目的，引發觀者面對動
　　物（而非人類）受難時的「羞恥心」所能引起的效應最高，詳見其
　　"The Importance of Making Ashamed: Regarding the Pain of（Animal）
　　Others," in *Concentric: Literary and Cultural Studies* 35.2（September
　　2009）: 103-145.

17　這樣的剪接方式藏有電影史上著名的庫勒雪夫實驗（Kuleshov
　　Effect）之跡。該實驗先顯示一個毫無表情、情緒的臉，下一個鏡
　　頭再切換至各種不同的影像，例如碗中的食物或棺材中的小女孩。
　　觀者連續看完兩個鏡頭後便會自動賦與人臉如饑餓或哀傷等情緒。

涵蓋範圍的定義，指的便是電影銀幕大部分空間被一個人的臉所占據；中近景指的是畫面寬度大致可容納一個人胸口到頭頂的距離；中景則是膝蓋以上到頭頂的距離。意即，鏡頭範圍的尺度實以人類演員身體為依歸[18]。另外，鏡頭的時間長度之測量也有人體測量學的痕跡，例如台灣電影界以往負責剪接的老師傅，在剪接空鏡時往往以自己的手臂長與肩寬作為尺度，將底片從一邊肩膀拉至另一邊手掌五指伸直的長度（形似弓箭手拉弓），這樣長度的底片播放時間約三秒，即一般空鏡的所需時間[19]，此可謂人體「空間時間化」最好的範例。回顧前述攝影師莫布里奇與馬黑的動態攝影實驗也的確可以發現，兩人所開發作為電影前身的裝置是以適合人類觀察的觀點出發，決定馬、鳥、昆蟲等生物身形在玻璃板相片中的大小，以及每秒鐘應該照幾次相，最方便觀察牠們動作中的靜態瞬間。

　　雖然從電影的空間與時間來看，電影機制似乎在一開始就注定體現了人本中心論（anthropocentrism）的思維與感官模式，不過也有研究者藉著動態攝影影像，細查生物與環境之互動，並以此為基礎，提出與人本中心論對時間與空間截然不同的理解方式，曾赴巴黎向馬黑學習動態攝影的德國生物學家烏也斯庫爾（Jacob von Uexküll）便是先鋒。烏也斯庫爾著名的研究之一為海星的移動，但有別於馬黑的動態攝影術多將生物固定於一個位置以利攝影機拍攝，烏也斯庫爾並未將海星五隻腕足中的一足固定於攝影機中央，以便觀察其他四足的移動情形。反之，烏也斯庫爾讓海星自由行走，

18　此人體測量學於藝術創作上的應用，可以上溯至19世紀警方依賴面相學、骨相學，拍攝大量犯罪者的身體照片以建檔製作標準犯罪者身形與樣貌的偽科學辦案技術。

19　張靚蓓，《電影靈魂深度的溝通者——廖慶松》（台北：典藏藝術家庭，2009），頁20。

且不中斷攝影機拍攝；當海星走出鏡頭之外時，另一組拍攝工作便
隨之啟動，繼續記錄其移動姿態。

　　藉由這種攝影方式所得之照片，烏也斯庫爾發現海星會根據不
同環境所產生的刺激，做出相應變化及不同肢體動作，以最有效率
的方式移動[20]。比較馬黑與烏也斯庫爾這對師徒的研究成果，前者
將生物當作如自動體般的機械，僅觀察其在固定狀態中的動作姿
勢；後者將生物視為有機體，他除了觀察移動方式之外，更細探各
種不同狀態下移動方式的差異，與造成差異的成因，進而提出生物
神經組織如何應對外界刺激的理論。簡言之，烏也斯庫爾攝影鏡頭
下的生物存在於世界中，而非一個利於科學家凝視的真空之境。這
樣的觀看之道，指向了奠基於人本中心思維的電影機制超越該思維
的可能性——透過攝影技術與形式的革新，研究者得以認識生物及
其與外界環境互動。值得注意的是，烏也斯庫爾並未僅將此互動視
為由外在刺激引發生物反應的單向交流，而繼續研究生物如何主觀
感知、理解所處環境，以下再以他另一個著名的蝸牛實驗舉例說明。

　　烏也斯庫爾將蝸牛以夾子固定於高處，使之無法向左右或後方
移動。移動方向被固定的蝸牛站在一顆浮於水面、不停向後緩慢旋
轉的塑膠球。蝸牛不隨滾球下落，會朝前方爬行。當我們把一根小
棍子擺在蝸牛前的行徑路線時，牠會視其為道路慢慢地爬上去。此
時若我們以每秒一至三下的速率輕敲棍子時，蝸牛會感受到棍子的
不穩定，而不再攀爬；而若以每秒四次以上的速率輕敲棍子，蝸牛
則無視震動，繼續爬行。烏也斯庫爾從這個實驗中所得到的結論是
蝸牛無法感知任何短於四分之一秒的事物與外在環境變化，意即，

20 Inga Pollmann, *Cinematic Vitalism: Theories of Life and the Moving Image*（Ann Arbor: UMI, 2011），pp. 95-98.

蝸牛的「一瞬間」大約是三分之一到四分之一秒長[21]。

　　電影學者波曼（Inga Pollmann）點出此蝸牛實驗的兩點重要性。首先，烏也斯庫爾的實驗設計顯然受到戲院觀影經驗的啟發：蝸牛猶如在電影院中觀影的人們，實驗裝置則是電影院中的座位，故觀者眼前的世界雖在移動，自身卻哪也不能去；棍子裝置則有如放映機的運轉速率，測試觀者感知「瞬間」的能力底線。如果對人類來說，電影放映必須一秒超過至少十八格才能順暢成像，否則我們便會察覺到每格影像之間的斷裂，或許對一隻愛看電影的蝸牛來說，底片只要以一秒四格以上的速度播放便可開心觀看。更重要的是，這個實驗提醒我們電影技術的發展雖然是以人類的感知為基礎，但只要我們稍微改變技術或形式語言上的設計，便可能突破人本感知的模式，進而幫助我們體驗牠者經驗世界之道[22]。在烏也斯庫爾之後，牠者的世界經驗成為一重要哲學課題，例如美國哲學家內格爾（Thomas Nagel）談論過蝙蝠的牠者經驗；學者兼小說家科慈（J.M. Coetzee）筆下的卡斯戴洛（Elizabeth Costello）則建立過一套虛構人物、死者的現象學[23]；眾多哲學家（海德格、阿岡本、德勒茲等）亦針對烏也斯庫爾的生物環境論提出回應與修正。烏也斯庫爾研究的哲學價值在學界廣受討論，但不論其最終評價為何，電影機制無可否認地是成就其生物學研究的物質基礎。

　　班雅民在其最著名的〈機械複製時代的藝術作品〉一文中提到電影讓人們以意想不到的眼光看世界，平凡的生活因而在鏡頭操作之下爆炸；正如精神分析為我們打開了無意識世界的大門，攝影機

21　Ibid. pp. 107-108.

22　Ibid. pp. 109-110.

23　關於此議題的梳理，可見黃宗慧，〈後現代的戲耍或後人類的倫理？以卡茨的臉／異想世界為例〉，《中外文學》42.3（2013）：24-31。

為我們開啓通往無意識視覺經驗的通道[24]。受到電影機制在烏也斯
庫爾實驗所扮演的角色之啟發，我認為班雅民筆下無意識視覺的經
驗世界其實具有被轉化為人們觀影時，有意識地以牠者角度體驗世
界的潛力──帶有人本中心色彩的電影機制，其實也同時蘊含著超
越人本思維的契機。往後看到電影以慢動作播放時，我們是否也可
想像自己正在以蝸牛的角度感受外在環境的移動？或者，當電影以
高解析度放映時，我們是否可以在那一瞬間化身為視網膜上感光錐
狀細胞特別多的鳥類呢？更進一步地想，是否電影本身就是一種以
各種獨特方式感知世界的動物──電影動物？循此脈絡，當我們以
「動物電影」中呈現的動物性、人動關係、動物象徵等議題舉例說
明人類應如何看待真實動物時，也應該同時由「電影動物」的角度
切入分析影片，同時在影像中及影像本身兩處正面看待再現動物 。

動畫動物、 認同政治、台灣電影

　　簡短提出幾個電影與動物研究的交會處後，還有什麼從電影談
動物研究尚待發展的領域與方向？我認為具有潛力的指標包含(一)
動畫與想像動物，（二）電影如何幫助動物研究與其他學門溝通，
（三）電影中的動物如何幫助我們重新認識傳統電影研究關注的議
題（如國族傳統、作者論）。以下分別提出三個例子對應說明。

24　Benjamin, Walter. "The Work of Art in the Age of Its Technological
　　Reproducibility," in *The Work of Art in the Age of Its Technological
　　Reproducibility, and Other Writings on Media*, translated by Edmund
　　Jephcott, et al, edited by Michael W. Jennings, Brigid Doherty, and
　　Thomas Y. Levin （Cambridge: Harvard University Press, 2008）, pp.
　　36-37.

（一）目前學界所討論的動物電影多為「真實動物」的影像，
對於「想像動物」及「動畫動物」的著墨不多。兩者中，後者受到
的注目更少，原因是不少論者認為真實動物在被繪製成動畫後，極
可能淪為化人主義（anthropomorphism）高度中介的人造產物，原
本生物學上的生理特徵、性格、行為等皆在此過程中被迪士尼化而
失真。常見的迪士尼化特徵包含：放大動物的頭部、眼睛及縮小四
肢相對於身體的比例、淡化動物生理性徵、強化動物與人類面容及
表情的相似性、賦與動物使用人類語言的能力及語言能力背後所代
表的社會位階、賦與動物人類價值觀與道德觀等。其中，最讓動物
研究界搖頭的莫過於依照刻版印象描繪動物性格與行為，例如蛇、
鯊魚、烏鴉、土狼等外表不討喜，或食腐的動物便常扮演眼歪嘴斜、
講話帶有弱勢族裔腔調的反派角色。反之，獅子、鹿、貓頭鷹、狗、
馬等已被人類馴化，或被人類賦予某種崇高象徵價值（如英勇、智
慧、忠誠）的動物，則多半擔任主角或扮演與人類主角共患難的良
伴。因此，部分動保人士主張動畫動物無益於增進大眾對動物生態
的理解，更遑論提倡動保意識，或自然環境的永續經營觀。

但若我們接受生命教育需從少時深耕的說法，則不可否認，動
物動畫中的動物形象的確是許多當代孩童認識動物，或建立起「動
物」作為一概念的起點；若因上述化人主義可能產生的問題而不正
視動物動畫，便可能錯失生命教育中極為重要的一塊區域。目前國
內外學者都曾針對擬人動物動畫片中最具影響力的早期迪士尼卡通
進行研究，並積極地提出正面詮釋這些動畫片的角度[25]。藝術史家

25　可參考Miriam Hansen, "Of Mice and Ducks: Benjamin and Adorno on
　　Disney," *South Atlantic Quarterly* 92.1 （Winter 1993）: 27-61與
　　Tsung-huei Huang. "Who's Afraid of Mickey Mouse?: Revisiting the
　　Benjamin-Adorno Debate on Disney from a Psychoanalytic

貝克也曾針對如何「挪用迪士尼」提出簡短的分析，並提出具體策略，但他的討論對象集中於前衛表演藝術，沒有涉及可能影響大眾更為深遠的主流卡通、動畫片[26]。如何進一步開拓早期動畫片與迪士尼系統之外的研究場域，並連結教育學、兒童文學研究等學門，以達積極深化生命教育之效，則仍待探究。

　　（二）動物研究作為一新興學門的起源，可上追至1970年代萌芽的生態女性主義，和認同政治淵源甚深。但部分學者並不主張將動物研究視作「另一門」弱勢研究，例如沃爾夫（Cary Wolfe）便主張動物研究發跡自德希達於1997年在法國一場題為〈我所是／跟隨的動物〉（L'Animal que donc je suis）的演講。德希達對哲學化動物問題的貢獻無可否認，但沃爾夫看似將動物研究獨立於認同政治外之舉，卻引發不少女性主義者的批評，認為他刻意忽視生態女性主義對動物研究的貢獻，並製造、加深學科間的對立。話雖如此，女性主義學界自身對動物研究的看法亦分歧，持負面觀感者深怕一旦兩者有所掛鉤，女性主義者的形象便會淪為終日獨居在家，只有無數隻貓在旁陪伴，且個性多愁善感的老太太刻板印象[27]。簡言之，基於上述因素，動物研究與（性別）認同政治間的溝通並不順暢。

　　許多性別政治色彩明顯的電影──酷兒電影尤甚──卻呈現出與學界論述截然不同的樣貌，片中人物往往與動物互動密切，甚至

　　　　Perspective," *Tamkang Review* 40.1 （December 2009）: 29-60.
　26　Steve Baker, *Picturing the Beast: Animals, Identity and Representation*（Urbana: University of Illinois Press, 2001）, pp. 226-32.
　27　女性主義者對沃爾夫的批判，與重建動物研究和生態女性主義間的聯結，詳見 Susan Fraiman, "Pussy Panic versus Liking Animals: Tracking Gender in Animal Studies," *Critical Inquiry* 39 （Autumn 2012）: 89-115.

展現互為主體的認同觀：例如施尼曼一系列影像創作中獻身/聲的愛貓（*Fuses, Infinite Kisses*）；於2013年柏林影展獲得最佳女主角獎的智利電影《去她的第二春》（*Gloria*）裡，女主角家中不請自來的貓，以及片尾突然出現的雌孔雀；葛斯范桑的《男人的一半還是男人》（*My Own Private Idaho*）中那隻在片頭短暫現身的兔子[28]，以及李玉《今年夏天》中分別被兩位女主角照顧、飼養的大象與魚。女性、酷兒社群與動物間的微妙而強烈的連結在電影中屢見不鮮[29]，電影屏幕儼然成為一個讓各式人類與動物「他／她／牠者們」相互接觸的場域，電影研究或許也可更進一步做為學術上促進動物研究與（性別）認同政治間交流的橋樑。

（三）本文雖始於台北電影節將動物議題獨立於傳統電影研究課題之外的特殊嘗試，但最終我還是想問：難道兩者間沒有結合的可能嗎？以台灣電影研究為例，國族、性別、城鄉對立、都市現代化等大議題在台灣電影史（台灣新電影前後皆然）的書寫中從未缺席，唯獨動物議題較少被電影研究者們觸及。目前僅有的討論中，蔡明亮《洞》裡染上台灣病毒的患者行為怪異好似蟑螂，已被視為開展「人」與「非人」之間形體轉化、界線劃分問題的可能出發點[30]。除了這些已被大量討論及理論化的「物我變形」之外，台灣電影中的非人動物是否也有被脈絡化、理論化的可能？例如趙德胤《冰毒》結尾令人不忍卒睹的那頭牛；蔡明亮《臉》中那隻導演自認極具象

28　本片兩岸三地譯法各不同，中國大陸直譯為《我私人的愛達荷》；
　　港譯《不羈的天空》則呼應兩名男主角的生活態度，以及片中場景
　　愛達荷州那一望無際的景色，頗有韻味。相較之下，台譯《男人的
　　一半還是男人》有些不知所云。

29　本片英文片名正是*Fish and Elephant*。

30　孫松榮，〈「動物」幽靈〉，《藝術學報》82（2008）：160。

徵性與真實性的鹿[31];《郊遊》裡陸亦靜固定餵食的流浪狗群； 楊
德昌《一一》裡溫暖光線下，圍繞著日本企業家大田飛舞的鴿子[32]；
侯孝賢《在那河畔青草青》中受傷的貓頭鷹與劇情中的護漁行動[33]。

　　這些台灣電影中，動物所出現的時間極短，重要性多半不甚顯
著。其他片裡，特定動物影像甚可能因某些歷史因素，連現身的機
會都沒有，例如白景瑞1964年的實驗短片《台北之晨》中寫在分鏡
表，原本計劃拍攝的的台北街頭屠宰場影像，就是因為與中影當時
提倡的健康寫實大方向不符，最後只好作罷[34]。但一如動物研究的
學術地位從以往人文學科的邊陲地帶，轉變為當今學界的當紅話題
所示：一直藏於角落、不被重視的動物們其實扮演了我們重思、反
省人文主義數百年來發展的關鍵角色。電影中的動物能夠啟發我們
認識與詮釋電影的新視野，台灣電影當然也不例外。

　　唐葆真，芝加哥大學電影與媒體研究暨東亞語言與文化研究雙聯
博士生。主要的研究領域包含華語電影、中國山水畫、生態批評論
述，及電影研究與動物研究兩學科間相互溝通之道。

31　程青松編，《關不住的春光：華語同志電影20年》（新北：八旗文
　　化，2012），頁29-32。
32　楊德昌過世前仍在構思一部名為《小朋友》的動畫片，片中主角為
　　一位小女孩及一隻獒犬，背景設在中國1930年代戰亂時期。讓-米
　　歇爾·付東所著的《楊德昌的電影世界》附錄中有幾張該片的人物
　　與動物草圖可供參考。詳見讓-米歇爾·付東，《楊德昌的電影世
　　界》，楊海帝、馮壽農譯（北京：商務印書館，2011）。
33　常在電影中拍攝樹木的侯孝賢，近來也投身動物保育，2011年便曾
　　參與要求農業部設立動保司的相關運動。
34　Shiao-Ying Shen, "A Morning in Taipei: Bai Jingrui's Frustrated
　　Debut." *Journal of Chinese Cinemas* 4.1（2010）: 53.

「人與動物關係學」與動物保護政策:

台灣經驗的啓示

吳宗憲

一、「人與動物關係學」無法直接連結到政策改革的因素

　　「人與動物社會學」[1]是一個近二十年才逐漸形成的跨學科領域的範疇,企圖探索動物在人的社會、文化空間中所扮演的角色,以及人與動物之間的互動關係,在這範疇中[2],包括有人類學、民族學、醫學、心理學、獸醫學和動物學等。為了提倡這一個跨學科的研究範疇[3],不同領域的專家學者們組織了「動物及社會學會」作為研究的基地,並且發行了《社會及動物》期刊,作為交流的平台。至於該範疇中,最新且較全面性的描述,可以由學者德美洛在2012年甫出版的《動物及社會》一書窺見端倪。在該書中,她將近年來在該

1　Human-animal studies, HAS; Anthrozoology; Animal studies.

2　M. DeMello, *Animal and Society* (NY: Columbia University Press, 2012), p. 4.

3　M. DeMello, *Teaching the Animal: Human–Animal Studies Across the Discipline* (NY: Lantern Books, 2010), p. 6.

範疇中所累積的研究成果分成四類，第一部分討論的是人類對於動物的利用方法；第二部分是動物如何影響人的態度；第三部分是動物作為人類社會的符號；第四部分則是動物行為與人類對待動物的倫理。

為了使讀者更有系統地理解這四個部分的差異，吾人將這四個部分，分別以「結構層次」及「人的能動性」這兩個座標，分為四個象限，在能動性這個座標上，若將人視為缺乏能動性，常被系統所影響，則德美洛書中的第三（動物作為符號）與第二部分（動物影響人的態度）研究都可歸入此面向，差別僅在第三部分是屬高結構層次，第二部分則是屬於低結構層次。

與此相對的，另一些研究則將人視為具有能動性，會自行創造與動物之間的互動關係，包括書中的第一部分（人如何利用動物）以及第四部分（人應該如何規範與動物的關係），只是第一部分強調的是低結構層次的主題，第四部分強調的是高層次的主題[4]（相關差異請見下表一）。

---

4 有關本文對於該書的四分類，其靈感來自社會學者Burrell & Morgan 的四分類作法。渠等將本體論上的結構論／動因論，以及認識論上的自然主義／釋義論，作為四分類的兩個座標，再進一步區分出社會學的四大類型研究，相關研究請見G. Burrell and G. Morgan, *Sociological Paradigms and Organizational Analysis*（New Hampshire: Heinemaun Educational Books Inc., 1979）．

表一　動物及社會研究分類表

		人的能動性	
		低	高
結 構 層 次	低	**動物影響人的態度相關研究** ・與動物一起工作的態度 ・動物暴力與家庭暴力的關係 ・物種歧視與性別、種族歧視的關係	**人如何利用動物** ・展演動物 ・經濟動物 ・寵物 ・實驗動物
	高	**動物如何影響人的符號** ・人類符號當中的動物 ・人類宗教與習俗中的動物 ・人類文學當中的動物	**人應該如何規範與動物的關係** ・對待動物的倫理 ・動物行為學的研究 ・動物保護運動

資料來源：作者自行繪製

　　在將該書的各分章主題歸納到表一的四個象限後，讀者應該不難發現，作為一個動物保護政策的改革者，很自然地會將焦點集中到結構層次與能動性都高的第四象限，因為改革者通常關心的，不只是動物與人類的實然面關係（即左半部），更不會是人類如何利用動物（第一象限），相反地，渠等會希望建構一套人與動物的政策規範，用以保障動物的權益或福利。

　　這也就是說，在人與動物關係研究當中，的確存在部分的研究領域，能夠使得動物研究理論界與動物保護實務界有連結的可能

性。然而，若吾人仔細地分析過往在第四象限中的研究，則不難發現，這個領域的研究存在三個困境，使得理論的發現，常無法有效地轉換成為實務工作者的藍圖。第一個困境是，第四象限的研究中，動物倫理學、動物行為學以及動物政治學，都能夠提出若干人類的行動方針，然而，這三個學科之間應該如何互動，卻缺乏一個可以進行科際整合及對話的決策架構。如此一來，學科之間可能相互扞格，學科之內也常生齟齬。因此本研究將在下一部分，建議應該由動物倫理學出發，動物行為學佐證，最後透過動物政治學的施力，順利將動物保護推進到政府系統中。然而，即便有了學科分工的架構，筆者認為第二個困境是，目前動物與人類關係學的研究，其研究定位傾向於透過歷史描述歸納出政治運動的發展，但缺乏社會科學的系統分析，結果無法產生有效的政策建議與政治行動策略。因此本文接著會透過系統分析，對未來的政治行動策略提出建議。此外，筆者認為目前的研究尚存在最後一個困境，這個困境便是，即便能夠使不同學科有效分工，也能提出有力的動保政治運動策略而順利立法，但徒法不足以自行，若缺乏政府有效治理的政策執行面研究，則最後仍是徒呼負負。因此，本文最後亦將用過往的實證研究，試著彌補此一領域的不足。

二、整合動物倫理、動物科學與動物政治學

　　從里根的《動物權研究》以及辛格的《動物解放》這兩本劃時代的鉅著出版以後，喚起人們反省以往人類剝削動物的惡劣，並產生大量且多元的動物保護倫理觀點，但這些不同的倫理觀點，卻常在「動物保護」的大纛之下，忽略了彼此的不同，使得政策在執行時，不斷發生價值優先順序的爭辯。舉例而言，在台灣，動物保護

團體多年來不斷抨擊客家義民祭當中的賽神豬傳統，然而客家社團
卻主張這是文化傳統，並認為「宗教祭祀應排除在『人道屠宰』規
範外」[5]；另一則類似的衝突，則是動物保護團體對布農族在「射耳
祭」中動物虐待與戲謔活動之抗議，但這卻也使得原住民群起「捍
衛文化」[6]，上述兩個案例，便是社群主義與自由主義的動物保護爭
議。除此之外，從生態平衡的角度來說，北極熊數量不斷減少，各
界主張其物種應該受到保護[7]，此與大多數動物保護者之立場一致。
然而，同樣是動物保護問題，生態主義卻能允許澳洲為了控制特定
保護區的袋鼠數量，開放民間獵捕活動，其數量甚至高達1600隻，
由於獵捕過程很難一槍斃命，因此引起部分動保人士認為此舉罔顧
「單一個別」動物之福利的批評[8]。北極熊與袋鼠保護立場的不一
致，便可視為生態主義與自由主義間的衝突。另外，因為佛教的護
生概念，在台灣常舉辦大規模動物放生的活動，但這些看似保護動
物的活動，卻有可能造成生態的浩劫，或者增長了放生動物的商業
行為[9]，這就造成了宗教保守主義與生態主義，甚至馬克思主義之間

5　呂苡榕，〈殘忍賽神豬 豈是義民精神〉（來源：http://www.lihpao.
　　com/? action-viewnews-itemid-109751，2011年8月10日）。

6　王秀亭，〈射耳祭抓豬競賽受原民會關切「不要虐待動物」〉（來
　　源：http://news.ltn.com.tw/news/life/breakingnews/1003100，2014年5
　　月8日）。

7　張若霆，〈保育組織籲加政府積極保護北極熊〉（來源：http://www.
　　epochtimes.com/b5/8/5/16/n2119331.htm，2008年5月16日）。

8　鄒敏惠，〈澳洲袋鼠多 今年獵殺1600多隻〉（來源：http://e-info.org.
　　tw/node/99837，2014年6月5日）。

9　蕭志傑、簡元吉，〈放生做功德？破壞生態平衡〉（來源：http://www.
　　tzuchi.org.tw/index.php?option=com_content&view=article&id=12440
　　%3A2013-08-03-02-11-15&catid=107%3Ataiwan&Itemid=554&lang=

的動物保護觀點的競合關係。最後，台灣在面對棄養所造成的流浪
犬問題上，有許多愛心人士提供私人收容所給予庇護，然而空間有
限，愛心人士遂提出流浪動物TNR（捕捉、結紮、回置）的倡議，
然而這項措施會影響到社區民眾安寧，甚至流浪貓會去捕捉野外的
鳥類[10]，這些衝突也就是女性主義、社群主義及生態主義間動保理
念不一致所導致。

　　而在這些不同的倫理觀點間，動物科學家應該扮演什麼樣的角
色，便格外值得討論。傅瑞澤對此提出一個三層次的分析架構，他
認為知識可以分為三層，最底層為「事實論述」，中間層為「偏好
價值論述」，最高層為「道德價值論述」，動物福利科學家的工作，
應該要充分了解委託人的「道德價值」為何，根據「事實」的判斷，
做出最好的「偏好價值」推薦給委託人[11]。

　　然而，公共決策之所以困難，便在於政府的政策必須求取所有
人共同遵循的一致性。若不同的倫理學家，根據各自的科學證據，
產生不同的動物保護政策主張，多元意見各據一方，將使政策無法
形成。傅瑞澤便認為，傳統上將動物保護主流學科限於倫理學及科
學是有缺憾的，因此，有學者便認為，必須有政治與公共政策學者
涉入動物保護的議題，才能夠使得受困於「具有不同倫理價值，且
各自持有有利證據的利害關係人，應該在政治場域中如何互動？」
的這些問題，妥善地獲得解決[12]。

（續）──────────

　　　　zh，2013年8月3日）。

　10 林子晴，〈農委會反對TNR 動保人士強烈抗議〉（來源：http://e-
　　　info.org.tw/node/83100，2013年1月4日）。

　11 D. Fraser, *Understanding Animal Welfare: The Science in Its Culture
　　　Context*（Iowa: Wiley-Blackwell, 2008）.

　12 K.S. Kimberly, *Governing Animals: Animal Welfare and the Lliberal*

　　根據上述分析,筆者試著將倫理學、動物科學以及動物政治(政策)學的關係繪製如圖1。在其中,動物倫理學者應該要提出各種強韌的道德論述,而動物科學家應該透過實驗證據協助倫理學加強化其論述,最後,政策學者扮演的角色應該是分析政治運動策略以及建構公共治理原則,使得公共政策得以順利產生且有效執行。

圖1：動物保護政策議題的學科分工圖　　資料來源：作者自行繪製

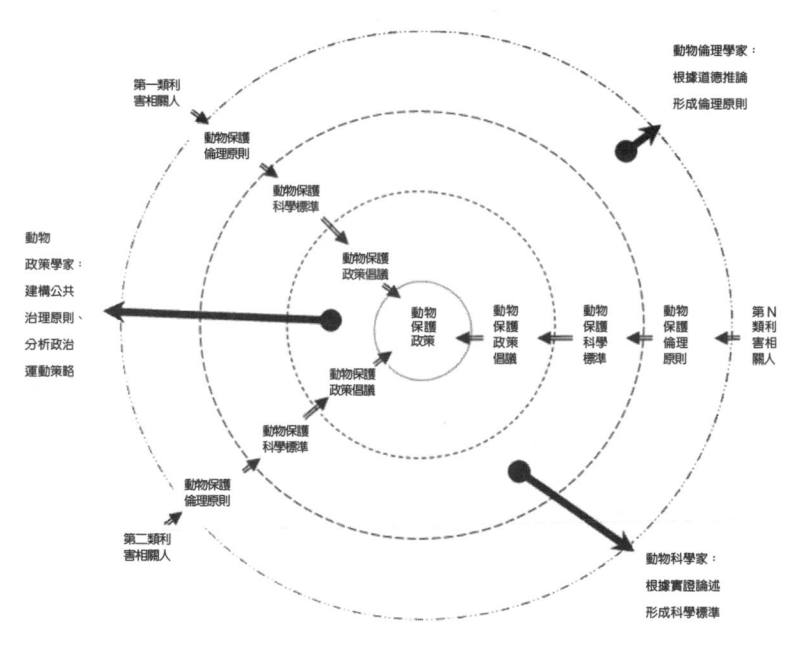

(續)————————————————
　　State （Oxford: Oxford University Press, 2012）, p. 47.

三、從人與動物關係學研究到人與動物關係學分析

過去的人與動物關係學文獻，過於強調描述性的歷史研究，而忽略了理論性的政策分析。這些描述性的研究涵蓋了許多方面，試以政治領域的研究分項說明如下：

首先，筆者從「動物保護運動者的特質」相關研究進行分析。在這個主題上，學者Garner發現，主導動物保護運動者通常只是單純為動物奉獻心力，並無法從中獲得個人的利益，是為了滿足其「深層心理需求」。而運動的參與者[13]，則具有某些特別的特質（如女性、白人、中產階級）[14]，至於這些參與動機如何被引起，以及參與之後的困境，也有學者展開更細緻的分析。在如何引起動機的研究上，正如一些研究文獻所分析的，參與動物保護運動者，通常是受到了人類虐待或剝削動物的圖片（或影片）所產生的「道德震撼」引起了義憤，進而開始參與動物保護團體的各項運動。在參與的困

---

13 R. Garner, *Political animals: Animal protection politics in Britain and the United State* （Basingstoke: Macmillan, 1998）, p. 71.

14 相關論述在許多文獻當中都有類似的說法，例如C. Jerolmack, "Tracing the profile of animal rights supporters: a preliminary investigation," *Society and Animals* 11.3 （2003）, pp. 245-63. 及H.A. Herzog and L.L. Golden, "Moral emotions and social activism: The case of animal rights," *Journal of Social Issues* 65.3 （2009）, pp. 485-498. 及W.V. Jamison and W.M. Lunch, "Rights of animals, perceptions of science, and political activism: Profile of American animal rights activists," *Science, Technology & Human Values* 17.4 （1992）, pp. 438-458.

境上[15]，由於動物保護運動需要以鮮明的意識型態作為號召，甚至必須訴諸於不理性的情緒義憤或誇大自身的貢獻[16]，因此，理想化或極端的「動物權」主張較能夠吸引公民的參與。也正因為如此，動物保護運動所吸引而來的群眾所形成的是「議題導向」的參與[17]，平時成員間的聯繫並不密切，也因此支持的能量並不穩定，且參與者容易傾向於立場極端，人格特質上較為情緒化，在與非動物保護者討論議題時較堅持己見，容易產生衝突[18]。

不難發現，前述動物政治學研究，採取的是一種描述性研究立場。然而，若要將之形成可行的運動策略，則必須對上述研究結果

15　J. Jasper and D. Nelkin, "Animal rights and antinuclear protest: Political networks and moral shocks in recruitment," *The American Sociological Association Annual Meeting*（San Francisco, 1991）, p. 10.

16　在Einwohner的分析中，儘管不斷面臨訴求失敗的命運，動物保護團體會使用四項策略來強化支持群眾的凝聚力：（1）聚焦光明面：不斷從活動中挖掘出意義；（2）累積性效果的思考：強調運動的漸進策略；（3）慶祝勝利：大張旗鼓地慶祝微小的進展；（4）宣揚功績：獨攬運動成果的功勞。R.L. Einwohner, "Motivational framing and efficacy maintenance: Animal rights activistsuse of four fortifying strategies," *The Sociological Quarterly* 43.4（2002）, pp. 509-526.

17　相關論述在許多文獻當中都有類似的說法例如K. Shapiro, "The caring sleuth: Portrait of an animal rights activist," *Society and Animals* 2.2（1994）, pp. 145-165.及J.M. Berry, *Lobbying for the people*（Princeton: Princeton University Press, 1977）及H.A. Herzog, "The movement is my life: The psychology of animal rights activism," *Journal of Social Issues* 49.1（1993）, pp. 103-119.

18　D. Swan and J.C. McCarthy, "Contesting animal rights on the Internet: discourse analysis of the social construction of argument," *Journal of Language and Social Psychology* 22.3（2003）, pp. 297-320.

進行轉化，例如，主導動物保護運動者若獲悉上述研究成果，則他
們便須考慮到，政策若要順利推動，則漸進、降低情緒色彩、「動
物福利」的妥協政策或許較能取得民眾的順服，並且能夠形成對動
物保護團體或者政策的穩定支持力量。惟因採取漸進妥協的動物福
利立場，常會失去激進的動物保護運動者的支持，甚至造成分裂，
因此，必須小心翼翼地在兩者之間取得平衡。從台灣經驗來看，國
內並不乏各類的動物保護團體，包括：關懷生命協會、台灣動物社
會研究會、中華民國動物保護協會、台灣SPCA，台灣貓狗人協會與
台灣之心愛護動物協會，台灣動物平權促進會等。然而，彼此之間
並未形成合作的關係，反而在諸多議題（包括流浪動物TNR、體制
內遊說或體制外抗爭）上產生激烈的衝突，削弱了動物保護的力量。
未來是否能搭建彼此良性溝通的平台，將是台灣動物保護運動成功
的重要因素之一。

　　接著筆者再從「動物政策利害相關人網絡」相關研究進行分析。

　　每項公共政策在制定時，都須由不同的利害相關人（包括各行
政系統、立法系統、媒體、非營利組織、業者等）共同參與，並且
在特殊的歷史、社經、科技系絡之下擬定，而利害相關人所組成的
政策網絡特質傾向於「政策社群」或者「議題網絡」[19]，會產生不

---

19 根據政策網絡的開放性、複雜性以及競爭性，政策網絡可以做出不
　同型態的分類學。在被稱為「政策社群」（policy community）的光
　譜的某一極端，指的即所謂「鐵三角」（iron triangle）者「次級政
　府」（sub-government）結構，在結構當中，較特定的某些利害相
　關人透過長時間的參與以及規律的互動，順利完成政策的決定。在
　光譜的另一端則是所謂的「議題網絡」（issue network），該網絡
　具有較高的開放性，利益團體呈現流動式的參與，利害相關人透過
　競爭以接觸決策核心。相關研究請見D. Marsh, and R.A.W. Rhodes,

同的政策制定效率。根據Garner的觀察，英國的動物保護運動比較
接近於「政策社群」。舉例來說，英國的全國農民聯盟和固定的動
物保護團體及政府，有較穩定的政策網絡關係。在實驗動物方面，
則是由固定的科學家、藥商以及動物保護團體組成動物程序委員
會。英國的經驗顯示，在政策社群運作當中，由於利害關係人之間
長期的互動網絡關係，因此政策的變革是透過精細的合作及退讓策
略而形成的，也因此較為精緻並具有可行性。但這個模式的缺點，
便是某些動物保護團體被納入政策社群後,可能因己身利益而遭「收
買」，即使未受既得利益的誘惑，也常需要面對體制外其他動物保
護團體的紅眼，影響動物保護團體彼此間的凝聚力[20]。

　　與英國相對的則是美國的「議題網絡」，由於美國聯邦制度原
本便是多元且相制衡的機制，使得議題網絡的運作模式更加突顯，
有許許多多的動物保護團體透過遊說希望改變政府的政策，因此，
最終究竟哪一個政策可以進入議程，便與該團體能夠塑造的道德形
象強度有關。此一模式與台灣有若合符節之處。在台灣的寵物業管
制政策的制定與執行過程中[21]，由於寵物業者低調不願影響政策(內

（續）——————————————

　　　"Policy Communities and Issue Networks: Beyond Typologies ," in D.
　　　Marsh and R.A.W. Rhodes, eds., *Policy Networks in British Government*
　　　（Oxford: Clarendon Press, 1992），p. 249. 以及Heclo and Hugh, "Issue
　　　Networks and the Executive Establishment: Government Grow in an
　　　Age of Improvement," in Anthony King, ed., *The New American*
　　　Political System （Washington, D.C.: American Enterprise Institute,
　　　1978），pp. 87-124.
　20　R. Garner, *Animals, politics and morality* （Manchester: Manchester
　　　University Press, 1993），pp. 66-67.
　21　R. Garner, "The politics of animal protection: A research agenda,"

部甚至相互傾軋），但動物保護團體反而標榜道德理念，非常積極表達意見，並且獲得公民以及代議士的支持，使得法律可以順利且快速地通過。

但是，過往的政治運動歷史研究，常探討至此便予打住，未能透過政策分析作出未來運動之建議，甚為可惜。吾人認為，若能夠得知台灣的政治運動模式，便不難了解所存在的特殊困境。因為政府被動順應，民眾動輒以「泛道德化」訴求影響政策，便常常容易制定出標準過高的動保管制政策。但是，道德之所以稱為道德，便是民眾的實際行為常無法達到理想化的道德標準。動保團體基於道德理念提出高標準的政策主張，一般民眾與代議士總會在表面上給予支持，業者亦不敢公開反對，但實際行為卻常未必符合政策標準，顯現了人性當中「心口不一」、「說一套做一套的」行為特質。舉例而言，即便民眾表面上同意政府積極推動「認養取代購買」寵物，然而，若需取得寵物時，他們多半還是會傾向以購買方式獲得純種貓狗，這便使得政策陷入曲高和寡的困境。因此，政府未來若希望克服此困境，需將政策「去道德化」，在制定寵物業相關法規時，除考量道德輿論的壓力外，亦應建構長期的「政策社群」，以取代臨時形成的議題網絡，使得寵物業者、中立的專家與第一線執法者的實務意見，都能與動物保護團體匯流考慮進來，方不至於訂出陳義過高，不易執行的政策。

事實上，吾人的確也觀察到，雖然台灣從1998年便訂有「行政院農業委員會動物保護諮議小組設置及作業要點」，惟多年來並未定期舉辦，且專業性不足。後因動保團體抗爭，諮議小組也積極透過平台邀集利害相關人形成共識，制定政策，並於諮議小組下設四

（續）————————————————————————————

　　Society & Animals 3.1 （1995），pp. 43-60.

個工作分組，分別為法制及提升執行力工作分組、寵物及流浪動物
工作分組、經濟動物工作分組及實驗動物工作分組[22]。在此後，吾
人發現，政策的制定的確能夠在較理性的基礎上進行，產生更細緻
的政策方案。

　　以上，只是透過動物保護的政策研究舉例說明，如果歷史的政
治運動研究，無法轉換成為政治策略分析，便無法提供有效的公共
政策建議。「人與動物關係學研究」當中的其他學科領域，也都有
這一類的現象。例如心理學領域發現，動物收容所獸醫因為長期間
被迫執行安樂死的工作，與獸醫原先拯救動物的使命不同，故產生
嚴重的「同情疲勞」（compassion fatigue）現象，影響該個人與組
織的效能。然而，應該如何改變或調整，研究卻少有提及，甚為可
惜。因此，吾人建議，應該使描述性的「人與動物關係學研究」能
夠調整研究取向，成為分析性的「人與動物關係學分析」，如此一
來，能夠擴大該範疇研究對公共政策的影響力。

四、建構動物保護的公共行政理論

　　「人與動物關係學」要能夠成為提供政策建議的基礎，尚須解
決最後一個問題。徒法不足以自行，若缺乏政府有效治理的政策執
行面研究，則最後仍是徒呼負負，因此，筆者以下將透過台灣的三
個主題的實證研究，來組起最後一塊拼圖。

　　第一，動物保護的公共行政理論必須能夠對動保行政組織提出
建議。

---

22 楊淑閔，〈流浪動物議題　農委會允研議〉（來源：http://www.
　　epochtimes.com/gb/13/1/5/n3769333.htm，2013年1月5日）。

　　為提高政府行政績效，台灣自1970年代起便有中央政府「組織再造」之議，然而組織再造並非全然理性選擇的技術問題，政治力甚至影響更大。也因此，歷經三十年餘的折衝，終於立法院於2010年1月12日三讀通過行政院組織法，由過去明定之八部、二會，調整為十四部、八會、三獨立機關。與動物保護相關甚深的農委會（未來的農業部）自然也在調整之列，根據組織調整原來的規劃，未來會將原均屬於農委會的動物保護各項業務，拆開分別由農業部畜產暨動物保護司（由畜牧處更名）以及環境資源部森林及自然保育署負責。前者負責同伴動物、實驗動物、經濟動物業務，後者則負責野生動物業務。將野生動物視為自然資源，歸入環境資源部，似較能達保育之效。未來的農業部在除去野生動物保育業務後，其他動物保護將由畜產暨動物保護司下的兩個科（動物保護科、寵物業務科）管理，較目前歸屬於畜牧處，且僅有一科負責的現狀，已較為進步。然而，組織再造機會甚為難得，若未能在此次再造過程中進行一步到位的整體規劃，殊為可惜。因而，動保團體提出諸多論述，希望能夠建構更理想的組織設計。綜觀動物保護行政體系的調整，有以下幾個面向需考量：

　　首先、目前動物保護行政單位位階過低。即便睽諸未來，中央動物保護主政單位，仍僅侷限於畜產及動物保護司下的兩個科，人力估計約僅十人，面對層出不窮的動物虐待問題，顯得極為不足。更嚴重的是，由於畜產及動物保護處的設置目的，乃是台灣畜牧經濟的發展，因此動物保護必然讓位於畜牧經濟的價值，也因此民間多批評此機制為「球員兼裁判」的設計，悖於動物保護宗旨。

　　其次、目前的設計也使得橫向互動陷於結構缺陷。動保業務涉及複雜多元的業務，因此無論是中央或地方動物保護單位，必須橫向尋求其他機關之協助。例如在捕犬業務上，除少數縣市政府的執

行單位隸屬於動物保護（防疫）單位以外，多數仍隸屬地方環保局。但環保局係以清除廢棄物為其主要業務，人員有限又得不到上級足夠的支援，如何照顧到流浪犬的動物福利？另外，動保人員遭遇虐待案件時亦常需警察配合查緝，惟警察在視自己為「人民」保母的認知下，輕忽「動物」虐待事件，亦可預料。因此，若將動物保護行政維持在目前的「科」級層級，殊難產生統籌業務效果。

　　此外，由於動物保護單位人力資源也極缺乏，目前全台僅有極少數縣市政府（如台北市）設置有專任動物保護檢查員職務，且僅有少數幾位。其他大部分縣市政府動物保護檢查員則為兼任，也因此每逢動物虐待案件被舉發時，動物保護檢查員便疲於奔命。在業務量大、社會指責聲浪排山倒海而來，卻得不到行政資源支持的情況下，基層公務員必然心理疲乏與無力感，流動率之高，不難想見，而流動率高則與人員服務熱誠的下降形成惡性循環，難以期待動保業務能有較好的品質。

　　最後，在社會整體動物保護意識進步之下，包括：受傷動物的緊急救援、寵物周邊產業（飼料、美容、醫療及殯葬）的管理、友善對待經濟動物及實驗動物等等，都已經成為民眾要求政府應予顧及的重要業務。然而，在組織位階過低、資源缺乏、人力不足的狀況下，面對民眾所提出的各式動物保護要求，便顯得有心無力。若非在動物保護團體與輿論嚴厲抨擊或發生突發的嚴重虐待事件，政府行政單位鮮少主動將上述業務納入管理，政策顯得較為被動，也因而地方政府動物保護業務各行其是，並未統一。因此，動物保護行政的當務之急，便是成立專責動物保護行政單位、提高動物保護行政位階，增加動物保護預算並且增加足額的人力[23]。

23　吳宗憲，〈我國動物保護行政困境與未來〉（來源：http://www.huf.

　　因而，台灣動物保護團體在2012年總統選舉前向兩黨候選人提出成立「獨立」的「動物保護司」之議，一方面將之獨立於畜產管理之外，二方面希望該部門能具備較高的位階、資源及人力，方能應付接踵而來的挑戰。國民黨再次執政後，針對希望農業部成立動物保護司的訴求，農委會具體回應，未來規劃成立常設性任務編組「動物保護會」，由部長親自擔任召集人，直接指揮監督動物保護業務，於國際間係屬少見高規格編制。該會期待透過這樣的高規格編制，可以帶動地方政府提升動物保護單位之層級及擴編相關執法資源。此外，「動物保護會」將依據未來農業部總員額等條件，設置二至四科，且與畜牧管理單位「畜產司」分為不同單位[24]。

　　雖然，未來的農業部以提高動物保護機關──「動物保護會」的層級為司、處層級，並將之獨立於畜牧業務之外，回應動物保護團體的主張，將可免去「球員兼裁判」的問題，也有更好的行政統籌權力。然而，在人力資源上，受限於政府員額及人事預算，未來是否能夠補足執行人力，還在未定之天。筆者認為，若農業部無法另外挪支人員編制，則行政院亦應協調人事行政總處及研考會，以增額的方式給予兩個科約十人的人力。只有具有人力資源的「動物保護會」能順利成立才能持續爭取更多的動保預算，也才能引發地方首長對動物保護行政資源的投入，進而教育民眾、取締違法民眾，並調和各方分歧的意見，國內各種嚴重的動保問題才有解決的契機。

（續）──────────────────────

　　　org.tw/essay/content/975，2012年4月19日）。

24　農委會，〈農業部規劃成立由部長擔任召集人之「動物保護會」彰顯重視動物保護業務〉（來源：http://www.coa.gov.tw/show_news.) php?cat=show_news&serial=coa_diamond_20121217191308，2012年12月17日）。

其二,動物保護的公共行政理論須對如何促使地方政府行動提
出建議。

1970年代的全球經濟危機,造成了美國及西歐人民對政府計畫
有效性之質疑。公共行政論者此時更加的同意有效的政府績效,除
了政策分析和計畫以外,更重要的需要公共管理人,能經由政策執
行過程的訓練,在地方政府層級監督實際的政策執行。至此,公共
行政的重心,由政策規劃及分析,轉移到「政策執行的管理」,因
此形成了所謂的「新公共管理典範」[25]。

支撐起新公共管理典範的重要理論之一的公共選擇理論,特別
將「競爭與選擇」原則應用於觀察地方政府的競爭關係,強調區域
內多元或轄區重疊的地方政府,透過相互競爭的方式,將可以提供
公民或消費者更多樣的服務選擇,最能夠有效率和有效能地回應公
民的需求。此一概念,可以從學者Tiebout研究中所提及的「以腳投
票」模式窺見一斑。該模式大意是指[26],在國家範圍內有數個不同
治理型態的地區政府,供人民自由選擇,而各地方政府支出的公共
效益,是由單一區內的居民所享用,並無外溢性,各地區的民眾除
了可以透過選票來表達對地方政府績效的滿意以外,在國家範圍內
的人民,也可以經由居住遷徙,來表達對不同地區治理機制的偏好。
由於前述「以手投票」以及「以腳投票」的機制,各地方政府最終
得以透過人民投票以及遷徙的狀態,來了解自己地區政府治理的評
價。因而,若能夠在地方政府之間形成這樣的競爭機制,便可以透

---

25 詹中原,〈新公共管理發展歷史系絡之初探〉(來源:http://old.npf.org.
   tw/PUBLICATION/CL/095/CL-R-095-049.htm,2006年12月26日)。

26 Charles M. Tiebout, "A Pure Theory of Local Expenditures," *Journal of
   political Economy* 64.5(1956),pp. 416-424.

過地方政府間的競爭壓力，最終使其必須改善各種施政的措施。

　　也就是在這樣的邏輯之下，台灣的關懷生命協會從2012年開始，建構了「動保行政監督委員會」，並對縣市政府的動物保護行政機構展開評量，期望能透過各縣市政府之間的相互比較，製造彼此之間的競爭壓力。2014年更透過全國性媒體發布了《2014動保行政評鑑成果書》，從「收容動物福祉」、「課責機制」、「組織再造」、「公民參與」與「公開透明」等面向進行評估[27]，希望能夠透過此一績效評量機制，形塑地方政府之間的競爭關係。

　　此外，由於地方政府之間具有競爭關係，因此，過去動物保護團體動輒耗費龐大資源遊說立法院與中央政府，以期獲得全國範圍內的動物保護政策調整的政治策略，或許可以進行調整。因為，若集中精力特別「單點突破」強化某一地方政府的動保強項，便很有可能會因為競爭壓力，而使得該標竿政策能夠被其他縣市所採用。舉例而言，台南市政府首先在自治條例當中，規範了「動保檢舉獎金」[28]，未來檢舉虐待動物者將能得到獎勵。在該法通過不久，台中市、台北市與新北市，便也陸續設置類似規範。而就筆者觀察，包括緊急救援機制的設置、收容所改良措施等，也都可以看見競爭機制對於促進縣市政府進行政策改良，產生莫大的效果。

　　其三，動物保護的公共行政理論須對如何評估地方政府的績效提出建議。

27　戴安瑋，〈民間動保行政評鑑 台南、宜蘭奪冠〉（來源：http://www.appledaily.com.tw/realtimenews/article/new/20140916/470432/，2014年9月16日）。

28　呂幼綸，〈動保檢舉獎金第1例 致贈3000元〉（來源：http://www.tanews.org.tw/info/5475，2014 年8月5日）。

前述由動物保護團體透過建構競爭機制，促使地方政府行動的
想法，必須謹慎使用，因為，若是該評比方式或者評量指標，無法
取得各地方政府信任，也有可能引起共同的抵制。

然而，政府在進行業務評鑑時，究竟應該將哪些重心作為績效
評鑑的指標，向來是最難回答的問題。根據諸學者所提及的觀點，
大致可以歸納為四種取向[29]。

首先、政府的績效評鑑必須重視是否對關心的施政方向投入足
夠的資源，此為「輸入導向」的控制，即如議會每年審議行政機關
所編列的預算，以防止行政機關專斷、腐敗，因此強調的是管制機
關運作的預算與成本[30]，然而，輸入面的控管僅完成一半的監測工
作，仍然忽略政策執行面。

因此，接下來的第二階段，便是在投入資源之後，是否能夠有
效地檢驗該項投入資源的產出及效率，其管理重心在於「績效」，
強調「輸入與產出的關係」，透過績效評估所提供的相關資訊，做
為行政管理、決策制定、資源分配、契約履行評量的基準。績效導
向的管理自然比輸入面導向的控管制度進步，並且具有效能[31]。美

29　這四個階段，非僅是理念上的分類學。綜觀美國政府改造時的課責
　　機制，便曾經歷過四階段的演變（翁興利、劉祥得，〈美國顧客滿
　　意與標竿學習——兼論我國地方政府滿意度比較分析〉，載《中國
　　行政評論》2003年第12卷第4期，頁171-204。）筆者將以美國行政
　　改革的歷史經驗作為佐證的案例，說明四種理念的差異。

30　H. Klages and K. Masser, "Ratios and indicators as a new and essential
　　part of present administrative reform," in K. Helmut, L. Elke and H. Hill
　　ed., *Quality, Innovation and Measurement in the Public Sector*
　　（Switzerland : Peter Lang Publishing Group, 1996）, pp. 107-136.

31　D.N. Ammons, *Municipal benchmarks: Assessing local performance*

國聯邦政府1949年由胡佛委員會所提出的「績效預算制度」，詹森
總統於1965年所推動的「計畫預算制度」，乃至於尼克森總統於1973
年所推行的「目標管理」、1977年卡特總統所推動的「零基預算制
度」都是這個階段精神下的制度設計。

　　然而，政府的評鑑，除了量的生產力評估以外，仍必須考慮到
質的民眾滿意度，這是第三個重心。強調「品質」與「結果導向」，
盛行於1980年代的「全面品質管理」便是這樣的產物。這樣的精神，
展現在美國1993年國會通過的「政府績效及成果法」中，布希總統
更於2001年在預算書中宣誓推動總統五大管理議程，隨後並於2003
年推出「計劃評等工具」，政府的施政重點，須以民眾的滿意度為
最高目標，執行過程當中過於繁瑣的規範等，應該給予更彈性的處
理。

　　最後，第四個重心則是「公民驅動之政府績效管理」[32]，有學
者便提出「新公共服務」觀，直指政府的角色並不在於社會領航
（steering），而在於協助公民聯結並實現公民的共同利益。因此[33]，
前述民眾僅能由滿意度調查等消極途徑評量政府施政之情況，必須
有所改變，其重心側重在決策權向外分享的過程，能將地方事務利
害關係人共同納入並參與地方治理及績效評鑑的工作。實際上[34]，

（續）───────────────────

　　　　and establishing community standards （California: Sage Publications,
　　　　1996）.

　32　胡龍騰，〈公民引領之政府績效管理：初探性模式建構〉，載《行
　　　　政暨政策學報》2007年第44期，頁79-128。

　33　R.B. Denhardt and J. V. Denhardt, "The New Public Service: Serving
　　　　rather than Steering," *Public Administration Review* 60.6 （2000）, pp.
　　　　549-559.

　34　朱景鵬、朱鎮明，〈英、美、德地方政府治理能力評鑑制度〉，載

「績效評量實驗」中的紐約市通勤族評鑑參與運動、紐約市的道路平整評量計畫、紐約雪城的社區標竿計畫、康乃狄克州哈特福市的都市掃瞄計畫，及俄亥俄州戴屯市的生活品質指標計畫、在賓州費城、亞歷桑那Chandler市等的「公民調查」以及德州、奧瑞岡州的「績效報告」，都曾經將公民參與的精神引進政府績效評量中[35]。

　　從台灣動物保護管理績效的實證調查中發現，目前我國動物保護管理績效指標系統，相較於英美兩國的指標，多半係「輸入」型指標以及「過程」型指標，這顯示台灣的中央政府在評估動物保護業務工作時，除重視實際投入的業務外，也相當著重相關利害關係團體的意見，將民主精神注入政策執行中。然而[36]，出現在英、美兩國的「脈絡」型指標，卻完全不曾出現在國內的指標系統。這也形成國內動物保護指標系統的最大挑戰，因為，經過專家學者德菲法以及AHP層級分析法所得之結果發現，「脈絡」型指標不但被視為重要的指標系統構面，甚且若就指標的四個構面加以比較，「脈絡」構面的權重，甚至還大於「成效」構面、「輸入」構面以及「過程」構面。白話地說，台灣過往在政策執行過程中，似乎有過度重視民意的問題。為了矯正可能的「民粹」取向，必須使更多「脈絡」型指標有更重要的權重，才能夠對地方政府的行政績效管理產生正面的作用。

（續）————————————————

　　《研考雙月刊》2004年第28卷第5期，頁50-51。

35　胡龍騰，〈公民引領之政府績效管理：初探性模式建構〉，載《行政暨政策學報》2007年第44期，頁79-128。

36　吳宗憲，〈「道德」可被評鑑嗎？道德政策執行績效評鑑機制之思考——以我國地方政府動物保護行政績效評鑑機制之設計為例〉，「第5屆發展研究年會——發展：危機與安全」論文（國立政治大學國家發展研究所，2013年10月-11月）。

　　「脈絡」型指標，又可視為「審議導向指標」，是過往行政管理領域所未見者，重視的是政策方案的背景評估，希望地方政府能夠邀請公民能在參與指標設計過程中，參考以證據為依據的資訊，透過與各方所欲目標之間的反覆辯證、反省與討論，進而形成可行的公共政策。對此，台灣的動物保護團體也學習如何與政府透過實證研究的過程，形成各種有效的證據，透過蒐集的資訊，進而產生有意義的政策審議。近年農委會規劃的兩項政策，便符合「審議導向」的精神。其一是「流浪犬管理政策公民審議會議」，試圖透過立意抽樣的方式，邀請符合母體特質的公民，在專家提供的專業資訊之下，透過較長時間的審議，產生有效的公共政策[37]；其二則是「TNR試點計畫的評估」，政府在民間團體與專家的要求之下，為了釐清外界在流浪犬TNR問題上的爭執，規劃TNR可行性試點進行實證工作[38]，未來希望能透過試點實證計畫所得之證據，作為進一步決策之參考。凡此種種，只要能落實「審議導向」精神，促使民間與政府產生良性對話，均值得未來動保議題持續嘗試。

　　吳宗憲，台南大學行政管理系副教授，參與數個動保團體，擔任農委會與地方政府的動物保護諮詢委員，近年投入動物保護政策的遊說、研究與教學。近期著作包括〈當政治遇上動物：多元政治意識形態下的動物保護觀點〉等多篇論文。

---

37 林慧貞，〈流浪狗政策全民開講，農委會推公民審議會議〉（來源：http://www.newsmarket.com.tw/blog/50370/，2014年5月9日）。

38 總統府新聞稿，〈總統與動物保護團體座談〉（來源：http://www.president.gov.tw/Default.aspx?tabid=131&itemid=31585，2014年1月10日）。

動物的生命：
《動物解放》40週年的反思

錢永祥

一、前言

　　彼得辛格的《動物解放》一書問世於1975年，至今40週年。這本書開啟了學院裡的動物倫理學這門學科，也為當代的動物保護運動提供了一套樸素踏實但動能強大的理論基礎。由於西方的道德思考主流一向排斥動物，不願意賦予動物道德地位，辛格這本書卻用主流的倫理學資源為據，為動物在道德思考的範圍之內擠出一些空間，其貢獻具有劃時代的意義。

　　本文想要探索這個意義所在，但同時也想進一步檢討辛格這種動物倫理學的限制。動物倫理學的出現，不僅為動物的命運爭取到道德的地位，也突破了西方道德思考傳統體質上的盲點。這是它的特殊意義所在。不過一種動物倫理學，必然同時是一種從評價的角度想像「動物的生命」的方式：動物的生命固然是自然的事實，但這種生命是否自有其價值，在實現某種值得人類承認的好事（the good），故能要求人類的尊重與關懷——尊重其存在（的權利），關懷其遭遇的好壞——呢？動物倫理學的一個關鍵主題在於，動物的生命是不是足以指向某種具有應然意涵的價值，從而用尊重與關

懷為標準，人類對待動物的方式，就有了「對與不對」可言。

　　讓我舉一個例子，說明我的意思。假設地球上的遙遠某處發生嚴重地震，許多人死傷，我們不會說這些人的生命以及遭遇僅僅是一件自然事實；相反，我們會認定這是一件嚴重的災難，認為受難者的遭遇是不幸的、不應該發生的，是令人難過、惋惜的事情。我們的這種判斷其來何自？當然是因為人類的生命具有某種獨特的價值，其死亡——即使完全是自然過程所造成——是一種傷害摧殘，不應該發生。對比之下，假定在這場地震中，尚有珍貴的古蹟遭摧毀，大面積的樹木植被田地房舍也淹沒不見。對這些損失，我們也會深有所感甚至於有所惋惜，不過這些損失，畢竟與人的死亡不同。人類生命所具有的價值與意義，並不取決於它對於旁觀者可能具有的價值：即使我們根本不知道這些罹難者是誰，有甚麼特色，具有什麼身分或者道德品質，我們也會假定他們的生命自有價值。簡單言之，在人類的道德意識中，每個人的生命本身便是**價值之源**，生命過程彷彿是一個實現某種「善」的過程，自然擁有一些深重的道德意義。結果，我們所想像的「人的生命」不可能僅僅是**有生有滅的自然事實**，或者**需要由他人來賦予價值**；相反，我們一般會假定，人的生命自有價值，因此具有一個不言自明的「應然」面向：**每個人的生命都應該過得平安、圓滿**，因為這是人生內在的目標（或者說權利）；而事實上的傷亡、剝奪則總是構成了道德上的「不應該」，需要合理的說明。至於植物、古蹟、財產，當然還包括動物，若是遭受傷害或者毀滅，當然很可惜，卻由於他們的存在本身似乎說不上在成就甚麼有價值的結果，也就說不上道德的「不應該」，至少不同於人類傷亡時的「不應該」[1]。

1　在此，我只描述一般道德思考對於人類道德地位的認定，至於要說

　　動物倫理學認為，由於動物與人類的某些相似之處，動物的遭遇應該進入人類的道德考量範圍。但是上述對人類生命的「應然」想像，是不是也適用於動物，也就是承認動物的生命本身有其價值？西方倫理學的傳統，一向不承認動物的生命能有道德的意義，本文想指出，這個想法來自一種雖屬自然但是錯誤的想像人類生命的方式。筆者認為，辛格的動物倫理學扭轉了西方倫理學傳統的生命觀。不過辛格的觀點有其限制，低估了動物生命的豐富含意，未能充分發掘動物生命與人類生命在價值內容上的相類似；動物倫理學接續的發展，可以看做延續辛格的思路，進一步探討動物生命的道德意義[2]。

二、正統道德思考為什麼排斥動物？

　　為什麼人類會把動物排除在道德關懷的範圍之外？為什麼「道德」這件本應遵循普遍視野的思考模式，會淪為人類中心主義的堡

（續）────────────────────────

　　明人的這種道德地位從何而來，那是「人的倫理學」的工作。本文
　　所討論的三家動物倫理學，都假定了某種人的倫理學已經說明了人
　　類的道德價值何在，不過他們也都認為這種價值需要分辨與演證；
　　生命（包括人類生命）的價值並不是天生、神授、或者現成的，直
　　接具有絕對的道德地位。簡言之，他們需要尋找理由去尊重生命可
　　能具備的價值，從而分辨不同的個體生命的不同價值；他們並不像
　　史懷哲那樣，崇拜生命本身。

2　當代的動物倫理學起自辛格，但並不都延續辛格，女性主義的關懷
　　動物倫理學，以及其他多位哲學家的相關著作，都另闢蹊徑，特意
　　避開辛格、里根、納斯鮑姆等人的「能力」進路，強調「關係」、
　　同情或者德性，開啟了動物倫理學中的另外的方向。

壘？撇開各種外緣的因素（人類的社會生存條件，以及由此衍生出來的文化成見）不論，道德思考本身的問題意識如何構成，也是一個決定性的因素。用辛格的理論作為對比，正統道德思考的這個問題意識的走向會顯得更明朗。

《動物解放》一書從效益主義（功利主義）的角度為動物尋找道德地位，由於效益主義的基本評價概念是「苦痛」與「快樂」，於是在關於動物的倫理思考中，「痛苦」取得了關鍵的地位。「減少動物所承受的苦難」，成為當代動物倫理學的共同訴求所在。

思考動物時，賦予「苦痛」關鍵的地位，當然有很好的理由。在現實中，人類對待動物的方式，基本上就是製造規模龐大無比的痛苦與死亡。動物所承受的苦難逼在人的眼前，既真實又刺目，人類的道德思考不能不設法回應。而就理論言，動物[3]所表現的某些情緒與行為模式，即使看起來具有明顯的倫理含意，但是由於人類所設定的道德價值預設了一些動物不可能具備的能力（理性、自我意識、語言、等等），人類始終擔心，對動物行為賦予價值含意，是不是一種「擬人」的觀點在作祟？道德評價需要被評價者有能力反思與選擇，但是動物即使表現了親情、友愛、互助、哀悼之類的行為與情緒，我們通常會說那只是本能天性，並不具有道德意義。何況，動物需要獵食、爭奪地盤以及交配的機會，也會做出許多殘酷的「壞」行為，一般認為這些「暴行」出於本能天性，並非出自動

3　「動物」一詞所涵蓋的物種與生命形式太繁多，幾乎無法作為任何
　　陳述的主詞。日常語言中，它指植物與人類以外的生命型式。這樣
　　子，我們泛泛知道「動物」何指，於是敢於做全面的斷言：「動物
　　如何如何」，但其實我們指的大概只是與人類生活中有關係的少數
　　物種，同時必須忘記人類也是動物。

物的選擇,所以無須受到道德的譴責;那麼同理,動物所表現的「好」
行為,同樣是本能天性使然,也就沒有資格受到道德的推許。但是
如果本能天性說明了一切,動物所表現出來的任何特色便都不可能
具備道德上的價值了。這時候,「痛苦」正好足以為動物爭取到一
點道德考量的位置:畢竟,即使痛苦也是出於本能天性,無須假定
受者具有道德能力,但是人類的痛苦也一樣是生理機能之一,卻具
有無疑的道德地位,那麼動物的苦痛,當然也可以納入道德考量的
範圍。辛格的貢獻在於,他藉著痛苦的普遍性,讓動物在道德領域
獲得了一席之地。

　　傳統的倫理學當然深知「痛苦」這個明顯的事實存在,但不僅
對人類痛苦的道德迫切性不夠重視,並且有意識地將動物排除在道
德領域之外。這聽來很奇怪,痛苦不是明顯的「惡」嗎?為什麼道
德竟然能忽視它?通常的說法是動物缺乏道德能力,但是感受痛苦
所需要的能力門檻並不會排除大多數動物,何況人類呢?我認為,
一個更重要的原因在於,傳統的道德觀急於將人性從其動物性分離
出來,想將「人」理想化,認為道德旨在幫助人實現「真正」的、
獨屬於人類的價值;只有那些能體現更崇高、正面的價值的人,才
能獲得道德的正面評價;結果,痛苦雖是人間的普遍事實,卻由於
表現了人性中屬於生物、動物的一面,因此若是把痛苦看做道德的
焦點,不啻貶抑了人的地位與價值。

　　有意思的是,人類思想發展史中早期的「軸心時代」,顯示了
這個思路在人類思想的模式中其實是源遠流長的一條脈絡。

　　「軸心時代」的說法由德國思想家雅斯培斯所提出,指從西元
前800年到200年之間,希臘、中國、希伯來、印度等地區,不約而
同地出現了思想上的革命:一種突破現世侷限,追求超越性的價值
的思想變動。美國史學家史華慈曾經指出,這裡所謂超越,指「一

種退後一步，抬頭仰望——一種對現實所發的批判的、反思的質疑，一個新的超越世界的想像」。簡單言之，軸心時代的重大意義在於，在這個時段，幾大文明關於人、關於世界的想法先後成形，其間的共同特色就是與現實世界拉出距離，開始設想一個超越的境界[4]。

學者在討論這個「軸心時代假設」的時候，多認定了這種對「超越」的追求代表人類文明的一次「躍升」，代表人的自我意識、關於人性的認知不再滿足於「實然」，進而開始設想各種發展、提升、乃至於獲得救贖的方向，也就是追求一種更好的、「應然」的人性境界，具有完全正面的意義。由於所謂軸心時代所涵蓋的幾個文明之間相異極大，這裡的「實然」所指為何，「超越」所想像的新生命又需要如何理解，陳述與答案大異其趣，在此不論其詳。不過至少在希伯來與希臘文明中，都包含一種知覺到實然人生之「脆弱」的意識：此世的個體生命狀況有其本質上的短缺不足，並不符合我們對人類尊嚴的高遠期待[5]。所謂脆弱，可以包含幾個方面。人們意

4　在中文裡，余英時先生的近著《論天人之際：中國古代思想起源試探》（台北：聯經出版公司，2014），對雅斯培斯的觀點，以及軸心時代、軸心突破等概念有較為細緻的分辨，讀者可以參考。余先生此書的主題是中國思想的軸心突破及其歷史進程，主旨在於強調中國儒家、道家的突破所設定的超越是一種「內向超越」，與西方（希臘）的「外向超越」構成鮮明對比。那麼內向超越是不是不同於希臘的取向，能發展一種更肯定人類「脆弱」（見下文）的道德意識呢？這個問題非常複雜，不是筆者所能回答的。一個指標，要看希臘悲劇所處理的問題，在早期的中國意識中是如何出現（或者被解消）的。雅斯培斯似乎注意到了某種「脆弱」意識在軸心時代發生了作用，見Karl Jaspers, *The Origin and Goal of History*, p. 16, 18，但他並不願意對軸心突破的「成因」做猜測。

5　筆者使用「脆弱」這個概念，取自Martha C. Nussbaum, *The Fragility*

識到此身陷在動物性、生物性的飲食男女、生老病死的規律之中，無時不受到各類肉體需求與欲望的騷擾支配，並非自給自足；生命的維持、延續所需要的眾多資源與條件，幾乎都不是當事者所能自行掌控的；進一步言，人們盼望生命能超出這種生物、動物、肉體條件所給予的限制，臻於「美好」，但什麼事物能使生命趨於「美好」？如果在此世的條件之下，人們所嚮往、追求的事物與目標竟然鏡花水月，只具有偶然、相對的「脆弱」價值，不僅說不上絕對、恆久，甚至於相互衝突無法兼顧，「活得美好」豈有可能？如果生命在物質面以及價值面所仰仗的事物居然都受制於機運（luck）與外力，人生豈不是注定軟弱而無助，焉有「美好」可言？

在這種「脆弱」意識的催逼之下，軸心時代追求超越之舉，能說不是一種「逃離脆弱」嗎？人類畢竟擁有自我意識、自由意志，以及獨特又充沛的想像力，不能滿足於生命的脆弱狀態，於是開始設想如何克服脆弱，設法追求符合想像中人性尊嚴的美好人生。希伯來文明的超越觀藉信仰寄託於神的拯救；希臘哲學則強調人類的

(續)—————————————

of Goodness: Luck and Ethics in Greek Tragedy and Philosophy（Cambridge: Cambridge University Press, 1986, 2001），中譯見徐向東，陸萌譯，《善的脆弱性：古希臘悲劇與哲學中的運氣與倫理》（南京：譯林出版社，2007）。這本著作，也是本文相關論述的主要啟發與資源。納斯鮑姆用「善（終極價值）的脆弱」詮釋希臘悲劇、柏拉圖、亞里斯多德的倫理思想是不是妥當，涉及希臘古典學專業，我無法置喙。不過她所發展的多個論點本身自有豐富的思想意涵，值得重視是無疑的。在她後來的著作中（例如 Upheavals of Thought: The Intelligence of Emotions 〔 Cambridge: Cambridge University Press, 2001〕），納斯鮑姆用 vulnerability 泛指人類處境的一般脆弱狀態，fragility 則特指人類所追求的「善」之脆弱。在本文中，我將泛用中文的「脆弱」一詞，不加區分。

理性能力，藉理性超越脆弱性對人類所造成的侷限。希臘哲學的這個問題意識，影響了後來西方倫理學的基本結構，注定了動物無法進入道德考量的領域。

理性是什麼？憑什麼成為克服脆弱、達成超越的捷徑所在？簡單地說，在希臘哲學家的靈魂理論中，**理性乃是靈魂中唯一不受脆弱性干擾的部分**，是人能逃離脆弱的管道。理性一方面與肉身血氣的需求、欲望相對，另一方面與知覺層面的感覺、情緒相對。由於欲望與認知均受到肉身的限制，它們所能設定、指認、追求的對象也受制於人的脆弱處境，其中所包含的價值自然不可能是**真正價值**的所在，幫助人獲得美好的生命。但是理性不然；理性超越了肉身的欲望與感覺所做的判斷，擺脫其間的種種短視與失誤，揭示真正有價值的人生目標、真正合於人性理想的品質與行為是什麼，因此，理性才是美好人生的保證。理性之所以能有這種效應，原因在於理性不屬於肉身，方能夠克服脆弱狀態的限制，找到真正的價值。

綜合言之，古典希臘哲學推崇理性的理由在於，一、理性為人類所獨有，乃是人類超越自身的生物性、動物性的一種能力，也即是與動物的區分所在；二、理性能指引實現人的美好生活，因為理性才能擺脫人性中的脆弱，辨識真正價值所在，也才能幫助人們培養出理性所要求的性格特色，按照理性的要求實現真正價值；三、既然理性與美好生命有內在的關連，因此反過來說，沒有理性的生命，受制於脆弱性，離人性的圓滿有距離，就不會有美好生活可言。

「藉助於理性克服脆弱方能臻於美好人生」，乃是這個思路的基本邏輯。但是人類藉理性擺脫脆弱獲得美好人生的過程，由於是盡人的理性本分，成全其獨特人性（而不是甘與禽獸草木同朽），因此也是一種從現實進入理想、從實然進入應然的過程，具有規範層面的意義，構成了所謂「道德」的原型。在柏拉圖與亞里斯多德

的論述中，這種規範意義寄身在一些理性所培育、指導的「德性」上，人生可以藉這些德性避開或者降低脆弱性的摧殘，實現真正的價值，從而將人性發揮到最「卓越」的地步。他們用這個規範層面的角度去評價個人成就的高下成敗[6]。這個想法，奠定了西方「道德」思考的傳統。正如麥金太爾所言，雖然古希臘人所謂的「德性」並不受限於後人所畫出的「對」與「善」的偏狹範圍，而是指任何值得頌揚的卓越品格與行為，但是德性旨在幫助人從「人性之實然狀態」進入「人性之應然狀態」，卻界定了後人所理解的「道德」[7]。

　　這個傳統顯然不可能對動物友善。如果道德的功能在於「藉助於理性克服脆弱以便臻於美好生命」，那麼道德不可能涉及動物。不僅如此，由於理性在這個過程中具有突出人性之中非肉體部分的功用，乃是人與動物的分別所在，那麼動物的命運便只能侷限在脆弱的境地，受制於他們生物性、動物性的存在，無所謂「從實然向應然」的追求轉化可能。既然動物無所謂理性，也就無所謂擺脫脆弱的美好生命可言，那麼規範性的考慮也與他們無關[8]。

6　柏拉圖與亞里斯多德是在同一個問題意識中思考，不過他們的思想
　　走向與結論差別很大。這一點，在納斯鮑姆書中有清楚的交代，但
　　是就「藉理性擺脫動物性以追求美好生活」這一點上，他們的想法
　　是一樣的，所以本文對他們的想法並不做區分。

7　Alasdair MacIntyre, *After Virtue* (Notre Dame, Indiana: Norte Dame
　　University Press, 1984)，p. 52以下。

8　亞里斯多德對動物的態度比較曖昧。在他的倫理學著作中，動物不
　　可能有「美好生命」可言，但是在動物學著作中，他又似乎認為每
　　一物種自有其美好生命。納斯鮑姆強調，亞里斯多德認為價值以及
　　美好生活是「相對於物種的」(species-relative)，不過 Gary Steiner,
　　*Anthropocentrism and its Discontent: The Moral Status of Animals in
　　the History of Western Philosophy* (Pittsburgh, Pa.: University of

　　後世的道德哲學，與古希臘所界定的這個經典傳統有許多分歧。但是少有例外，多數的近代道德理論，都延續著古典時期留下來的這種「超越」取向，認為人類的實然狀態主要是一種與動物共享或者相近的狀態，而應然的狀態則在於擺脫「獸性」[9]，發揚特屬於人身上的非肉體、非動物性的特色，力圖呈現人類所特有的理性自主、尊嚴。道德的功能即在於要求、幫助人類從實然進入應然，進入一種較好的存在狀態（即使近代人不常使用「美好生活」這樣的字眼）。既然只有人類有此可能，那麼道德只關注人類的這種轉變，也是很自然的事。結果，道德與動物無關[10]。

（續）─────────────────

　　　Pittsburgh Press, 2005）p. 61則持相反的說法。這個問題涉及亞里斯
　　　多德文本的解讀，筆者無力追究。但在納斯鮑姆的觀點下，人的美
　　　好生活之界定固然必須是「人類中心的」，但動物則自有其由本物
　　　種所預設的美好生活；美好生活並不是人類的禁臠。這種寬容的觀
　　　點，構成了後來納斯鮑姆建構動物倫理學的出發點，也是本文的主
　　　要立足處。

9　　這種「擺脫獸性」的欲望，直接導致厭惡動物、歧視動物。這種厭
　　　惡與歧視激發了「噁心」與「羞恥」兩種情緒，轉回到人類身上，
　　　乃是種族歧視與性別歧視、恐懼同性戀等現象的心理基礎。見
　　　Martha C. Nussbaum, *Hiding from Humanity: Disgust, Shame, and the
　　　Law*（Princeton: Princeton University Press, 2004），方佳俊譯，《逃
　　　避人性：噁心、羞恥與法律》（台北：商周出版社，2007）。

10　但並不是每個思想者都跟著這道主流走：「歐洲歷史上表達人之理
　　　念的方式，著眼於人與動物的分辨。動物的無理性，乃是證明人類
　　　尊嚴的證據。……缺乏理性，則無語。擁有理性者支配了看得見的
　　　歷史，則可以說得天花亂墜。整個大地見證了人類的榮耀。歷史上，
　　　無理性的動物一直在遭遇理性……。這個看得見的歷史，讓行刑者
　　　眼裡沒有那看不見的事物──未受理性啟蒙的存在，動物的存在。」
　　　Theodor Adorno and Max Horkheimer, *Dialectic of Enlightenment*

三、辛格的貢獻與不足

　　當代的動物倫理學之所以能借彼得辛格的《動物解放》一書重新出發，得力於他翻轉了傳統對道德的這種理解；道德所關注的「應然」不再要求超越人的肉體性、動物性，反而必須在肉體、動物這個層面上分辨是非好壞，尋找生命的「應然」狀態。結果，道德自然不再要求拋棄肉體，而是要求保護與尊重肉體。這種對道德的新理解，並不是辛格的創見，而是效益主義大傳統的方向，反映了一種歐洲18世紀以降的「現代」的價值觀，這種價值觀所強調的是生命之價值的日常性、現世性與肉身性。這種價值觀並不閃避貶抑實然生命的脆弱本質。「脆弱」乃是生命的常態，無法也無須擺脫或者克服；事實上，脆弱狀態乃是一切評價字眼取得內容的根本脈絡，生命的美好只可能是在脆弱狀態之下的美好，而不是擺脫脆弱因素之後的美好。個體的脆弱性最直接的表現就在於他的生存所承受的各種傷害；傷害對他造成痛苦與危難，他卻沒有能力去躲避與制止。因此，在效益主義看來，生命如果有「應然」可言，首要的應然當

（續）───────────────

　　　（New York: Herder & Herder, 1972），pp. 245-246。在20世紀，特別是在整個馬克思主義的傳統中，第一代法蘭克福學派的思想家對動物議題的重視無人能及。這顯然來自他們對於「理性之辯證」的批判，以及他們眼中工具理性對「自然」的支配；女性也是在這個脈絡中受到他們的重視。有興趣的讀者，從這篇文章會很受益：Ray Gunderson, "The First-generation Frankfurt School on the Animal Question: Foundations for a Normative Sociological Animal Studies," *Sociological Perspectives*, 57（3），2014, pp. 285-300．

然就在於減少個人身受的傷害與苦痛[11]。

　　辛格的效益主義動物倫理學,為當代的動物保護運動提供了堅強的理論立足點,第一個原因在於他這套理論的平白與直率。道德不能不考慮個人所承受的利害[12]。而在肉體層面,「利」與「害」最直接確鑿的證據不就是痛苦與愉快嗎?因此,道德在考慮任何個體的利害的時候,應該先考慮他所承受的苦痛與愉快。這套理論的第二個優點在於它的平等主義不僅符合直覺,更與時代精神相契合。這種平等主義用痛苦的「眾生性格」對抗痛苦者的特定身分:「痛苦就是痛苦,至於是誰的痛苦在道德上是不相干的問題。」為什麼一隻豬的痛苦沒有一個人的痛苦重要?如果你的理由只是「人當然比豬重要」,辛格會說這叫「物種歧視」,但是以物種作為分歧待遇的依據,與當代所格外反感、警惕的性別歧視(以性別作為分歧待遇的依據)、種族歧視(以族群膚色作為分歧待遇的依據)在結構上其實如出一轍。這套理論的第三個優點在於可以在不同個體、群體之間進行比較明確的對比,比較他們所承受的利害之輕重,從而作為公共政策的依據,發揮現實的作用。藉著這些優點,辛格的理論幫助動物倫理學站穩腳步,取得了一定的公共影響與學院空間。

　　《動物解放》問世40年來,動物倫理學又有長足的進展,後起的思想家針對辛格的理論也提出不少批評與修正。在筆者看來,辛格的理論有許多明顯的優點,但至少在一個方面,他的理論對動物

11　後現代的德希達也盛讚邊沁效益主義著重痛苦的重大意義。Jacques Derrida, *The Animal That Therefore I Am* (New York: Fordham University Press, 2009), pp. 26-29.

12　我們有理由假定:與利害無涉的規則或者要求,稱不上是道德。

的理解與想像過於單面，賦予動物生命的**道德意義**過於單薄。如果在動物身上從實然向應然的轉變只涉及苦痛的減輕減少，動物的「美好生活」就只具有極低度的內容，動物本身的生活之美好與否幾乎是無法追問的問題。結果，人類對於動物的道德關注，所涉及的範圍也就很有限。

辛格經常受到的一個批評是，他的理論所重視的是苦痛與快樂之感覺的絕對道德地位，卻相對忽視了苦痛與快樂的**主體**本身的道德地位。結果，或者如里根的批評，辛格所尊重的是動物的感受與利害，卻不是動物本身，因此容許在某些情況之下犧牲某些動物；又或者如納斯鮑姆的批評，辛格承繼了效益主義的根本缺陷，容許跨個體的利害之加總與比較，對於個體的「分離」（即甲個體的利害不能與乙個體的利害合在一起算）不夠尊重。這些批評，辛格曾經試著化解，但是並不很成功。辛格強調，他並不是「古典的」或者「快樂主義的」效益主義者，只注重個體的快樂與苦痛之**感覺**；相反，他的效益主義所著重的乃是「偏好」的達成或者「利害」的實現，也就是當事者所選擇、中意的愉快經驗，而在一般情況之下，偏好與利害的關鍵指標就是當事者如何經驗痛苦與愉快。換言之，按照辛格的理論，關心動物所感知的苦難，並不是純粹關注其感覺，而是關心動物個體所承受到的利害影響，並且動物本身對這種影響是在意的，有反應的。他並沒有遺忘動物本身，也不可能如里根所言，只關心苦痛或者利益（容器的內裝物），卻忽略了動物本身（容器）的生命。

但是苦痛究竟如何聯繫到個體的生命評價的？苦痛能指向生命之應然嗎？這就牽涉到辛格對動物本身是如何想像的。一個指標，是看他的理論是否能容納個體之間的差別，因為「差別」的有無，足以反映出這套理論賦予個體生命多少內容。在這一點上，他承認

物種差別以及能力的不同，會在個體的利害經驗上造成巨大的質、
量差異。因此，即使忠於效益主義的原則，「同樣的苦痛賦予同樣
的分量」，但是這並不代表不同的個體需要獲得同樣的待遇。相反，
辛格強調，不同的個體，由於他們的需求、偏好不同，本來就不必
受到同樣的待遇。進一步言，辛格也認為，不同的個體，由於所涉
及的利害有簡單複雜之分，所持有的偏好也有極大的差異，其生命
的內容當然也大為不同。辛格相信，一個個體如果自我意識較發達、
記憶與想像力較豐富、與其他個體的牽連較深，我們會說這個生命
也就愈有價值，因為其傷害與死亡所造成的損失更大。[13]換言之，
辛格容許個體之間的差別待遇，也承認不同個體的生命具有不同的
價值。他的要求僅是：待遇的差別與價值的分級不能直接以物種為
依據，而只能以利益（或者苦痛與快樂）的大小高低為依據。而當
然，就絕大多數動物（包括人）來說，利益的不同是由物種所決定
的：物種決定了生理上、心理上的複雜程度，而這種複雜程度會決
定個體所能感知的利害的多少。

　　這樣的理論，當然不是「眾生平等」，因為不同的物種感知利
害的能力決定了不同個體的優先地位與「價值」，但是這個理論並
不會構成物種歧視，因為差別待遇的依據並不是物種，而是其個體
生命所能擁有、享用的內容。而由於這套理論堅持了「利害的平等
考量」，所以它也並沒有違反平等主義的基本要求。（苦痛具有平
等的地位，應該受到平等的考量；但事主所受到的待遇與所具有的
價值並不是平等的。）

13　Peter Singer, *Practical Ethics* （New York: Oxford University Press,
　　1993, 2011），p. 105以下。當然，這種比較是由人類來做的，但顯
　　然並不是由人類的觀點所決定的，所以並不會構成人類中心主義。

　　我們能對這套理論滿意嗎？一方面，辛格在利害的考量上守住了平等對待，但在另一方面，他容許人類對不同動物採取差別待遇，甚至於在某些條件之下容許為了人類犧牲動物。就動物福祉而言，這套理論當然代表著極大的進步，但是在減少苦痛、滿足偏好之外，動物生命本身還剩下什麼**值得道德眼光重視的價值**？這生命有沒有自身的目的可言？人類與動物的關係，難道只侷限在「減少苦痛」這一層面上嗎？即使僅從道德角度出發，「苦痛」或者「偏好」就構成了動物生命的全貌嗎？顯然，「活著」牽涉到許多活動、狀態，以及與其他個體的關係，並不是偏好與快樂所能窮盡的。事實上，偏好與快樂究竟是怎麼一回事，本身反而需要由生命的整體樣貌來說明。何況，即使從「對待」這一角度來看，人類對動物的義務也不止於不製造苦痛。畢竟，動物可能受到的傷害與剝削，並不限於他們所意識到的痛苦。他們的生活內容可能被迫非常貧乏，生活條件違反他們的天性，親子關係或家族社群關係被拆散，「尊嚴」橫遭踐踏，但是卻難說承受了任何「痛苦」。

　　說到最後，如果我們需要在不同的物種或個體之間作挑選，為了某些個體而犧牲另外一些個體，辛格的理論的確提供了一種挑選的標準。不過，作為一種「如何對待動物」的理論，它把「對待動物」這件事設想得很窄，只集中在「不要傷害動物」，卻沒有考慮到動物生命的實然與應然，「動物是甚麼、需要甚麼、又需要我們做甚麼」。這麼說，並不是否定辛格的理論，而是企圖把他的理論中一個更根本、重要卻隱而未發的問題拉到明處正式討論。這個問題就是「如何想像動物的生命」。

四、動物的生命

　　辛格之後，里根曾經繼續追問辛格所忽視的問題：如何設想那
個在經驗著苦痛與快樂的主體？他發展了「一場生活的主體」這個
概念，意思接近康德的先驗主體，既作為一切經驗與感受的主人，
卻又超乎經驗之上，不能等同於這些經驗與感受。里根把平等原則
的適用對象放到這個後設於經驗的主體身上，而由於這個主體本身
並沒有內容，也就無所謂差異，所以這種主體是全然平等的。也因
此，他根本不接受辛格在各種生命之間作價值的比較、在各種苦痛
與快樂的加總之間作衡量的作法。

　　里根的理論比辛格激進，所涵蘊的道德要求是絕對的，對人類
使用動物的方式也提出了非常嚴格的限制。不過套用上面對辛格的
質疑，無論辛格還是里根的理論都有一個潛在而未加經營發展的假
定：個體的利害經驗之所以具有道德意義，是因為利害影響到了當
事者的生活品質，換言之他們假定了某種應有的「美好生活」概念。
這也就是說，利害的道德意義並非獨立自明，而是需要以一種「美
好生活」作為標準，並且這乃是當事者的權益所在。就人類而言，
歷來的道德哲學對這個假定並無爭議。辛格與雷根的貢獻在於，一
反道德哲學傳統由人類壟斷美好生活，他們隱約地展示了這個假定
對於動物也應該成立。畢竟，無論談的是人類還是動物，「利害」
的界定似乎都預設了某種關於生命應該怎麼過的規範性想法，即所
謂美好的生活。而事實上，在他們指責各種虐待動物的作法時，也
的確預設了某種動物應該如何生活的圖像。然而，辛格與雷根對於

「美好生活」之構成，在理論上總是欲言又止，說得很不夠[14]。

　　在辛格的效益主義架構裡，這種美好狀態的內容最薄，只強調了苦痛與愉快，當事者幾乎只負責感受，本身的生活並不帶有明確的規範性含意。道德判斷主要是基於苦樂的量來決定，「美好生活」的概念相對十分隱晦。與之相比，里根的詮釋顯得較為厚實。在里根的權利論架構裡，生命主體具有固有價值，這種價值要求尊重的對待，包括尊重其「福祉」，也就是「相應於該個體的能力（capacity）而過得好」；這包括了「1. 他們在追求與達成自己中意的事物，2. 他們在追求與達成自己所中意的事物時覺得滿意，3. 他們所中意與達成的事物確實符合他們的利益。」[15]。里根賦予當事者本身不可交易的固有價值，但也說明了尊重這種固有價值即是尊重當事者「相應於該個體的能力而過得好」。換言之，里根設定了一種「美好生活」的理想，並且這種理想會隨著物種的需求、能力相異而有不同。不過從上面的引文可以看到，里根仍然是用（經過客觀利害限定的）主觀中意來界定何謂「過得好」。但是一個個體的意識與感覺，並不是其生命的全貌：事實上，個體中意與否，通常並不是美好生活的可靠指標[16]。換言之，里根所關注的仍然是動物生命的意識感覺層面，而不是在關注動物的生命、生活本身。

　　在目前較系統化的幾種動物倫理學理論中，納斯鮑姆的能力論

14　這跟他們所依據的20世紀的效益主義與康德主義均迴避「美好生活」這個概念有一定關係。　　　　.

15　Tom Regan, *The Case for Animal Rights* （Berkeley: University of California Press, 1983）, p. 117. 我的翻譯有所簡化。

16　「調適性偏好」（adaptive preference）即是個體偏好常遭扭曲的經典例證。

對「動物的生命」提供了比較真實而完整的理解[17]。

能力論的特色在於它設想個體生命的方式是從生活的進行（而不是某一時間點上個體的遭遇）著眼：生命是由各種運作與活動所構成的生活過程，包括了肉體、心理、心智、情緒、社會互動等各方面的狀態與作為，例如器官與軀體的正常運作，心理上的穩定健康，藉著思考與判斷應付生活中的事務，情緒的正常發展與表達，與他人的正常互動與互助等等，共同構成了人類的「生命」。感覺苦樂或者欲望的滿足，都是這種生命的一個部分，卻不是全貌，甚至於不是最重要的面向。

在納斯鮑姆看來，這些運作都需要「運作的條件與能力」（the capabilities to function）來培養支持，例如身體的正常運作需要健康、營養、衛生的生活環境、醫療照顧；心理以及情緒的正常運作需要溫暖的成長照顧、友善的交往環境、他人的尊重與承認；思考與判斷需要自由的空間、教育、以及文化資源等等。這些「能力」牽涉到了個人所擁有的、以及社會所提供的許多環境與條件。這些環境與條件若是不足或者遭剝奪，當事人的某些運作也會受到負面的影響。這時候，「生命」就受到了傷害。

這種來自亞里斯多德與馬克思的生命觀，有兩個重要的成分，給它提供了規範的視野。一方面，每個個體生命都在時時進行無數的運作（睡眠也是一種運作），但是在各種運作之間，基於該個體所屬的物種的特色，有一些運作對於這個個體之為某種個體而言具

---

17 納斯鮑姆的動物倫理學主要著作是 *Frontiers of Justice: Disability, Nationality, Species Membership* （Cambridge, MA.: Belknap Press, 2007）；中譯見徐子婷、楊雅婷、何景榮譯，《正義的界限》（台北：韋伯出版社，2008）。

有核心的意義，構成了該種個體的界定性特徵，同時也構成了該種
個體所追求的美好生活。例如亞里斯多德眼裡的理性，馬克思所推
崇的勞動，都是人類這個物種的界定性運作。另一方面，每個個體
運用理性或者進行勞動這種界定性的運作，都有其運作的成敗好壞
可言，從而也有了一種評價該一個體之生命的成敗好壞的依據。運
作得愈好，也就是該一個體的人生愈成功、愈圓滿。但是如果因為
個體的運作能力受到了阻礙與剝奪，結果他這種關鍵的運作竟然窒
礙扭曲，甚至於根本沒有機會展開，那麼他的生命就會被視為失敗、
殘缺、糟蹋了。馬克思之所以視資本主義為道德上的大惡，便是因
為資本主義下勞動的異化使勞動者無法充分地發展其人性，成為完
整的人。從這兩個方面來說，尊重人的特色運作所在，並且關懷其
運作的好壞成敗如何影響他活得像一個人，一個充分活出其人性的
人，構成了能力論的道德要求。

　　納斯鮑姆將這種想像人類生命的方式，以及其所涵蘊的道德要
求，轉用到動物身上。動物的生命當然完全可以用運作以及其所需
要的能力來理解；其實人類本來即是一種動物，與動物共享著無數
的運作。當然，人類的運作例如進食跟獅子的進食會大異其趣，兩
種進食在許多方面都具有極為不同的意義與方式，不過進食在人類
與獅子的生命中都是很根本重要的運作，剝奪食物、剝奪體能與營
養，對於人類與獅子的傷害與摧殘完全可以類比。在這個意義上，
如果食物對人來說是構成美好生活的事物之一，對於獅子也一樣。
飢餓與營養不良當然造成痛苦，不過用能力論的論述來看，這種痛
苦不僅是感覺之痛，更代表體能、健康、生育能力以及廣泛的生命
運作遭到剝奪與威脅，其道德上的不應該，完全可以參照該個體客
觀上明確的美好生活標準來證明。換言之，能力論的意義在於：它
設想動物生命的方式，說明了動物的生命本身的實然便涵蘊了應

然，從動物生命之運作有好壞成敗可言，可以導出動物生命自有其
美好的理想狀態可言。人類因此有義務尊重動物施展、發揮其基本
的運作，關懷這些運作所需要的條件與能力，是不是由於人類的自
私與貪婪，以致於受到侵犯剝奪，從而一隻獅子無法活得像一隻獅
子，無法充分活出其應有的「獅性」，只能在牢籠中、在馬戲團裡、
在狹隘的保護區裡苟延殘喘。

　　納斯鮑姆這套觀點，儘量掌握個體生命的全貌，在其生存運作
中同時指認了實然一面與應然一面，結果動物的生命不僅展現了豐
富、真實的內容，同時也具有規範的意義。不錯，動物沒有理性，
沒有人類的各種道德能力，不過他們照樣有一場生命要過，有過得
好不好可言。讓動物的生命過得好，並不是不具道德能力的動物本
身的責任，但是人類在思考動物的時候，卻不能不正視自身有沒有
剝奪、戕喪、摧殘一個本來可望活出美好狀態的生命。動物倫理學
必須設法呈現動物生命的完整性與規範性，才能找到人類以道德態
度對待動物的根本理由。

五、小結

　　納斯鮑姆的觀點比起前人如辛格的理論的確更形周全，但也仍
有缺陷與不足，受到了進一步質疑。事實上我們必須承認，動物倫
理學與人類的倫理學並無二致，經常需要面對糾纏複雜的現實疑難
而陷入兩難，以致於智窮詞窮。這種無法給所有的情況提供理性指
引的窘態，幾乎是所有誠實的倫理學說都必須面對的問題（也是人
類脆弱性的又一例證）。畢竟，生命過於複雜，並不是理性所能把
捉殆盡的，除非像西方道德思考傳統那樣先行切割化約。但是話說
回來，從辛格到納斯鮑姆，動物倫理學對於動物生命的設想方式的

確逐漸由偏趨全，從而所能導出的倫理學視野也就更為廣闊。我們沒有理由不繼續探索下去。

不過，回頭來看，動物倫理學從辛格到納斯鮑姆的發展，同時也對人類的道德思考產生了一定的衝擊。如果動物（包括人這種動物）的生命本身即有足夠的價值意義，包含著自成其一格的美好生活概念，「動物性」便不應該被道德所排斥、所厭棄。動物確實缺乏人類所具有的道德能力，動物生命所可能實現的價值不一定是道德意義上的價值，不過這並不代表動物的生命不是一種從實然向應然發展、掙扎、努力的過程，正在實現某種值得人類尊重、關切的好事（the good）。人類的道德觀念如果不能承認這一簡單的事實，那一定是一種粗暴野蠻的道德觀；但那是人類的問題，並不是動物的問題。

錢永祥，本刊編委，《動物解放》中譯本（1996）的譯者之一，著有《動情的理性：政治哲學作為道德實踐》等書，並在動物倫理學領域摸索。

思想訪談

莽萍先生　梁治平攝影

動物保護事業在中國：
莽萍先生訪談錄

陳宜中

　　莽萍先生，1960年出生於吉林通化。1976年中學未畢業即隨潮流參軍，在部隊醫院度過五年，1982年考入中國人民大學新聞系，現職中華文化學院教授。自1990年代起，致力於自然和動物保護教育，多方面介入動保議題。注重從佛教和儒家汲取思想資源，先後成立以豐子愷《護生畫集》命名的「護生學社」，和監督人工圈養環境下的野生動物生存狀況的民間專案「中國動物園觀察」。1997年起呼籲制定《反虐待動物法》，2004年以降，參與推動動物保護相關法律的修訂。1998年主編「綠色文叢」，出版環境倫理書籍四種；2005年主持譯介當代西方的動物權與動物福利論說、亞洲自然保護倫理等著述。2006年獲英國 Pear Awards「敬畏生命獎」。著有《俞頌華傳》、《綠色生活手記》，譯有 Tom Regan 的名著《打開牢籠：面對動物權利的挑戰》，主編「護生文叢」系列叢書，包括《為動物立法》、《天地與我》、《動物權利導論》、《動物福音》、《物我相融的世界》等。

　　此訪談於2013年7月15日在北京進行，2014年6月補充提問，經陳宜中編輯後，由莽萍先生修訂後確認。

一、同情——起而行動的最好動力

　　陳宜中（以下簡稱「陳」）：您從何時開始關切動物保護議題？

　　莽萍（以下簡稱「莽」）：我1982年上大學，在中國人民大學讀新聞專業，1986年畢業後讀新聞史研究生。在1980年代大陸的大學教育裡面，環境保護和動物保護的課程和資訊幾乎不存在，哪怕修習中國哲學思想史，也極少論及古人的自然觀和人與動物的關係。實際上，在20世紀70年代末以前，大陸流行的是與自然為敵的觀念，所謂「與天奮鬥，其樂無窮，與地奮鬥，其樂無窮」。自然是被改造、被征服的對象，而不是善意對待的對象。1980年代實行改革開放政策，國門已經打開，但當時人們對歐美的環保和動保運動幾乎沒有什麼了解，而以毀壞自然為前提的商業發展卻在蓬勃興起。

　　就我個人而言，對自然之物的好感是由衷的，這可能與我小時候住在林木豐茂的山城有關。有兩件事情直接觸動了我對於非人類生命的感覺。一件事是在1985年，我到昆明遊覽，看到一匹拉車的馬載著明顯超重的水泥板，衰弱到走不動，卻被趕車人兇暴地抽打著走。這個場景讓我感到非常不忍，人怎麼可以這樣狠心地對待動物？為什麼路人都好像沒有看到一樣？那時我並不知道，在往後的二十多年裡，這個國家的大部分野生動物和各類家養動物，都無可避免地淪為人們突破底線逐利的犧牲品。

　　另一件事是1988年，我們一群朋友到北京郊外遊玩，一位友人帶回了兩隻小貓，其中有一隻要送給我。此前，我完全沒有養動物的經驗，也從未想到要養貓。朋友送我這隻貓以後，我才注意到，這個小生命有牠自己的生活和需要，我得好好照顧牠，才能讓牠比

較舒適。這個經驗讓我意識到，在我們周圍還有一些動物，而牠們有自己的需求和利益。這個地球大概不應該只是人類獨享的，還有其他的生命需要照顧。

　　陳：引發較多社會關注的動保議題，一開始有哪些？

　　莽：在1980年代，「發家致富」幾乎是改革開放的全部內容，無論是現代化或是其他目標，都要藉由發家致富、使社會富裕來完成。這可以說是那個時代大陸社會最重要的意識型態。在不知不覺中，人們對致富或暴富的追求越來越強烈，整個社會被商業利益裹挾著往前走，不顧動物生命賺錢的情況越來越普遍。例如，大量的豬、雞和其他一些動物甚至甲魚等，在宰殺前被注水增重賺錢。這種行為被視為損害了市民的「菜籃子」，所以才能進入公眾視野。注水是在動物還活著的時候做的，牠們在被屠宰前還遭受虐待。人們買了活雞殺了之後發現，牠的體內被注入很多髒水汙物，就因為增重可以賺錢。

　　到了1990年代，急遽的商業化和賺錢欲望，使得虐待動物的現象更廣泛發生，不只是豬、雞被注水，牛羊活體注水增重也開始出現了。這些現象越來越普遍，卻很少得到有效制止，也很少被認為是殘忍行為。在飼養、運輸和屠宰過程中，大量動物遭受折磨，但這些情況隱藏在暗處，被遮蔽在日常生活之外。如果不想看到，可能永遠不會被看到。我注意到這些情況後，就開始拿起筆描述這些事情。豬、雞、羊等養來供人吃用的動物，難道可以隨意糟蹋而無需善意對待？動物有感知力，知道疼痛和安適，不應該被如此虐待。我發出的聲音雖然小，但是我相信，社會裡有了這樣的聲音，與沒有是不同的。

　　對我而言，同情是起而行動的最好動力。

　　總體上看，商業化衝擊下的中國社會，對動物的利用和虐待包

含兩大部分。一部分是對野生動物棲息地的破壞，對野生動物的濫殺販賣和吃用，包括馴養繁殖野生動物野蠻利用，最著名的例子是活熊取膽、虎的吃用和馴獸表演等；另一部分是對各類家養動物的虐待，如密集式飼養動物、野蠻運輸、屠宰前和屠宰過程中的虐待、對伴侶動物的棄養虐待，動物實驗、娛樂體育業對動物的傷害等。這些事情都激發了人們的思考和關注。

　　陳：「護生學社」的宗旨是什麼？

　　莽：護生學社成立於2002年。宗旨是倡導無殘酷的文化，培育良知和同情，以不忍之心關懷自然萬物，以溫和的態度處理世間事務，減少社會裡的暴戾氣息。這些理念得到了一些朋友的認同，所以就用護生學社的名義做一些活動，主要是關注動物在人類社會中的處境，研究人與動物的關係，希望用行動促進改變。不過，後來我更樂於用「中國動物園觀察」這個項目來開展活動。這樣我也逐漸從書齋走向社會，參與到動保教育和動保運動裡面去。

　　回想這個過程，應該說，只是順勢而為。我在1990年代已經寫了一些愛護自然和動物的文章。這些文章在1999年集結出版，書名是《綠色生活手記》。其中一篇題為〈走進動物園〉，記錄了我1995-96年在北京動物園的觀察和我對人與動物關係的一些看法。這篇文章寫好後投給《中國青年報》的「冰點」欄目，它的主編是李大同先生。他後來打電話跟我說，編輯部對要不要發表這篇文章有激烈爭論，有些人認為，人的事情還管不過來，哪有時間去管動物的事。當然，他最後還是決定發表這篇文章。〈走進動物園〉以整版篇幅刊登在1996年6月11日的《中國青年報》上。沒想到文章刊出後，全國各地很多讀者寫信或打電話到編輯部，表達他（她）們的感受。由此可見，人們對受虐動物的同情心其實是很強烈的。如果有適當機會，人們就會表達自己的關切。

　　《綠色生活手記》出版後，我著手編輯叢書，以「護生文叢」出版。「護生」這兩個字，取自豐子愷的《護生畫集》。護生思想是中國本土的佛教資源，與當代生態保護理論或動物權利思想並不完全契合。但我覺得「護生」這兩個字，很有力地彰顯了人在保護動物過程中的作用，本土民眾很容易理解。無論是尊重動物權利，還是愛護動物，都要付諸努力。後來成立護生學社，也是延續了這個想法。

二、通過記錄，促進改變

　　陳：「中國動物園觀察」發起了哪些活動？

　　莽：「中國動物園觀察」是我在2003年創立的一個社會實踐項目，主要招募大學生志願者，對中國的動物園進行田野調查、記錄和研究，旨在改善圈養動物的福利。促使我關注動物園問題的起因，是當時野生動物園大量出現，各地爭相建設具有企業經營性質的野生動物園。急遽擴張的動物園在技術和資金方面都很短缺，卻要圈養大量國內外珍稀野生動物。這些動物真的很遭罪。他（她）們來自地球不同的緯度和經度、不同的氣候條件，生活習性差異極大。很多動物在捕捉和販運特別是長途運輸過程中，就被折磨死了。活著到達動物園的，也會因為條件限制而遭遇種種不適。

　　中國大量進口野生動物，讓真正的野生動物變為動物園動物，也導致一些國家對野生動物的盜獵濫殺，對全球野生動物保護破壞很大。這是野生動物園的「大躍進」。這個野蠻的「大躍進」幾乎沒有受到任何約束。野生動物園比一般城市動物園的商業性更強，它設計的項目全都是為人所用。動物表演在野生動物園裡廣泛出現，馬戲團很快就在這裡找到了大規模上演的舞台。野生動物園還

發明了一些血腥項目如活體餵食猛獸，就是把活牛、活羊等推到虎、獅群裡，渲染虎牛大戰，慫恿遊客觀看。

這些現象的出現，與1992年頒布實施的《陸生野生動物保護實施條例》為商業利用野生動物打開大門密切相關。從1993年到2003年，大陸興建了二十多家大型野生動物園，圈養野生動物達十多萬頭（隻）。我當時正在研究宗教與生態倫理的關係，極其關注這些動物的處境。我希望通過團隊志願者的田野調查來記錄動物園動物的生存狀況，為公眾和政府相關部門提供真實資訊，呼籲改善這些動物的境況。通過記錄和呈現，促進改變。這是創立「中國動物園觀察」的初衷。

當然，改變是非常困難的，要付出艱苦的努力。從2003年開始，我在一些大學的環保社團演講時，都會談到動物園動物的處境，希望更多大學生參與社會調查。後來很多學生參與其中。參加田野調查的學生利用寒暑假回自己家鄉去調查動物園的現狀，他（她）們反饋回來的情況非常令人擔憂。動物園裡的動物通常得不到良好照顧，商業利益總是第一位的。動物表演極其野蠻，那些馴獸師完全違逆動物的天性，毆打是公開的。觀眾到了動物園，馬上被引導去觀看動物表演或活體餵食。2003年前後，在野生動物園裡，活體餵食是最大的商業噱頭，非常殘忍。很多家長帶孩子觀看，有的孩子當場就被血腥的場面嚇哭了。這些情況都被學生記錄下來。

記錄下來之後還要呈現出來，讓公眾了解。我們在十多年間，做了多次動物園調查發布會和「無動物表演城市活動」，特別是在五一、六一兒童節、十一長假前後舉辦，每次活動的主題都有變化。針對北京存在的馴獸和動物表演，就做了多次「讓北京成為無動物表演城市」活動。

陳：「中國動物園觀察」的調查報告發表了嗎？

莽：2004年我們印刷發布了《中國野生動物園調查報告》。這是國內第一份針對野生動物園的調查報告，發表後被維基百科列為詞條。2011年第二次較大規模調查後，網路發布了《中國21家動物園調查報告》。

從2003年到2014年，前後有近33位大學生志願者參與「中國動物園觀察」的田野調查和記錄。這些學生非常出色，富有同情心，有敏銳的心靈和觀察力。最早一批志願者主要有四位學生，他們在世界動物保護協會的支持下，做了很細緻的田野調查。這是我們撰寫2004年《中國野生動物園調查報告》的基礎。

2011年的動物調查報告是在經過一年多的調查後發布的。2010年國家林業局和住建部相繼發出「通知」或「意見」，要求動物園停止虐待動物的動物表演。這對於阻止動物園過度利用動物，具有重要意義。但是，各地動物園是不是遵守這些規定？動物的處境是否會因為這些要求而改善？這是需要公眾去監督的。所以，「中國動物園觀察」的志願者在2011年寒假、暑假和節假日，對全國多家動物園，包括野生動物園、城市動物園、三級市區小動物園等進行了實地觀察，做了大量的影像和文字紀錄。

根據這些調查，我們撰寫了2011年的動物園調查報告。結果表明，馴獸與動物表演並未有效遏制。在被調查的動物園中，有50%的城市動物園、91%的野生動物園和89%的海洋館，仍存在各種類型的動物表演。野生動物園基本沒有停止馴獸和動物表演活動。後者對志願者詢問「為何不停止動物表演？」的答覆是：野生動物園歸林業部門主管，不必停止動物表演。他們似乎享有奴役、虐待動物的特權，但這特權是誰給的？每一次調查真相呈現出來，都會引起社會和有關部門的注意，但是改進卻非常困難。在中國社會，虐待動物的情況已經存在很久了，而社會大眾其實很健忘，主管部門

也常常站在商業利益一方。所以,那些欺壓動物的企業總是能夠大行其道,惡劣的活熊取膽、老虎吃用、野蠻馴獸等行業可以長期存在。

在這種情況下,不斷地調查、記錄與呈現,是關心非人類生命的處境、關心囚籠中的動物的人一定要做的事情。我們應該把受盡折磨的動物的故事,記錄下來,講出來,留在歷史裡。

陳:動物園調查報告發布後,有比較正面的進展嗎?

莽:2004年10月,我們撰寫了《中國野生動物園調查報告》,並舉行了一場報告發布會。這份圖文報告對於濫建野生動物園對生態的影響,動物園的剝削動物項目,以及所謂的野化訓練(用活體動物餵食猛獸)等,都有記錄、分析和批評,很有分量。當時媒體報刊有很多報導,引起頗大反響。報告印刷版遞交國家林業主管部門後,他們出面協調25家大型野生動物園在昆明開會,每個與會者都拿到一份調查報告。據說經過激烈討論,這些野生動物園達成協議,在2005年3月聯合發表了《全國野生動物園保障動物福利承諾書》,承諾不再用大型活體動物餵食猛獸。這個承諾的意義是很正面的。至少,以活牛投餵獅虎的血腥活動逐漸銷聲匿跡。但以小型動物如活雞活鴨投餵猛獸的情況,在一些動物園仍持續存在。馴獸和動物表演、合影拍照等,仍沒有受到任何限制。

2011年後舉辦的多次活動,也包括呼籲停止在國家體育館「鳥巢」進行虐待動物的大馬戲團馴獸表演,以及呼籲北京成為無動物表演城市。前者使鳥巢停止了這類展示殘忍的馬戲活動;後者則有效地降低了野生動物園內一些嚴重虐待動物的表演活動的虐待程度。例如,野生動物園馬戲表演中對老虎傷害極大的老虎鑽火圈節目被多次曝光後,這兩年已經觀察不到。當然,最重要的改變是,動物園動物的處境被不斷地呈現出來,引起公眾的同情和社會的關

注。改變就孕育在其中。

我主持「中國動物園觀察」這麼久之後，更傾向於認為，觀察動物園其實就是在觀察一個社會。動物園動物的處境，映照出的是一個社會裡的人的狀況，他們的精神面貌和他們受物欲控制的程度。一個社會對鄙俗、奴役和欺壓弱者習以為常，又怎麼會善待動物園裡的動物？

三、對動物福利的誤讀

陳：在大陸，您是較早提出「動物福利」概念的學者。以您的觀察，這概念的社會接受度高嗎？

莽：實際上，在1990年代寫作《綠色生活手記》時，我沒有用到這個詞。大陸民眾對「福利」一詞的理解，完全是「額外利益」的意思，而不是「基本保障」。這與中國的國情相關，所以我盡量避免使用「動物福利」概念。

2001年以後，我的一些文章用到了「動物福利」。我希望用動物福利這個詞來確切地表達滿足動物基本需要和防止虐待之意，而沒有給予動物額外利益的意思。那時動物福利這個詞仍然很新潮，會引起社會爭論。很多人認同讓動物不受虐待或減少痛苦，但卻覺得「福利」不應該加在動物身上。這個落差很有意思。其實，動物福利只是對不要虐待動物的一種更積極的提法，除了不要虐待，還包括滿足動物的基本需要，包括身心的需要。

大概在2005年春天，一位研究動物權與人權問題的莫菲女士曾就中國的動物福利狀況向我諮詢。她的疑問是，動物福利只是給予動物最基本的照顧，對消費者和動物以及動物擁有人都有極大的益處，為什麼在中國實行起來這麼難？動物福利立法維護的主要是動

物不受虐待的基本權益，是一件文明的好事情，為什麼在中國人看來就是匪夷所思？我告訴她，動物福利引起那麼大的爭議，首先跟「福利」這個詞彙有關。在中國，「福利」這個外來詞代表的是少部分人享有的生活利益。在前幾十年，這個詞更代表了只有城市國家職工才享有的額外利益。這些額外利益有多有少，但在人們的印象中，福利就是一個工作單位好壞的代名詞。福利在中國從來就是一種稀罕物，從來就不是全體人民享有的公共物品，更不是照顧弱者利益的物品。

　　莫菲聽到這裡趕緊說，在英美國家，福利也不是全體人享有的利益，只有窮人才享有「福利」，比如領取最低生活保障金等，但是能夠自立的英國人美國人羞於去領。孩子有福利，因為還沒有成年，需要照顧；動物也一樣，需要照顧，所以有動物福利問題。你看，語意恰恰相反：在那些國家，福利是給予弱者的利益，而在中國，福利卻成了少部分人的紅利。所以我跟莫菲說，中國社會還沒有進入動物福利的實質性討論，光這個詞本身就足以引起騷動了。聽了我的解釋，莫菲才恍然大悟：「原來在中國，福利是一個大紅包（bonus）呀，那你怎麼能說給豬一個大紅包呢？」

　　這就是為什麼「動物福利」在中國很難被普通人接受的原因：人還沒有福利呢，給動物福利？實際上，如果福利只是對缺少能力者或失去勞動能力者甚至下崗者給予的最低生活保障，是給予兒童的全面保障等，而不是國有單位、特別是大型國有機構或企業發給員工的額外現金或實物，國人就不會對「福利」一詞如此敏感和羨慕。對於保障動物基本利益的動物福利理念，大概也不至於產生那麼大的誤解和牴觸了。

　　動物是人類社會的犧牲品，在現代社會生活中是極弱者，處於被壓迫、受虐待甚至隨意宰殺的地位。講求動物福利，也只是給予

人類飼養、管護的動物在其生命的各個環節，包括最後的屠宰環節，以基本的福祉關懷，減少虐待和傷害；對於伴侶動物，要求飼主盡到照顧之責；對於工作動物，在滿足牠們的基本需要外，要規定適度的工作量和工作時間，避免虐待，等等。總之，動物福利滿足的是動物的基本需求和利益，防止的是不必要的痛苦和傷害。

四、從書齋到社會只有一步之遙

陳：您從書齋裡的一位學者，逐漸介入實際的動保議題，近年來還參與推動中國動保法律的變革。能否進一步分享您的經驗和心得？

莽：近三十年來，中國社會發生了巨大變化。「一切向錢看」變成了通行的原則，這個變化對人心的衝擊是百年未有的。在這個過程裡，對動物的大規模傷害和暴虐利用是顯而易見和極其嚴重的。社會道德低下和法律缺失，都加劇了這種情況。即使在書齋裡，也無法視而不見。

其實，從書齋到社會只有一步之遙。

2003年，有報導說北京大興區要修建一座大型鬥牛場，引進美式鬥牛（rodeo）和西班牙式鬥牛。我看到後撰寫了文章，講鬥牛的殘忍性。西班牙鬥牛的殘忍大家似乎比較容易理解，而美式鬥牛就覺得又不殺牛，似乎可以引進。其實，美式鬥牛對牛的傷害同樣嚴重，同樣要使用刺激牛的傷害性器械。引進這類比賽會帶動各地殘害動物的賽事，也不合乎傳統文化的仁愛精神。我和自然之友的李小溪商量，寫出一份議案，請當時的北京市人大代表吳青先生過目。吳青代表很樂於提出這項議案，她建議停止興建大興鬥牛場，並把議案提交到北京市人大。2004年全國兩會之前，我把文章給梁從誡

先生看，梁先生非常贊同。他也在全國政協會上提出「提案」，呼籲不要引進鬥牛比賽。最後，大興區政府從善如流，勸說投資商改變了興建鬥牛場的初衷。

這件事情，梁從誡先生和吳青先生都表現出深度關切，都在力所能及的範圍內發出呼籲。這兩位先生都是我們社會裡最肯於行動的知識分子，關心環境和動物問題，富有同情心。梁先生去世後，我非常懷念這位前輩。

後來在2011年，我又參與了新一輪要求取消美國西部牛仔競技賽進入中國的活動。這次要在北京的「鳥巢」，在十一期間引進美國西部牛仔競技賽，包括騎牛、套牛犢、繞桶等項目，專案設計有高額的獎金，還計畫現場電視全球轉播。據說要「連續八天，讓中國人不出國門就見識美國西部牛仔文化」。這項競技賽事竟然是中美文化交流項目，由數個機構與國家體育場鳥巢合辦。但這次民眾反對的聲音也很強大，數十家國內動保社團聯合發出呼籲，眾多社會人士參與，要求停止引進此類野蠻賽事。

證據顯示，早已脫離了傳統農牧生活的所謂西部牛仔競技，是金錢獎勵下的商業比賽，追求的是感官刺激和征服欲，對動物的摧殘觸目驚心。為了達到娛樂效果，要以電擊刺激馬或牛，而公牛和馬的陰部會被一根帶子緊緊勒住，迫使牠們因劇痛而猛烈彈跳。動物們被牛仔用馬刺踢踹或經過繩索猛勒後，往往遍體鱗傷。例如，在套牛犢比賽中，牛仔拋出繩套，套住奔跑中時速達30英里以上的小牛，恐懼萬分的小牛會猛烈掙扎，脖子、喉嚨和氣管都會受到嚴重傷害，往往當場死亡或在表演結束後痛苦地死去。一位有30年經驗的美國權威獸醫哈勃說：「我曾看見過那些參加牛仔競技的人把動物送到罐頭加工廠，那些牛簡直是體無完膚，只有頭部、頸部、腿部和腹部的皮還與肉黏在一起，有的動物斷了六到八根肋骨，把

肺都刺穿了。」這是何等野蠻的賽事！一些商業機構以為中國沒有
動物保護法，就可以任意胡來，甚至想在中國大規模推廣。

　　最終，所謂牛仔競技賽事沒能進入中國，也沒能在鳥巢展演。
由這件事情可以看到，中國社會已經發生了變化，民眾的觀念也在
轉變。舉辦或引進活動要順應民眾觀念的變化。公眾不忍再看到傷
害動物的娛樂，這就是變化。

　　陳：關於密集式飼養動物的動保議題，近年來有何發展？

　　莽：2005年，我主持的「環境與動物倫理研究小組」（EAEG）
與政府屠宰主管部門和世界農場動物福利協會（CIWF）一起主辦了
「2005年生豬屠宰和福利論壇」。那時候，我主編的「護生文叢」
已經出版了八種書，其中《為動物立法——東亞動物福利法律彙編》
一書，收入東亞一些國家和地區的有關法律文本，也把英國、德國、
挪威的動物福利法律作為附錄放入書中。在編選這本書的過程中，
我與CIWF的首席執行官Joyce D'Silva女士有一些溝通。當時，中國
的畜牧養殖業正在迅猛發展，大量動物在飼養、運輸和屠宰過程中
遭受嚴重虐待。所以，我與小組成員王培一起，希望推動CIWF與中
國有關政府部門的合作，改善農場動物的福利狀況。

　　近幾十年，家養動物的概念完全改變了，因為不再只是鄉村社
會裡才有家畜飼養。現代工廠式密集飼養場裡，經濟動物被像是產
品一樣對待。牠們的動物屬性越來越不被看重。這些數量巨大的動
物不再屬於某個家庭，而是屬於工廠一樣的飼養場。這些動物沒有
改變，儘管被迫速生速死，牠們仍然是動物，能夠感受疼痛、安適
和恐懼。改變的是人對待動物的方式。這些農場動物非常需要關懷，
哪怕只是在飼養、運輸和屠宰過程中給予一點仁慈對待。

　　CIWF聯繫了很多有經驗的動物福利專家、實踐者和教授，希望
向中國業者傳授如何在滿足動物基本需求的情況下飼養、運輸和屠

宰，以幫助中國相關行業善待經濟動物。當然，這次論壇先從豬的
飼養、運輸和屠宰開始，再推廣到牛羊。在CIWF的大力支持下，就
有了「2005年生豬屠宰和福利論壇」。

在參加論壇的學者和實幹家裡，有一位英國劍橋大學獸醫系動
物福利教授Donald Broom。他在1986年成為世界上第一位動物福利
科學的教授，擔任世界動物衛生組織陸地運輸動物福利小組的主
席，還做過歐盟動物福利科學委員會的主席。Broom教授極富教養，
有英國人的溫和風趣。他在參加會議安排的參觀北京最大生豬屠宰
場的活動時，帶了全副深入屠宰場所需的裝備，包括一雙高腰膠靴、
一身工作服和一副類似風鏡的眼鏡。他對於屠宰動物的各個環
節——如何不使用暴力導引動物到屠宰地，如何使用二氧化碳或電
致暈，讓動物在屠宰前快速昏厥，以便動物在無知覺情況下被宰殺
等，都極富經驗。他寫的《動物應激與動物福利》是一本很有用的
書。

但到了屠宰場後，場方沒有安排我們進入生產車間。這些有經
驗的專家和實踐者只是沿著這家大工廠為消費者參觀而建的玻璃通
道轉了一圈，看了展板和掛著已經分為兩半的豬屍。至於活豬怎麼
進入車間、怎麼被屠宰，根本看不到。我們都很失望，穿著高腰橡
膠靴的Broom教授當然最失望，他說，我穿著這身衣服和靴子是要
進入車間的，可不是在華麗的玻璃通道裡轉悠的。主管者私下跟我
說，咱們是自己人，這個地方可不能讓外人進去，因為注水的利潤
太大了，企業都這麼做。由此可見，這根本不是技術問題，是人出
了問題。對暴利的追求和法律監管的缺失，使人變為非人，讓動物
無辜受到殘害。

這就是現實。那麼有利的條件和改善的可能，都被浪費了。狹
隘的觀念和暴利的衝動左右著這個領域，監管則嚴重不足。這時候，

中國的經濟動物飼養業正在以超過世界平均水準的速度發展著。到
2005年，中國生豬出欄量已達6億多頭，豬肉產量已是世界第一。根
據中國肉品協會公布的數字，在2003年，中國肉類生產已占全世界
總產量的27%，居世界第一。2007年，生豬出欄量是7億頭。中國早
已成為名副其實的肉類生產大國，但是在經濟動物飼養、運輸和屠
宰的各個環節，能夠體恤動物處境而加以改善的措施卻少之又少。
我們的確太吝嗇，吃用動物卻不為動物著想，壓榨、剝削動物的花
樣卻推陳出新。

　　大概也是這時候，國家開始制定《畜牧法》，要保障肉品安全。
據報導，全國人大常委會首次分組審議《畜牧法》草案時，一些常
委和畜牧專家主張增加動物福利的內容，所以草案中出現了「國家
提倡動物福利；畜牧獸醫行政主管部門應當指導畜牧業生產經營者
按照動物福利要求從事畜禽繁育、飼養、經營、運輸等活動」這樣
一條。這有益於減少動物虐待，又能夠保障廣大消費者的健康，但
到了2005年年底，全國人大常委會會議卻建議刪去這條規定，理由
是「『動物福利』的含義不夠清楚，法律中以不使用這種含義不清
的表述為妥」。

　　就這麼一條沒有強制性的規定，也被立法機關建議刪去。我當
時在《新京報》寫專欄，馬上寫文章回應。我在文章裡說，動物福
利的概念是非常清楚的。它有兩個重要原則：一個是防止動物遭受
不必要的痛苦；一個是要滿足動物的基本需要。這兩條原則完全適
用於動物飼養、運輸和屠宰等各個行業，而且最終都有益於肉類消
費者。在今天的世界上，許多國家無論窮富，都有了與動物福利相
關的立法。一些國家有專門的動物福利法，比如挪威、美國、菲律
賓等；另一些國家則在相關法律中加入動物福利條款，以防止虐待
動物，比如新加坡、馬來西亞、斯里蘭卡、伊朗和幾乎所有歐洲國

家;至於防止虐待動物的法律,則早在1822年就已經出現了。

　　一些國家的相關法律還隨著時代變化不斷修改,以使法律能夠在現代密集式養殖業中對動物加以保護。比如,瑞典近年制定的《牲畜權利法》規定:不能用過於擁擠和窄小的籠舍養雞;在夏季必須把牛放到戶外吃草;豬的欄舍要鋪稻草以滿足其天性。這些規定都是既對動物好也對人好,但在中國卻被看做可笑之事加以諷刺。時至今日,且看看我們國家的豬和其他經濟動物的處境,再看看巨大的食品安全危機,更不要說眾多死豬漂流黃浦江等奇聞了。當初畜牧專家的意見,如果被認真看待,可能就會避免大面積地發生此類事情。

　　2007年,國務院法制辦發布《生豬屠宰管理條例草案》,徵求公眾意見。既然徵求意見,我就認真寫了建議。這個條例是關於活豬屠宰的,卻沒有對活豬加以界定,而只是對「生豬產品」加以界定,這就有點不對頭了。如果管理者和屠宰者只見生豬產品,而不見活生生的豬,就很難善待這些動物。所以我建議要在立法主旨中規定「豬是溫血動物」或「人工飼養的哺乳動物」。另外,這部條例雖已提出屠宰動物應該符合動物福利要求,但缺乏具體規定。我建議增加具體規定以便操作者遵守:一是對被屠宰動物要進行隔離屠宰、避免恐懼;二是屠宰前要有致昏措施(二氧化碳致昏或電擊致暈),盡量在動物沒有知覺後再進入屠宰程序。這就是無痛屠宰或人道屠宰的基本內容,可以依此制定具體的操作規範。不要小看了這一點點仁慈。業者如果實行屠宰前致昏做法,可以大大減輕數億隻豬臨死前的恐懼和痛苦,減少應激。消費者也可以獲得更健康的肉品。我們早就應該有一部像樣的仁慈的屠宰條例。

　　制定一個主旨清楚、規定細緻的活豬屠宰法規,將有助於推動其他較大型動物如牛、羊等的人道屠宰。這也是一個國家擁有良好

治理的體現。可是，這些意見卻沒有一條被接納，這算什麼徵求意
見？只是表面文章走走程序而已。在中國的立法過程中，缺乏有效
的溝通和制約機制，法律制定者的意志決定一切。不難想像，在這
種情況下制定的法律法規，常常會受到行業利益和部門利益的左
右。在動物保護法律上，這一點特別明顯。這的確顯示出國家治理
上的缺陷，為弱者和非人類生命考慮太少，缺乏仁慈。

五、法律引導人心，善治需要法律

　　陳：您參與推動動保相關法律的修訂，能否談談這方面的努力？
　　莽：看到如此多的虐待動物的狀況，就會想去推動法律的改變，
這應該是很自然的。如果在一個社會，傷害、虐待動物的成本太低，
事實上就會放任甚至鼓勵虐待動物。其實，法律不僅具有懲罰性，
還具有引導人心的作用。這一點被我們的立法者大大地忽視了。
　　我從1997年開始撰文呼籲制定《反虐待動物法》。2002年因為
清華大學學生劉某用硫酸、火城潑燒北京動物園黑熊事件，又寫了
一些文章，述及立法保護動物的迫切性。劉某傷害五頭熊的殘忍行
為當時引起公憤，警察在第一時間將他抓捕歸案，公眾也很自然地
認為，故意傷害動物是一種犯罪行為。但法律學者們卻發現，在中
國法律裡竟然沒有一個適合的罪名起訴劉某，最後只好以毀壞財物
罪起訴他。這個結果讓公眾、包括抓捕他的警員都很難理解，甚至
感到失望。這本來是一個很好的制定《反虐待動物法》的時機，因
為大眾在當時的認知是比較明確的。
　　陳：結果，錯過了那個時機？
　　莽：是的。記得電視裡一位接受採訪的老人說，你一個大學生
去殘害動物，太不應該了，罪過。這是一種很樸素的倫理認知。其

實在中國，一直存在一些婦孺皆知的反對傷生害物的基本道理。這些道理歷經千百年傳到今天，是我們社會基本觀念的一部分。這一點從社會大眾對劉某案的態度裡可以清楚地看到。這是保護動物立法的民意基礎。

同樣在2002年，一些深圳的小學生在世界環境日發出稚嫩的聲音，懇請人們善待動物，不要折磨牠們。這些小學生在菜市場裡看到殺雞場地與活雞籠子靠得很近。殺雞人靠近雞籠，雞就很恐懼往後躲。他們又看到殺豬場裡待宰的豬在聽到被殺的豬嚎叫時，都嚇得背對著躲到一邊，有的豬哆嗦到無法走路。所以，孩子們請求「不要在活的動物面前宰殺動物了」。當時，這樣的倡議得到了輿論的積極呼應。

那時候，大規模偷貓偷狗野蠻食用的情況還沒有演成廣泛的違法犯罪，也沒有引致民眾對吃狗吃貓等問題的認知分裂。國際愛護動物基金會當時在中國、韓國和越南做了一次民意調查，詢問人們對待動物的態度。有90%的受訪者認為「我們對盡可能減少動物的苦難負有道德責任」；其中有77%的中國人和韓國人，以及90%的越南人表示「法律應該規定，動物遭受的苦難應該盡可能減少」。一些研究者認為，從調查結果來看，在這些國家為保護動物而立法的時機已經成熟。

但遺憾的是，立法機關並沒有及時回應民意和治理上的緊迫需要，為社會架起一道防止虐待動物和保護人心的法網。立法機構在制定保護動物法律上面的遲鈍與拖延，會對社會和國家的治理造成深層危害。這一點隨著整個社會的日益商業化將愈益明顯。在未來，如果還是遲遲不能為保護動物提供法律保障，殘害動物的暴戾氣息會更加漫延。而虐待動物的暴戾習氣終究會轉化到傷害人與人的關係。

　　陳：在修法與立法方面，最近有新的進展嗎？

　　莽：最近幾年，可以看到兩方面的變化。一方面，社會上反對
虐待動物、要求為保護動物立法的呼聲越來越高；另一方面，由於
食用貓狗現象增多，愛護動物人士開始阻攔野蠻運輸貓、狗的車輛，
因而產生一些衝突，引發社會爭議，應不應該食用貓狗、以及是否
應該立法禁止食用貓狗等議題成為激烈爭論的焦點。這些爭論從日
常生活的現場發展到互聯網上，各種觀點都有，有時顯得很混亂。
當然，這與國家沒有及時制定防止虐待動物的法律，從而有效地在
法律和道德上指引民眾有很大關係。

　　不過，今天中國社會對動物保護的認知，確實也已經有了長足
進步。最近幾年，越來越多的人大代表、政協委員提出議案和提案，
呼籲立法保護動物，防止虐待。一些法律學者和專業人士也開始關
注和介入其中。這些人士的發言和行動，對推動社會公眾對動物保
護立法的認知，起到了直接的作用。比如，2009年，一些法律學者
和動保學者共同發布了《中國動物保護法（專家建議稿）》。這是
一部非官方的動物保護法草案，由中國社科院法學研究所常紀文教
授主持的專家組起草。因為其中一些概念引起爭議，它後來改名為
《反虐待動物法》專家稿草案。這部草案引起了很大的社會反響，
以至於很多人以為中國已經有了這樣一部法律，其實這只是專家學
者提出的一個建議案。儘管是這樣，它引發的關注和討論對推進反
虐待動物立法有很大的幫助。

　　2011年3月，針對福建企業「歸真堂」的活熊取膽事件，又有十
名法學家聯名提交給全國人大常委會的公開呼籲書，要求儘快著手
制定動物保護的法律。他們認為，動物保護法的缺失意味著這一領
域中缺乏有效的法律指引，使得大量殘酷對待動物的行為無法被有
效地遏制。在此情況下，制定一部保護動物基本利益、禁止所有對

動物的不當傷害和殘酷行為的法律，已是急迫而緊要的事務。

2012年2月，活熊取膽企業「歸真堂」無視社會輿論的強烈批評，再次要求上市，這立即引發公眾新一輪的鄙視和憤怒。大陸第一家動物保護公益基金會「它基金」，馬上聯合72位社會知名人士正式致函證監會，反對歸真堂上市。數萬網友則在歸真堂的新浪微博上齊聲喊「滾！」——這是真正來自民間的聲音。在政府不能為保護動物免遭虐待提供正式制度的情況下，自發的民間意見表達、動保組織的活動，還有各方專業人士的參與，更顯得彌足珍貴。他們除了向各種虐待動物的人和事施加壓力，令其有所收斂，也切實地推動著中國的動物保護事業，包括動物保護立法。當然，在立法這個環節，民意代表有著不可取代的作用。

陳：人大代表能起到何種作用？

莽：應該說作用還是很大的。提出制定或修改法律議案是人大代表的重要職責，也是立法的程序之一。近幾年來，幾乎每年兩會期間，都有全國人大代表、政協委員提出關於保護動物立法的議案和提案。僅我知道的，賈寶蘭委員、敬一丹代表在2010年、2011年都提出過。賈寶蘭當時是《讀書》雜誌執行主編，也是我很早前認識的朋友。對社會中存在的虐待動物行為，我們都覺得應該有所作為。我給她一些有關活熊取膽的資料，她認真做了研究，在2010年提出反對活熊取膽的提案，同時還提出了禁止活剝狐狸皮等四項建議。2011年，敬一丹代表聯名35位人大代表提出修改《野生動物保護法》議案。實際上，二十年來，不斷有修改《野生動物保護法》的建議議案。2003年「非典」爆發後，許多人大代表強烈呼籲應全面禁止食用野生動物、儘快修訂《野生動物保護法》。2013年，全國人大代表、南昌航空大學副校長羅勝聯聯名36位人大代表一起提出修改《野生動物保護法》議案，終於被列入全國人大的立法工作

計畫。

2015年兩會期間，有更多全國人大代表和政協委員提出議案和提案，要求儘快制定《反虐待動物法》和修改《野生動物保護法》。著名蒙古族歌唱家騰格爾委員提出「國家應儘快實施反虐待動物法」議案。這項議案在兩會官方網站的「提案議案大家談」欄目上一經發布，數天內支持者就達到幾十萬，十天之後則達到令人吃驚的100多萬。另一位人大代表方孝天提出反虐待動物法議案（含反對食用狗肉建議），網上支持者也達到幾十萬人次。此外，全國人大代表羅勝聯教授特別提出，在《反虐待動物法》制定之前，應儘快修改《中華人民共和國治安處罰法》，將處罰虐待動物行為的條款納入該法。羅勝聯代表已經連續三年提出修改《野生動物保護法》議案。我跟羅教授有一些接觸，我們對於保護野生動物、修改《野生動物保護法》的迫切性深有同感。

陳：關於《治安處罰法》，要求增訂的處罰內容有哪些？

莽：代表提出的主要增補建議是：對於故意對動物造成不必要傷害的虐待動物行為，例如遺棄、餓死家養動物；以活剝皮毛、活燙、活埋、毒殺等方式虐殺活體鳥獸禽畜或在公共場合殘害、暴打、宰殺鳥獸禽畜動物；以在道路上拖行或高空拋摔等方式傷害活體動物；以暴力方法強迫動物進行表演、打鬥、比賽來牟利或娛樂；給實驗動物造成超過實驗需要的傷害、饑渴、不適、驚恐、疾病和疼痛；非規範使用無主流浪動物實驗，並將實驗後動物棄置或買賣；採用密度過高、通風不暢、長時間不提供飲水等方式來運輸動物，致被運輸動物受傷或死亡；以娛樂或盈利為目的，拍攝、製作、傳播虐待動物的書刊、圖片、影片、音像等製品和資訊；分別情節輕重，處以罰款和15日以下拘留。

陳：在《治安處罰法》中增補處罰條款是出於何種考慮？

莽：修改《治安處罰法》，把動物保護的內容放進去，是一個
新的想法。如果有了一般性的《動物保護法》或《反虐待動物法》，
對《治安處罰法》這部分的修改可能也就不需要了。不過，制定一
部新法總是很難。在目前情況下，《反虐待動物法》或《動物保護
法》還沒有提上立法機構的議事日程，要走出這一步恐怕還需要相
當一段時間。因此，通過修改《治安處罰法》來回應動物保護的要
求，將虐待動物行為視為違法，加以行政處罰，雖不能完全令人滿
意，但是可行性更高。這對推動制定《反虐待動物法》或將虐待動
物行為入罪，也應該是重要的一步。

陳：《動物保護法》或《反虐待動物法》立法困難的主因是什
麼？

莽：動保立法遲緩和困難是個複雜的綜合性問題，這個問題與
中國大陸當下的政治、經濟、文化與社會狀況密切相關。單從認識
上講，仍有許多人包括立法者在內，還看不到為動物利益立法的必
要，甚至認為照顧動物的利益和實現人的利益是彼此矛盾的訴求。
我們經常會聽到這樣的說法：「人還顧不過來呢，哪裡還顧得上動
物？」或者，「人的福利還沒有得到完全保護呢，怎麼能為動物福
利立法？」這種觀念雖經不起推敲，卻成為拖延動物保護立法的有
效托詞。其實，為保護動物不受虐待而立法，關注動物福利，在人
與動物之間建立更和諧友愛的關係，不僅會養護人心，提升社會的
文明程度，也會改進人的生活品質。從世界各國的經驗看，保護動
物的權利和福利會促進人權的改善，而忽視動物福利、習慣於虐待
動物，往往容易造成對人、特別是對弱者的不公正。可以說，人權
與動物權是相互促進的。

造成立法困難的另一個重要原因，與大陸經歷的發展階段有
關。過去三十多年，中國社會的主題就是發展，所謂「發展是硬道

理」。各地政府競相招商引資，官員升遷也以GDP為最重要的考核指標。在這種情況下，為了發展經濟可以犧牲環境，犧牲勞動者的健康，那犧牲動物就更不在話下了。許多通過殘酷利用動物以謀取商業利益，為降低企業成本而無視動物福利等行為，都因為與經濟發展以及就業和稅收相關，而得到政府的容忍甚至鼓勵。《野生動物保護法》遇到的問題部分也與此有關。

陳：《野生動物保護法》是已經存在的法律，但按您前面的描述，它幾乎是為了促進商業性利用野生動物而設的。

莽：《野生動物保護法》是大陸最早也最重要的野生動物保護立法，但是這部法律的出發點，不是基於野生動物自身的利益和福祉，甚至也不是保護動物棲息地和生物多樣性的完整性，而是人的經濟利益。在立法者眼中，野生動物只是可供人類利用的自然資源，為野生動物立法，就是為了合理地開發和利用這部分資源。立法者的這種認識，同上面說的經濟發展觀念完全一致。

這一方面大大削弱了這部法律保護野生動物的實際效果，另一方面則阻礙而不是促進了這裡所說的動物保護立法。既然野生動物尤其是珍稀野生動物需要保護是因為它們有經濟價值，那麼，那些沒有經濟價值或者經濟價值微不足道的家養動物，就沒有必要特別立法予以保護了。這種區別性對待，暴露出一個重要盲點，那就是沒有把動物，不管是野生動物還是馴養動物，看成是具有高度感知力的生命個體，因此也就沒有對動物的道德關切。在前述劉某虐熊案中，受到傷害的熊僅僅被看成是動物園的財產，加害人只可能因為損害了他人財產而被告訴。出於這種思維，對馴養動物的傷害通常只是財產所有者之間的糾紛，不被認為涉及公益，所以自有民事法解決，而不需要另外立法。

跟上面這些情況相關，我們的社會教育裡嚴重缺乏尊重和關懷

生命的內容，動物福利方面的知識也還不夠普及，對人與動物相互
關係的認識和理解還很不足。這也是阻礙制定動物保護法律的原因。

　　但是，也應該看到，中國社會已經發生了很多變化，動物保護
立法距離我們越來越近了，儘管仍有各種阻力。

　　陳：《野生動物保護法》的修訂有何進展？

　　莽：令人欣慰的是，這屆人大終於把《野生動物保護法》的修
改納入了立法工作議程。當然，這並不等於修改完成的法律能夠令
公眾滿意。人大代表連續三年提出議案，主要是針對《野生動物保
護法》的立法主旨，要求將保護野生動物物種及其棲息地、維護生
態系統的豐富與活力列為立法目標，要求禁止大規模馴養繁殖和利
用野生動物。其中，禁止食用野生動物的修改建議已經提出十幾年
了。羅勝聯代表的第三次議案，還針對法律修訂提出應擺脫行業利
益與部門利益制約，遵守國際保護野生動物的相關公約，並建議成
立野生動物保護諮詢委員會，增加社會參與。

六、新倫理與舊習慣的衝突

　　陳：大陸有沒有更激烈的動保「直接行動」，例如去破壞屠宰
場？

　　莽：我還沒有聽說破壞屠宰場的案例，但是有一些私屠濫宰虐
待動物的黑窩點因被舉報而被有關部門關閉的案例。近幾年，有些
關心動物處境的人士在火車站或高速公路上，攔截運送貓狗到屠宰
地去的車輛。它的背景是，從1990年代以來，中國鄉村城鎮普遍出
現貓狗被偷、被搶，並長途販運供人食用的情況。越來越多的人能
夠目睹那些被強塞進大卡車的貓或狗，一籠一籠一層一層，擁擠不
堪，在道路上運輸或在人群密集的集市、郊外被公開屠宰。現場的

情況一般都很悲慘。運輸中貓狗因擁擠、驚嚇、挨打和食水無法供應，受傷和患病的情況相當普遍。一些剛剛產下小貓小狗的母貓母狗奄奄一息，小貓小狗則直接掉落在箱籠底部，非常悲慘。是這些慘象逐漸讓公眾意識到事態的嚴重性，並刺激人們想要解救這些處於苦境的生命。2008年有個案例，在南京火車西站，貓販子把盜搶的5,000多隻活貓塞進低矮木箱竹籠，層疊堆放在站內，等待運往廣州。這些貓的慘叫聲響徹火車站，其中一些貓早已死在籠中，群眾驚恐報警求救。事件被媒體披露後，人們質問國有鐵路怎麼能幫助貓販子做這種傷天害理的事情。

　　二十多年來，使用毒餌、毒針、毒弓弩、槍械、棍棒、刀具等盜搶抓捕貓狗的犯罪已經越來越嚴重。很多村鎮居民因保護自家動物而被打傷打死。道路出現大量野蠻運輸貓狗與此種偷盜犯罪的聯繫極為密切。而遺憾的是，這種真正傷害人心的犯罪並未引起政府部門的足夠注意，因而引發公眾憤怒並激發人們救貓救狗的不忍之心，衝突常常因此而起。2011年4月15日，幾位愛護動物人士在京哈高速上，看到載有數百隻狗的大卡車，車上的狗慘不忍睹，就開始攔截。運輸現場的慘狀在網上發布後，引發百萬人的轉發和關注，並有數百名志願者聞訊趕到現場救援。他們選擇了報警，要求警方介入。這車狗品種不一，有寵物犬，也有鄉村犬，有的狗脖子上還栓有狗鏈，都備受虐待。中國小動物保護協會和首都愛護動物協會的代表與承運方和委託方交涉。經過僵持和談判，最終動物保護組織與企業合作用錢贖回了這車狗。

　　此事在網路上引起廣泛的爭論。人們為到底該不該救狗、該不該吃狗、以及高速路上救狗會否造成危險等，爭得難分難解。社會是一個複雜體，許多人還停留在舊時代，以為可以任意對待動物，可以吃狗就可以隨意虐待狗。另一方面，一種由不忍和新的倫理觀

主導的人群也成長起來。他們不願意再看到虐待動物者橫行無阻，也不願意看到虐殺吃狗現象。這可能與近二十年來城市養犬者越來越多，對狗生發出特別的不忍之情有關。以北京市為例，2009年寵物狗的數量據統計已達100餘萬隻，當年登記註冊的已達到54.3萬隻。現在，北京市養犬數量應該遠遠超過100萬隻了。由於俗稱「狗稅」的養犬註冊費對於普通市民來說還是太高，許多人不願意去註冊，因而實際養犬人的數量更多。

415救狗事件後，除了北京，其他許多省市也都發生了截車救狗或圍堵虐狗販子的事情。攔截志願者一般都會選擇報警，盡量與警方或政府部門合作，請求檢查檢疫證明等，也就是盡量採用合法手段解救備受虐待的狗。從攔截救狗的報導可以看出，在2013年以前，儘管檢疫較鬆，長途運輸狗、貓的販子檢疫證明造假的情況很多。

2013年，農業部下發〈關於進一步加強犬和貓產地檢疫監管工作的通知〉，要求各地動檢機關必須嚴格執行「一犬一證」的規定，以防止有病的個體傳染整批運輸中的動物。這個規定是從保護人民健康、防止動物疾病傳播的角度制定的，旨在防止跨省運輸業者數百隻狗只用一張檢疫證的情況。按照這個要求，恐怕沒有販狗業者持有合法合格的檢疫證明，因為那些來源不明的狗，到哪裡能夠開具檢疫證明呢？從這個意義上說，那些攔截貓狗運輸車輛的行動，防止了大量無檢疫證明的狗隻流入餐桌，結果不只是救狗，還是救人呢！實際上，根據許多獸醫的說法，即使是食用檢疫合格的狗，也有害人的健康。狗必須注射狂犬疫苗，否則不能通過檢疫，但是注射了狂犬疫苗的狗又是不能吃的。可惜，這些道理很多人並不了解，而政府也沒有盡到正確引導的責任。

由於缺乏動保法律，政府公權力又不理會此類傷害動物行為，所以，民間人士才訴諸直接行動。其實，動保人士和支持她們的民

眾,也不樂見以攔截車輛的方式來制止虐待動物行動。她們更多是希望國家制定法律來保護動物。從社會需求和國家治理的角度來看,中國確實應該儘快為全面保護動物而立法。

陳:近年來廣西玉林的狗肉節激起了各方爭議。在大陸,食用的狗大多是偷盜來的?

莽:在大陸,狗養殖場比較少,許多狗的來源不明。其實養狗並不容易,因為狗是肉食(雜食)和比較兇猛的動物,很難群養。對一些人來說,如果能從鄉村偷到狗,或在城市裡抓到流浪狗,就等於是無本生意。在大陸的狗肉市場上,據調查有相當比例,甚至高達70-80%是無法證實合法來源的。有些養殖場是從養寵物犬轉化來的,比如飼養大丹狗的。大丹狗是北歐一些國家的國犬,體型很大,非常聰明,跟人的關係非常親密。據說一些地方當作寵物犬或護家犬引進後,被養來吃肉。

前幾年,浙江金華湖頭和廣西玉林舉辦狗肉節,都遭到民眾抗議,引起網路聲討。蘆荻老師主持的中國小動物保護協會,曾在網上發起公開投票活動,其中表示「堅決抵制狗肉節!強烈關注將遭厄運的狗」的網友高達92%;贊成「一定要有所行動,阻止這種野蠻的習俗」占34%;同意「狗肉節和吃不吃狗肉跟我沒關係」的網友僅占2%。湖頭政府了解網路投票的情況後,進行了調查,最終決定取消狗肉節,當地大部分村民也支持這個決定。這贏得了民眾和網路民意的好評。

玉林狗肉節引起的爭議更大。隨著吃狗虐狗行為愈演愈烈,激起的衝突也愈發激烈。對玉林地方政府來說,狗肉節已經成了一個燙手山芋。由於國家對食品安全提出了更高的要求,所以,可能不得不對狗肉節有些限制。當然,如果不是徹底禁止就仍然會有業者和食用者。運輸宰殺的情況仍然會很暴力血腥。這等於鼓勵民間的

集體暴力狂歡。暴力無論對人還是對動物，它的性質沒有改變，都會給社會帶來極大的負面作用。吉林延吉是另一個吃狗肉比較集中的地方，已在相同壓力下發生了一些變化。照說，如果連檢疫的基本要求都達不到，那些被盜搶、毒殺的狗根本不應該進入市場。一些民眾即使不反感吃狗肉，但對食品安全還是在意的。隨著養狗居民劇增，會有越來越多的人不願意再吃狗肉。現在，國家越來越重視食品安全，因食品安全禁止食用貓狗一定會提上日程。

陳：吃貓的人多嗎？

莽：集中在一些省市，典型的如廣東廣西，其他地方也可能有，但比較少。貓的來源，可能更是流浪貓居多。還沒有聽說有飼養貓作為肉食的。其實，城市流浪貓常常是有人餵養的，可以說是有固定主人的。抓這樣的貓也是侵害餵養人的利益。在上海、北京、天津等大城市，都發生貓販子被群眾圍堵的事件。

陳：在大陸養狗的費用很高？

莽：在北京養狗，第一年要交1,000元管理費，以後每年交500元，養狗就要交這筆費用。說是「管理費」，實際也未見收費機關有何管理，更未見這些費用被用來為犬做絕育或宣導管理規則。在北京，1994年最初發布的〈北京市嚴格限制養犬規定〉限定只能養30公分以下的小狗，而且必須去公安局註冊，第一年註冊費5,000元，以後每年2,000元。這麼高的費用等於是不讓人養狗。很多人因為註冊費過高就不去註冊，但不去註冊，管理部門就說這些狗是違法的，查到要被打死。有時候是當街打死，很野蠻。

當時，這個政策引起全國各地城市管理者的仿效，也激起嚴重的反感。一些城市甚至制訂了更高的註冊費。像廣州，曾規定第一年註冊費10,000元人民幣。這些帶有懲罰性的規定極為荒唐，也很難執行，於是不繳費的養犬人越來越多，民怨沸騰。據估計，北京

市在2000年一年的註冊管理費，就有1億8千萬，但收了這麼多錢，卻沒有為養犬人做狗的節育和防疫，錢哪裡去了呢？完全不透明，民眾是很不滿的。所以，一些城市陸續開始修改限制養犬的規定或條例。2003年，北京也把限制養犬條例改為養犬管理條例。從「限制」到「管理」是一個改善，但養犬人需要繳的費用仍然不是小數目。另外，因為養犬規定中對狗的身高有限制，所以每過一段時間，有關部門就要查禁違法的大型犬。

據我所知，以前英國人養狗也收費，一些管理者認為收費也許可以增加主人對狗的責任心，就收15英鎊的費用。很多飼主認為這不合理就不去繳。實施了一段以後，管理部門發現通過收費來教育狗主人並不合適，不但沒起到作用，反而使很多飼主乾脆違法。最後英國一些地方管理部門決定，養狗的人如果善待狗，就算合乎法律了；但同時加強了對狗主人的管理，如果你虐待狗，就把你的狗沒收，還會懲罰狗主人。跟英國的例子對照，中國的「狗稅」奇高，但嚴重缺乏管理。近兩年雖然慢慢在調整，但問題還是很嚴重。

七、在爭議中前行

陳：大陸動保人士所關切的議題，還包括哪些？能否請您給讀者一個宏觀的圖像？

莽：動物保護團體有各種各樣的，關心的主題從野生動物到各類家養動物，很廣泛。一些動保團體是由救助身邊的貓狗開始，逐步也關注其他動物。例如它基金在成立之初，主要關注流浪貓狗議題，但現在已經擴展到了農場動物、野生動物等等，理念變為「所有動物都重要！」這個改變非常棒。一些社會人士創立的小動物保護團體，也對活熊取膽、獵殺野生動物、動物園動物遭受虐待等發

出反對聲音。這是一個很自然的變化，因為對動物的同情和關注是
會擴展的。看到流浪貓狗的處境，也會看到其他動物遭受的不幸。
在重大的保護動物問題上，大家的看法比較一致。像自然之友、錦
州黑嘴鷗保護協會等較早建立的自然保護組織，都會對毀壞自然環
境而危及野生動物的行為提出批評。一些新建立的充滿朝氣的自然
保護社團，如自然大學等，也關注此類問題，很有先鋒性。

　　近三十年來，也有很多國際動保機構進入到中國，比如說國際
愛護動物基金會、大自然保護協會、自然基金會、亞洲動物基金、
野生動物救援、綠色和平等。一些大的動物保護基金會，很注意與
中國政府相關部門合作。他們對中國的環境和野生動物的關注，還
有他們開展的各種活動，對野生動物保護起到了很積極的作用。其
中，對於圈養環境下野生動物受到嚴重傷害等問題的關注，也是一
個重要的方向。在這方面，以拯救被禁錮抽取膽汁的黑熊為主要議
題的亞洲動物基金，做出了重大的貢獻。我參觀過亞洲動物基金在
成都的黑熊救護中心，那裡有良好的設施和管理，是一個非常好的
教育場地，到那裡去參觀的人，不管是不是動保人士，都會深受教
益。那些被解救的黑熊生活在沒有恐懼的、符合牠們天性的環境中，
被照顧得很好。這一點讓人心生感慨。國內很少有哪種動物能夠在
人工環境下被照顧得那麼好，包括一些熊貓救護基地。這種工作是
極具建設性意義的。其他國際組織，比如野生救援，最近做了許多
地鐵廣告，講述長江江豚的瀕危處境；國際愛護動物基金在機場等
場所，也有勸導國人不要購買象牙製品的廣告。如果沒有這些圖片
或影像廣告，日常生活場景裡更沒有關注地球環境和野生動物的資
訊了。

　　單就流浪貓狗的救助來說，從1990年代末期就有了類似於台灣
的「愛心媽媽」，靠自己的力量救助貓狗。幾乎全國各地都有。「愛

心媽媽」的處境毫無例外都很艱難。她們一般都是靠個人的力量，為拯救那些被拋棄和受人殘害的伴侶動物忘我工作，投入了一切，直到自己無法支撐。為了找到空間較大的穩定處所，這些救助者常常住在「城鄉結合部」，生活條件艱苦，有時還會受到地方不良勢力的騷擾和威脅。我們的社會和地方政府對這些動物救助者的幫助太少了。

到了2000年前後，出現了一些能夠獨立營運的救助機構，能力上更強大一些，像北京張呂萍創辦的「人與動物科普教育中心」、四川杜玉鳳創辦的廣元「博愛」，以及各地合法註冊的愛護動物協會。有了這類專門的救助機構以後，社會上關心動保事業的人和機構就比較容易捐款、捐物和出力。這些機構或基地不僅救助流浪動物，也收留一些其他來源的動物。2005年前後，據估計，全國各類救助貓狗的大小團體已達100多家，不過能夠生存下來的也不多。今天還存在並營運較好的，很多都由志願者支持；團隊管理較好的，多是一些年輕人組成的動保機構，像大連的「寵愛天下」、「微善」、北京的「水月瑞家團隊」等等。

現在也出現了專門關注某一類動物處境的社團，如關注對皮毛動物的虐待，農場動物被宰殺時所受到的虐待，動物園裡虐待動物的情況等。關注活熊取膽的國內團體也在增多。最近一個呼籲保護候鳥的主題活動「讓候鳥飛」，也引起社會關注，許多年輕人加入其中。這些組織和活動彼此之間也互通聲氣，有時還形成了動員網絡。

陳：通過互聯網所形成的民間網絡？

莽：是的。現在通過網路推動動物保護活動很普遍。2012年起步的「讓候鳥飛」辦得比較成功，他們由著名媒體人在網路上呼籲，連絡各地的志願者，並跟當地的林業公安合作，去制止架網捕鳥或

破壞候鳥棲息地的行為。像這樣的網絡社群有很多，議題範圍也比較廣。

當然，網路的作用雖大，但要真正發揮這種作用，仍要有實際的推動。我講一個「中國動物園觀察」的例子。2012年年底，媒體報導有14頭非洲小象預備運到中國，其中有4頭已經運送進入國內。但還沒送到就有一頭死亡，另一頭小象在太原動物園，其他兩頭則始終沒有見到。這些小象是野生象，要俘獲這些象，對象群的殺戮和破壞可想而知。但是進口單位卻能獲得管理瀕危動物進出口部門的許可。已經到達太原動物園的那頭小象，情況非常糟糕。我們得知後，立刻委託兩位志願者去觀察，發現牠皮膚搔癢、腹部有腫塊，而且很孤獨。照說牠是幼象，不應該單獨放到動物園裡面。我們通過微博把這些情況發布出來，同時發到有關管理部門，讓他們也了解情況。我們還徵集了全球大象專家的意見，並把治療方案送到有關方面和太原動物園，希望改善這頭幼象的處境。同時我們發動網友致電太原市，要求太原動物園必須改善幼象的環境。現在，太原動物園園長已經換了，幼象的情況也稍微好了一點。可是，牠經歷了多麼可怕的過程？小象必須慢慢變得遲鈍了，才能適應這種過早被剝奪母愛、長途運輸、身體不適和孤獨無助的處境。

像這類的活動，正在慢慢地推動一些轉變。可以看到，在救助之外，也有很多社團致力於教育和推動立法。事實上，公眾教育非常重要，動物保護不僅僅是要救助，還要進行社會說服，以取得社會共識。在中國，大大小小數百家的動物保護團體裡面，有比較老式的救助機構，也有新式的救助機構，都會從事一些動保教育，只是後者利用網路的能力更強。無論是救助或是公眾教育，都還可以按「專項」進一步細分。前面提到的「讓候鳥飛」和「中國動物園觀察」就是具體的、特定的專項，此外還有關注皮毛動物、活熊取

膽等各種專項。素食團體我還沒算在裡面。

　　陳：推動議題的積極分子主要是哪些人？

　　莽：各種類型都有。一種是以活動力比較強的公共人物為中心，由於社會關係較廣、公眾認知度也比較高，所以就形成了核心團體和網絡。像它基金，是由一群著名的主持人創立的，就很有號召力，活動有很多社會知名人士參與，也有著名影星參與。主持「北京人與動物科普教育中心」的張呂萍，也是一位活動力強的公眾人物。當然，還有一種就是志同道合，通常也會有一兩位核心人物，年輕人的團體多是這種形式。

　　這中間，每個層面都有取得註冊和非註冊的社團。沒有合法註冊的社團，也不能說他們違法，因為中國憲法規定公民有結社的權利。實際上，他們是想註冊卻註冊不了。政府為民間非營利組織和公益團體設置了非常嚴苛的條件，以至於絕大部分的民間動保團體，都沒有法律上的適宜身分。

　　陳：難以註冊造成了哪些困擾？

　　莽：社會公益團體的發展，除了志同道合、有共同心願的因素外，當然還需要一定的制度保障。社團發展需要募集資金、聘請專業（或專職）人員，如果無法註冊，這些都受限制。沒法註冊，就缺乏合法性，很多事情就做不了。沒有基本的資金保障，就很難維持良好的組織架構。當然，不是有了資金就會有一個運行良好的社團。社團發展也需要監督，要在法律框架內開展活動。但是首先要讓社團出現，有合法身分，他們對於社會的參與和貢獻才能體現出來。比起以前，現在的社會空間是開放了一些，有些動保團體可以爭取到個人或企業支援，多少得到一些運作資源，但這畢竟不是可持續的經營方式。

　　陳：即使動保不是政治敏感議題，但對NGO的管制也管到了動

保團體。

莽：對，制度性保障是不足的，所以很少有團體能發展壯大。
各類公益社團凝聚不同的關心社會的力量，可以起到修補公共物品
提供不足、紓解社會矛盾、增加意見表達的作用，其實是有益的管
道。但這些方面的積極意義，政府至今還沒有認識到。環保和動保
團體，由於距離政治還稍微遠一點，仍有一定的發展空間，但運作
起來都非常艱苦。

陳：涉及權利議題，或比方說，當環保NGO抗議化工廠時，仍
會出現明顯的政治壓力。

莽：有時候，不僅是政治壓力，還有來自利益集團的壓力。如
果介入到比較深的問題，損害環境或剝削動物的利益集團就會反
對，而如果利益集團還動員政府的力量，就會明顯出現力量不均衡，
對公益社團會形成壓力。環保如此，動保也是一樣。

陳：從議題的選擇、動員的網絡、參與者的構成等各方面來看，
中國動保運動跟其他國家的動保運動比起來，有哪些特殊之處？

莽：中國的動物保護運動從一開始就是比較弱小、分散的，社
團是自發形成的，受到很大限制。跟其他國家相比，更多了一層制
度限制。在同情心與做事情的動力上，我覺得跟其他國家沒有不同，
只是可能因為生活環境、教育背景等不同而在做事情的方式上有些
差異，關注的目標有時候不夠廣泛。例如，對農場動物的關注不夠，
對野生動物及其棲息地破壞的嚴重性了解不足，社團很少有能力設
立野生動物救助機構，等等。

目前，中國動物保護團體有個很大的特色，就是年輕人多，年
齡層比較低，城市年輕人參與更多。在這些特點之外，我也注意到，
女性參與者要多於男性，比男性更執著也更願意付出。還有，在中
國一些少數民族中，可能由於宗教或文化的精神氣質不同，很早就

出現挺身而出保護動物的個人或團體，參與者幾乎都是男性。例如，
藏族英雄索南達傑，他在1980年代就組織西部工委阻止對藏羚羊的
殺戮。在一次同盜殺藏羚羊匪徒的戰鬥中，索南達傑壯烈犧牲。由
於天氣寒冷，他死的時候仍然保持持槍射擊的姿態。後來又有紮西
達傑組織野犛牛隊保護藏羚羊。叔本華說，生活在亞洲的世界高地
上的人們，是最富有同情心的。他說的大概就是藏文化薰陶下的人
們。在內蒙也仍然有這樣的傳統，在保護阿拉善、保護東蒙黃羊的
事情上，蒙古族牧民是最有感覺的人。他們與自然最為親善，精神
上最接近自然之子。

　　在制度環境上，剛剛已經提到，動保團體很少能夠合法註冊。
這使得他們發言的力度和能力都受到很大限制。1949年以後，中國
的民間組織幾乎完全被破壞，包括傳統社會中大量自發形成的行業
組織、會社和地方村社組織。1990年代以後，各類公益社團如環保、
動保社團開始出現，很多都做了非常扎實的工作，但在社會發言的
層面，影響力還遠遠不夠。發達國家的環保和動保NGO都有更豐富
的資源和專職人員，有充分條件發展為強大的社團組織，專業性更
強，提出的建議更具有說服力。加之政府在決策過程中習慣傾聽
NGO的意見，所以這些國家的NGO可以健康發展，許多都成長為國
際性的NGO組織。在中國，這些有利的條件目前都還不存在。但是，
也應該看到，中國也正在發生一些變化。在環保和動保問題上，一
些政府部門也開始注意傾聽民間團體的意見，至少形式上表現得如
此。

　　陳：您引介了不少西方理論資源，包括動物福利、動物權利等
概念。但我注意到，您個人受佛教傳統的影響更大。

　　莽：1949年後，中國人最基本的生活倫理被破壞得非常嚴重。
當然，從五四以後就開始反傳統了。從傳統價值來講，儒家至少講

不忍，講仁愛、仁心。佛教講不殺生、戒殺，這個從印度傳過來的概念非常重要，擴大了中國人一圈一圈外擴的倫理觀，把不忍之心推到更大的範圍。非殺、戒殺都包含動物生命在裡頭。這個觀念在唐代表現得非常明顯，也體現於當時的制度。有唐一代近三百年歷史中，除了安史之亂，都是實行年三月十戒殺制度，就是每年有三個月、每個月有十天戒殺，禁止打魚也禁止吃肉。我很欣賞佛教的戒殺理念。

今天，影響中國動保人士和組織的，除了來自西方的理念，其實更多的還是傳統文化中的不忍、佛教的慈悲戒殺等。像蘆荻、張呂萍以及數不清的中國愛心媽媽，她們救助了那麼多貓狗，但無論怎麼困難，都不肯像西方救助機構那樣用安樂死的方式處死「多餘」的貓狗。這就是中國的傳統在起作用。無獨有偶，亞洲動物基金對待那些被救助的可憐黑熊，也是一樣。除非是痛苦不堪的熊，都不會做安樂死，而要讓牠們安享餘生。可能也是受到佛教文化的影響吧。

遺憾的是，中國經過現代的革命和社會改造運動，傳統大都失落了。而社會主義社會應該追求的社會正義和制度公平也未建立起來。現在的中國人簡直無所畏懼。誰富誰光榮，誰窮誰混蛋，既不怕所謂的來世，也沒有宗教的關懷和畏懼。宗教都是兩面的，一面講最基本的倫理，另一面是要講懲戒的。在現代社會，宗教的懲戒作用確實下降了，但即使如此，很少社會像今天的中國這樣，人對一切都無所畏懼，內心毫無約束。如果再失去不忍之心，後果真是很難想像，而且不只是對動物而已。因為，對動物的虐待也直接呈現出整個社會的精神狀態和暴力程度。如果我們想要得救，從保護非人類生命開始做起應該是一個有效途徑。通過善待非人類生命來拯救自己。

陳：台灣有許多佛教徒，也有一定比例的素食人口。在大陸，從不殺生的立場吃素的人多嗎？

莽：現在13億人口中，據說有一億多的佛教信徒。據我觀察，近年從佛教徒變成素食者的人在增加。但中國並沒有準確的宗教統計，有些人雖號稱是佛教徒，卻不吃素。比較嚴格的佛教信徒，如果有幾千萬，就已經很了不得了。在現今中國城市裡，素食餐館的確在增加。一些人不信佛教，但願意食素，為了健康而吃素的人不在少數。

陳：佛教影響下的「護生」傳統，是您最常引用的思想資源。此外，您主編了一套書，引進當代西方的動保論說。西方論者主要使用權利、福利等概念，這些語言跟孟子的惻隱之心、孔子的仁、佛家的慈悲戒殺，其實是不太一樣的。我好奇的是，西方資源包括彼得辛格的書、動物福利概念，還有後來的動物權討論等，在中國大陸的影響有多大？您自己立足於傳統資源，也引進西方動保思潮，您如何看待兩者的關係？

莽：現代動物保護運動可說是現代性的一部分。這個運動的興起背景，包括大規模工廠式飼養動物、廣泛採用實驗動物、伴侶動物數量激增，肉類消費大幅增長、對動物的商業性利用日益廣泛、野生動物生存環境迅速惡化、野生動物種群數量銳減乃至於物種滅絕，以及在此過程中，各類動物遭受的各種形式的虐待有增無減等現象。也與人們對各種形式的不平等越來越敏感，對不管是什麼形式的生命的苦痛感受力越來越敏銳有關。

彼得辛格的《動物解放》給我的震撼非常大。人類要怎樣冷酷、殘忍、自私和無情，才會這樣對待動物和自然？人類在許多問題上都有相同的感受和思考，只是表達的方式和採取的路徑不一樣。這意味著，那些看上去不同但實際有著共同關切的思想傳統，其實都

是解決當下問題的寶貴資源。

　　相對來說，西方式的權利話語，隨著西方思想觀念和政治法律的傳播，在中國已經深入人心。而中國的傳統思想資源，出於種種原因，反倒是我們很不熟悉的。所以經常有人批評中國動保人士，說你們做這些事完全是受西方影響。因為表面上看，一些現代的動物保護知識是從西方話語帶來的。但其實，中國的動物保護運動帶有極大的本土色彩，思想資源常常不出儒釋道，所以，講這種話的人實在無知。我後來邀請一些作者撰寫《物我相融的世界：中國人的信仰、生活和動物觀》，就是想把這一點說清楚。當然，這項工作也只是剛開了一個頭，希望日後出現更多更好的研究。

　　說到底，人類對自身成員和非人類生命的虐待，都會引起不忍和反感，進而引起思考，這是共通的。想要保護弱者、保護其他物種或身邊的動物，也是人心和社會共通的感受吧。

　　陳：您說「權利」概念對中國的影響很大，對動保運動也是如此嗎？

　　莽：「權利」這種說法，我覺得對中國公民的影響都很大，包括各式各樣的個人權利。媒體報章天天都在講權利，人們也越來越注重保護自己的權利。在這樣的大氛圍下，談到動物保護問題，權利一樣是個很好用的觀念。很多人都會說動物也有不被虐待的權利吧！動物也應該享有能夠保障其天性的生活的權利吧。「權利」觀念也導致NGO在為動物爭取基本利益時，盡量使用現代的語言，包括動物福利、動物權利等。儘管如此，我個人認為傳統的觀念和說法，比如仁、不忍、惻隱之心、慈悲心等，一定不能忽視。這些觀念有其不可取代的價值和意義。

　　陳：西方動保名著譯出後，在大學生和大學教師群體中，有後續的討論或研究嗎？

　　莽：在1990年代，倡導動物保護思想的人也好，從事動物救助的人也好，大都感到很孤獨，覺得同道太少，像是在深水裡不見陽光。但2000年以後，我們發現其實不少人都關心動保。動保議題浮出水面後，關心者更慢慢多了起來，有些老師也開這樣的課。在大學的哲學課堂、倫理學課堂，相關討論也就開始增多。不過，這些翻譯過來的書基本都屬於學術著作，不是普級讀物，較少在一般大眾的層面流行。收入「護生文叢」的一些書也屬於這個範疇，作用主要是在哲學和倫理學的大學教育層面。接觸到這些思想教育的人，常常是未來有較大社會影響力的人，我已經看到了這樣的效果。

　　這些書在一般社會層面的影響還不夠。就說辛格那本書吧，它被翻譯過來後，在中國社會引起的關注度很不夠，遠遠不夠。中國知識界近十幾年陷入左右對立，各持各的立場，互相批評多而互動甚少，往往不能對公共議題進行深入討論，更不要說達成一致意見。很遺憾，至今沒有看到社會裡最重要的知識群體討論《動物解放》這本書。「護生文叢」那套書的各冊首刷3,000本，多數都沒有再刷，最近或許要重新出版，希望更多讀者看到這些書。

　　陳：辛格的書也只印了3,000本？

　　莽：辛格的書在1999年已經出版，是台灣錢永祥等兩位先生翻譯的，所以不在我編的系列裡面。那本書的印量應該比較大，可能是5,000冊，但顯然也沒有重印。後來，祖述憲先生又將《動物解放》翻譯了一個新版本，發行數稍多，可能也不過數千本。

　　陳：從這個角度看，動保運動已經先行，但學界跟得不快。

　　莽：的確，這方面的思想學術研究明顯落後於行動。其中的原因，除了左右分裂使一些重要的公共議題被忽略外，可能也同知識界真正投入這個領域的人比較少有關，當然更可能與大陸研究界對於宏大敘事較有興趣、認為動物保護話題比較微小有關。

陳：中國政府對西方的基金會或NGO很提防。在這樣的局面下，大陸動保團體跟國際動保機構如何互動？

莽：中國是一個幅員遼闊、人口眾多的國家，涉及動物而值得關注的問題很多。其中有些問題，比如一些觸目驚心的虐待動物行為，經媒體報導後幾乎舉世皆知。要解決這些問題，只靠生活在這裡的人是不夠的。國際上有很多專業的動物保護團體，不但關注這些問題，也有意願幫助我們解決問題。況且中國動保人士自己擁有的社會資源很少，正需要國際動物保護機構的支援，包括經濟支持。這樣，自然就出現了各種各樣的合作。有一種合作方式很好，就是共同開展某些項目，比如動物保護的公眾教育，交流動保教育理念和訊息溝通。現在這類國際合作比以往增多了，因為現在很多年輕人的英語非常好，他們渴望知識交流，而不僅僅限於經費資助。他們想通過更多的國際溝通，得到更多的動物救助知識和專業技巧，發展出更有效的傳播方式。我覺得這是非常好的互動。中國的這些社團在跟國際動保團體合作時，也逐漸形成了自己的話語。在動物權利與動物福利之外，也有一些中國的本土資源在裡面。國際動保組織也從跟中國動保團體的互動中，得到很多思想啟發。

陳：如果這些機構在大陸設點，當局的態度會是什麼？

莽：這個層面就很尷尬。在中國，本土NGO的註冊都那麼難，對國外NGO當然更嚴格。國際機構要在中國設點，名正言順總是很困難的。最近中國政府正在制定《境外非政府組織管理法》，草稿也在徵集社會意見。社會反應很大，因為中國公益組織日益增多，國際交流自然也很頻繁，一些規定如果真的立法實行，可能不利於交流。國際交流增多是一個國家強大以後才出現的情況，但是從《境外非政府組織管理法》的草稿來看，中國政府似乎對自己的強大很不適應，反倒是有點害怕。各類國外的NGO，未來可能都會受到這

部法律的影響。

陳：大陸動保團體跟港台動保團體的交流多嗎？

莽：有些聯繫，但是整體可能不算多。香港在港英時代，就已經成立了很好的動保組織，也關注大陸的情況。這些年來，隨著兩岸民間互動的增加，跟台灣動保團體也有些知識上的交流。台灣的動物保護社團很能幹，像「動物社會研究會」和佛教的動物保護社團就很活躍，也有做事的能力。我個人也很喜歡台灣的荒野協會。

總的來說，中國大陸的動保運動已經進入到一個新的階段。儘管動保組織和動保活動還是受到很多限制，儘管動保事業的生長環境仍然不是很好，但也已經形成了一定空間，包括有形的和無形的空間。這個空間雖然缺乏制度保障，還不夠大，更不夠強，但要想把這個空間完全收回去，恐怕也很難。

陳宜中，中央研究院人社中心研究員，並擔任本刊編委。研究興趣在當代政治哲學以及社會主義思想史。

兩岸
儒家

前言

楊儒賓、何乏筆

李明輝先生最近接受《澎湃新聞》的專訪,其內容已在2015年1月的新聞網路上刊出。李先生因對大陸新儒家的蔣慶、陳明等人的觀點直接提出批評,用語很李式風格,引發了大陸儒學界的廣泛回應。問題其實是媒體提出的,李明輝先生只是隨機回答。如果真要對「大陸新儒家」這個概念及其背後的現象作較詳細的評估,李先生的回答應該會更全面。但擦槍走火也有好處,人生不可能樣樣都照計畫來。有些現象早就存在那邊了,擦槍走火雖是偶然,但火要燃燒得起來,總要有些物質條件。大陸有儒學復興的思潮是事實,而且此股思潮的光譜很廣,從學院派的儒學的同情者到民間儒學的推動者,從儒家民主憲政的倡議者到毛儒合流的新三統說之宣揚者,這些異質性的儒學系譜確實存在著,這是社會事實。沒有這樣的事實,李先生的火苗也不可能引發火熱的討論。

李先生對蔣慶、陳明等人的批判集中在政治上面,他這場訪談引發的後續效應不少也集中在政治領域。比起中國三教中的另外兩教,或比起世界各國主要的宗教來,儒家特別重視道德實踐與公共領域的關係,儒家和政治一直有很深的互動關係,這是中國思想史的大動脈。脫離儒家,我們很難了解中國政治的特色;脫離政治,我們也很難相信這樣的儒家可以成為儒學的大本大宗。由於儒家和

中國及東亞的親和性,「儒家在中國」、「儒家在東亞」或「中國
在儒家」、「東亞在儒家」的論述不可能不起來。所以在「解放」
後沉寂了三四十年後,儒家的聲音會隨著中國興起,再度發聲,而
且聲音更為響亮,這個現象是可以預期的。儒家的聲音到底傳達了
什麼訊息,世人不能不好奇。

在當前中國的局勢下,此次引發的「港台新儒家對大陸新儒家」
之討論可從以下三個背景觀察:首先,中國的和平崛起可以視為鴉
片戰爭以來,中西關係的一次總調整。中國的近代史不管是從鴉片
戰爭算起,或者自甲午戰爭算起,基本上都是依西方現代性的模式
打造自己的國家、自己的社會、自己的學術、甚至自己的語言。到
了21世紀,世局大變,中國試圖自己摸出一條路來,它已不再是區
域性的強權,而是全球性的力量。這是一個半世紀以來歷史路線的
總調整,它不可能沒有軟實力的主張與需求。中國顯然需要對外發
聲,但它要發什麼聲?儒家的召喚就自然浮現了。

其次,中國此波崛起的力道夠大,如果將此波中國熱連上亞洲
四小龍,再連上戰前的日本,並直接逆溯至明治維新,將可看見東
亞的興起是一連續性的過程。而且這個過程一直有消納西方現代性
與反抗西方現代性的交疊並錯,甚至同時並存。東亞一百多年來對
西方現代性的模仿與反抗,乃是推動東亞歷史的無名力量。中國崛
起,使「東亞」的內涵更豐富,此波浪潮具有世界史的意義。當代
大陸新儒學的表現是在這個框架下展現的。

第三,如果從東亞或中國的現代性來看,儒家自北宋後即有走
向鄉紳自治、人民作主的思想趨勢,因而形成了以儒紳成員為主的
鄉村共同體。另一方面,從范仲淹的四民論到王陽明的「四民異業
而同道」,一種由人格主義的普遍性之性善論朝現實落實的方向也
出現了。宋、明時代出現的諸多政治鬥爭,從元佑黨爭、慶元黨爭,

到東林黨、復社運動，這些鬥爭背後都有儒家政治理念尋求合理管道的要求。但20世紀掌權的中國政黨，基本上都以國家吞噬社會，以幹部取代鄉紳；被架空後，目前的社會面臨空前的道德和制度危機。如何解決政治結構與社會現實的難題？遂不得不提起儒家關於道德主體及政治制度的豐富資源。

有這麼濃厚的現實背景，所以李明輝先生的擦槍走火，才能引起廣泛的迴響。其實，這幾年「大陸新儒家」蔚為文化現象，從讀經、祭孔，到集會、出書，乃至各種公共議題的發言，大陸儒家的聲音處處可以聽見。這種民間版的儒家聲音，和中共官方宣揚的儒家型態有平行，有交錯，其勢頭之大已引發方克立等左派學者的不安，甚至要求「正視」。

對李明輝先生《澎湃新聞》專訪引發的熱烈迴響及其複雜的現實背景，台灣理不應缺席。是以中央研究院中國文哲研究所於2015年3月28日舉辦了「儒家與政治的現代化：李明輝澎湃新聞專訪座談會」，希望台灣學界能積極加入此一討論。本專輯的文章都以座談會上發表的引言稿為基礎，後經與會學者修改而成。顯而易見，這些文章並不能完全代表台灣學界或當代新儒學脈絡內部的各種意見和立場。即使僅就此次座談會的觀點而言，有些引言人仍明確依循牟宗三先生等新儒家的思考，也有引言人對「心性論」有所保留，甚或試圖藉由「氣化論」來反省當代新儒家所面臨的問題。然而，王陽明與王夫之所謂「二王之爭」的討論脈絡，大體上離不開港台當代新儒家對中國現代化的哲學反思，試圖在批判性繼承的原則下，促使當代新儒家形成別開生面的發展。

無論贊成心性論、修正心性論，還是懷疑心性論，本專輯文章的重要共識在於：新儒家與自由民主之間不存在根本的矛盾，而且或許能更有效地回應21世紀民主制度所出現的新難題。不過，對於

前輩新儒家學者不及所見因而不及處理的「中國崛起」之衝擊,以及台灣民主化的諸般困難,我們今日對儒家與政治現代化的討論恐不能拘囿於半世紀前的論述,而必須構思更符合當今處境的話語模式。面對此難題,中研院文哲所除了延續並深化海外新儒家的研究,並將研究範圍擴張至東亞的日韓之外;近年來更不斷推動儒學與莊子的跨文化研究,及對王夫之思想的重新解讀,以關注新儒家在中西交流裡的混雜面貌。種種不同的努力,都展現了儒家的多元內涵。

從當代新儒家所開拓的跨文化視野,去觀察中國大陸的儒家復興現象,並提供批判反思的論點,仍是極為困難的任務。就此,李明輝區分「去中心化」與「去中國化」的建議,清楚描繪出值得發展的方向。此一角度,不僅使儒學的跨文化研究能更著眼於東亞儒學的複雜動態,也有深刻回應兩岸政治困境的潛力。尤其重要的是,這樣的視野與台灣的文化歷史經驗緊密相關。正是來自台灣經驗的啟發和反思,我們將能積極回應中國大陸在政治現代化所面臨的深層危機。

關於「新儒家」的爭論：
回應《澎湃新聞》訪問之回應

李明輝

　　去年 12 月初我到上海復旦大學哲學學院訪問，擔任光華人文學者，以「中西哲學中『惡』的根源問題」為主題，發表系列演講。他們順便安排了一場訪問，由大陸的網路新聞《澎湃新聞》記者臧繼賢女士訪問我。訪問的題目是臧女士設計的，主要的對象是大陸的讀者。對於台灣的讀者，這個訪問稿似乎沒有特別的價值，因為類似的話我在台灣已經講得很多了。不過在大陸上，我的批評意見引起了一些反批評，特別涉及所謂「港台儒家」的歷史評價。由於這些議論對台灣的儒學研究者也有參考價值，我們辦了這個座談。今天這場座談會的重心應當不是我的看法，而是大陸學界的反應。大陸學界對我的發言為何會有這些反應？這些反應不論是正面還是負面，都有探討的價值。

　　《澎湃新聞》於今年元月下旬刊出我的訪問稿時，我正好在深圳大學出席「經典、經學與儒家思想的現代詮釋」研討會。在大陸學者的反應當中，批評我與支持我的大約各占一半。比較特別的是，批評我的第一批大陸學者都是我認識多年的朋友，有幾位當時也在深圳開會。這讓我有點意外，心想他們為什麼對我這麼不了解。當時其實我有點在意，很想回應他們。但是後來第二批、第三批的回應出現以後，我就不大想回應了，因為有些學者（如唐文明、方朝

暉、趙廣明等人）顯然讀懂了我的意思。我想，我這場訪問就像一
面鏡子，把很多問題折射出來，讓大家去思考，這是一件好事。目
前的台灣學界有點悶，尤其是關於儒家的討論好像一直引不起興
趣。今天有這麼多人來討論這個問題，不論你們對我抱持正面還是
負面的意見，我覺得都是好事。

　　我在訪問中一開始就強調：台灣現在基本上還是一個以儒家傳
統為主的社會。剛才有一位就讀於輔仁大學的大陸學生提到：他在
台灣待了四年後發現，他的同學對儒家思想、乃至中華文化已經沒
有任何興趣。據說在台灣的網路上也有人質疑我的說法。其實，我
的說法並不是一項主張，而是一項敘述。儒家不像一般的宗教，有
一個身分認定的明確儀式（皈依的儀式），而且有跨界的現象（如
佛教徒同時認同儒家價值）。因此，儒家的身分很難界定，可能當
事人是在不自覺之中認同儒家價值。前年政治大學的蔡彥仁教授編
了一本英文論文集《當代台灣與中國的宗教經驗》，由政大出版社
出版。其中有一篇論文〈當代台灣的儒家文化與宗教經驗〉，就「力
量」、「人生」、「夢境」、「異覺、異象」、「觀念與行為」幾
個變項來調查台灣民眾對儒家價值的認同。研究結果發現：台灣民
眾不論其宗教背景的差異，仍廣泛信守儒家的道德倫理規範及人生
觀，而女性尤甚於男性。如果與在大陸所進行的同類研究相比較，
儒家文化對台灣民眾的影響超越大陸民眾甚多。這與我長年的觀察
完全吻合，因此不是我的一廂情願，而是有根據的。至於當前台灣
大學生對於儒家的興趣不高，當然與李登輝、陳水扁的去中國化政
策有關。不過話說回來，在我當學生的時代，也是儒門淡薄，許多
人以不讀中國書為榮，對中國文化感興趣的都是怪胎。

　　在第一批的五篇回應文章當中，除了李存山明確支持我的觀點
之外，其他四篇的作者都在不同程度上批評我。然而細看我的訪問

稿，我多半在談台灣的問題，談到大陸的部分非常得少，只有批評
蔣慶的部分。其實，我很少批評大陸的現況，因為一方面，我對大
陸的社會未必有全盤的了解，另一方面，我也刻意避免以高姿態對
大陸的社會指指點點，因而引發不必要的情緒。這四位作者的誤解
和激烈反應與記者所下的標題可能有關，因為她將我所說的「我不
認同大陸新儒家的這種說法」改為「我不認同大陸新儒家」。這個
標題造成很不好的影響。例如，最近林安梧在接受《澎湃新聞》的
訪問時，便僅根據這個標題，而完全不顧我的談話內容，對我作無
的放矢的攻訐。我在訪問中並未對大陸的儒學研究提出全面的評
價，只是要強調：所謂的「大陸新儒家」並不能代表大陸的整體儒
學研究，因為我認識的許多大陸同道並不以「大陸新儒家」為標榜，
但也默默致力於弘揚儒家思想。奇怪的是：我沒點名的一些人卻跳
出來對號入座，以為我否定他們的儒學研究，實在不知從何說起！

其次，我認為「港台新儒家」與「大陸新儒家」的區分是有問
題的，而且有不小的後遺症。我在訪問中並沒有將理由說清楚，但
後來唐文明與方朝暉都替我做了很好的補充，基本上也符合我的意
思。1949年以前的新儒家、1949年以後的港台新儒家，以及改革開
放以後的大陸儒家所面對的問題並不一樣，因此關注的問題焦點有
所不同，這是很自然的。在某一意義下，出現「大陸新儒家」的說
法似乎也自然的。但是當「大陸新儒家」成為一個自我標榜的標籤
時，它就必須藉由畫界來凸顯自己，這時將「港台新儒家」推到對
立面就是最廉價的策略了。身為台灣學者，我觀察多年，對此越來
越感到不安。這次一些大陸學者的激烈反應證實了我的不安並非沒有
根據。現在讓我們追溯一下「大陸新儒家」這個標籤的起源與演變。

儒家的「正名」思想早已揭示：命名從來都不只是一種單純的
符號化過程而已，它同時涉及評價與表態。據我所知，唐君毅、牟

宗三、徐復觀、錢穆等人並未自稱為「新儒家」，遑論「港台新儒家」。「新儒家」這個標籤最早來自台灣的天主教學界，但起初並不太流行。及至1980年代方克立與李錦全推動「現代新儒家思潮研究」之後，「現代新儒家」的標籤才開始普遍被使用。但是這個標籤涵蓋1949年以前在大陸活動的儒家，以及1949年以後流寓到港、台及海外的儒家。

　　「大陸新儒家」的標籤最早出現於90年代。90年代中期方克立連續發表了三篇文章，提及「大陸新儒家」。在1996年正式發表的〈要注意研究90年代出現的文化保守主義思潮〉一文中，方克立不點名地提到蘭州大學教授楊子彬1992年於四川德陽發表的一篇研討會論文，指出他公開「揭舉大陸新儒學的旗幟」。同一年，方克立發表〈評大陸新儒家推出的兩本書──《理性與生命》[1]、[2]〉。《理性與生命》兩冊的編者分別是羅義俊與陳克艱。方克立將這兩位編者（尤其是羅義俊）的思想歸結出兩點特徵：一、公開批評大陸馬列派；二、全面認同港台新儒家。羅義俊原來是「現代新儒家思潮研究」課題組的成員，後來因認同現代新儒家而退出課題組。在文章的最後一節，方克立提出一個很有意思的問題：有異於港台新儒家的「另一派」大陸新儒家會崛起嗎？1997年方克立發表〈評大陸新儒家「復興儒學」的綱領〉。這篇文章的批判焦點是蔣慶於1989年在《鵝湖月刊》發表的〈中國大陸復興儒學的現實意義及其面臨的問題〉，因為蔣慶在文中公然宣稱：「儒學理應取代馬列主義，恢復其歷史上崇高的地位，成為當今中國大陸代表中華民族民族生命與民族精神的正統思想。」2007年方克立的學生張世保編輯的《大陸新儒學評論》一書出版。編者自承：他所說的「大陸新儒家」，主要是指「蔣慶、陳明、康曉光、盛洪等人」。此書收錄了一批旨在批判「大陸新儒家」的文章。

　　由以上的敘述可知，「大陸新儒家」的提法，以及它和「港台新儒家」的對比最初是來自方克立。但是在這個脈絡中，有兩點要注意：一、「大陸新儒家」一詞帶有貶義；二、「大陸新儒家」並非被視為「港台新儒家」的對立面，而是被定調為其盟友。我曾見到一份1993年由課題組編印、限制流傳的內部參考資料《現代新儒學的意識形態特徵——兼論馬克思主義與現代新儒學的對立互助關係》。在這份資料中，牟宗三先生的三篇講辭、蔣慶的〈中國大陸復興儒學的現實意義及其面臨的問題〉、羅義俊的兩篇文章和我的一篇評論文章都被列為反面教材。但是在當時羅義俊與蔣慶都無意以「大陸新儒家」為標榜，更未明確區別「港台新儒家」與「大陸新儒家」。

　　可是到了後來，原來帶有貶義的「大陸新儒家」一詞卻被陳明等人的《原道》團體欣然接受，而成為自加的冠冕（蔣慶本人還是被動地接受）。2012年出版了一本《新世紀大陸新儒家研究》。除了蔣慶、陳明、盛洪之外，張祥龍的「後現代主義儒學」、黃玉順的「生活儒學」、干春松的「制度儒學」也被列入其中，「大陸新儒家」的陣營更加擴大。到了這個階段，「大陸新儒家」的意涵有了兩點微妙的轉變：一、它從貶義轉變為自我標榜的冠冕；二、它在有意無意之間藉由對「港台新儒家」的貶抑來自我界定，而逐漸浮現出令人不安的沙文主義情緒。

　　上世紀的90年代中期出現了《中國可以說不》、《中國還是能說不》及《妖魔化中國的背後》等書。這些書都是集體創作，其作者主要是大陸留美學者，甚至有人還入了美國籍，但卻是以高調的中國沙文主義為主軸。經過了二十年，大陸的經濟發展取得了舉世矚目的進展，喊水可以結凍。與此相應的是儒學界的高亢，讓人不由得回想起「中國可以說不」的聲音。前年華東師範大學出版社出版了一本座談記錄《何謂普世？誰之價值？——當代儒家論普世價

值》，就讓人有這種感覺。參加座談的學者似乎如李存山所言，在
「競賽保守」，也明顯流露出對港台新儒家的不屑。

今年廈門大學出版了朱人求與日本學者井上厚史合編的《東亞
朱子學的新視野》。朱人求在序言中強調：東亞朱子學研究應堅持
「中國本位」。他還批評黃俊傑在台灣大學人文社會高等研究院推
動的東亞儒學計畫是要「去中國化」，也就是「台灣本土化」。這
真是天大的冤枉，因為黃俊傑只是強調「去中心化」，而這不等於
「去中國化」，更不等於「台灣本土化」。「去中心化」與「去中
國化」雖只是一字之差，但涵義差很多。該書的共同編者井上厚史
事前並未看過這篇序言，事後得知其內容，也非常生氣。一個日本
學者怎麼可能同意以「中國本位」來研究東亞儒學呢？

任鋒在回應我的發言中強調「港台新儒家有其天然的、外在的
約束」，因為「台灣，畢竟體量較小，而大陸在世界上所發生的作
用，其內部所蘊含的豐富的議題，對於整體世界發展所提出的一些
可能性，這個是台灣地區遠遠無法企及的。也就是說，以大陸為主
體的中國，以後會在整個的人類的生活、社會、政治格局中扮演的
角色，這都是台灣所無法想像的問題。」這也是新版的「中國可以
說不」。這些事件雖是孤立的，但卻有「中國崛起」的共同背景，
並且反映出一種大國沙文主義的情緒。當然，以「大陸新儒家」為
標榜者並不會承認自己是大國沙文主義者，而是以「文化民族主義
者」自居。在一次訪談中，蔣慶甚至不反對別人稱他為「儒家原教
旨主義者」。但問題是：「文化民族主義」、「儒家原教旨主義」
與「大國沙文主義」之間有明確的界線嗎？

儘管目前大陸的儒學有復興的趨勢，但是研究的隊伍還是相對
薄弱，在這個階段就開始自我標榜，彼此畫清界線，只是將自己的
格局做小了。因此，我贊同方朝暉的建議，以「大陸儒學新思潮」

取代「大陸新儒家」。這樣不但能包容港台儒家，也不會排斥不以
「大陸新儒家」為標榜的其他大陸學者。我甚至贊同楊祖漢所言，
不以儒家自居，而只是想「成為」一個儒家，像司馬遷所言，「雖
不能至，然心嚮往之」。

我在接受訪問時說：「公羊家的那套講法都是想像的，在中國
歷史上從來沒有實現過。」蔣慶回應我的批評說：你的說法無疑與
中國歷史相違，而且有「歷史虛無主義」之嫌。曾亦也說：你「不
僅是厚誣古人，而且顯得有些無知了」。接著，蔣慶舉例說明公羊
家思想在中國歷史上所起的作用。可能是我在訪問中說得太簡略，
以致引起誤解。我雖然不專研公羊家思想，但也拜讀過蔣慶的《公
羊學引論》（我手頭的書還是他親自簽名送給我的），故不至於像
蔣慶與曾亦所想像的，對公羊家思想的影響如此無知。但我的問題
並非：公羊家思想在中國歷史上有沒有起過作用？而是：公羊家的
政治理想在中國歷史上是否曾經實現？依蔣慶《公羊學引論》中所
說，公羊學不是「政治化的儒學」，故反對將君主制度絕對化、永
恆化與神聖化。他又說：「在公羊家的三世學說中，君主制度只是
據亂世、升平世所適用的制度，至於太平世，則不再適用世及以為
禮的君主制度，而是適用選賢舉能、天下為公的大同制度。」既然
從秦、漢至清代，中國都沒有脫離君主制度，那麼我說：公羊家的
政治理想在中國歷史上從來沒有實現過，豈非蔣慶自己也承認的事
實？或許蔣慶設計的「儒教憲政」代表這樣一種未來的理想。但它
是不是烏托邦呢？蔣慶說：它是一種「歷史信仰」。既是信仰，它
就像佛教徒所相信的「善有善報，惡有惡報，不是不報，時辰未到」
一樣，永無否證的可能，自然也無進一步討論的必要，只能交由讀
者自行去判斷。

無可否認，漢代的公羊家無不設法限制君王的權力，但在君主

專制制度下，其成效很有限。徐復觀先生對兩漢思想的研究一再顯
示知識分子在漢代君主專制制度下所付出的斑斑血淚。在西漢，被
蔣慶歸入公羊家之列的司馬遷之悲慘遭遇是人所共知的。東漢知識
分子在黨錮之禍中所表現的氣節固然令人欽佩，但也證實儒家政治
理想所受到的壓制。在這個意義下，牟宗三先生說：對一個時代而
言，氣節之士的出現並不是好現象。我知道有些大陸知識分子（或
許蔣慶也在內）對台灣的民主制度頗為不屑，視之為平庸政治。我
自己也不滿意台灣目前的民主制度，故在訪問中多有批評。台灣民
主制度之不夠理想，部分是由於政治文化不夠成熟，部分則是由於
複雜的兩岸關係之干擾。

　　但是目前在台灣，一個人不會因批評政府而坐牢，而且只要他
不違法，也沒有人可以限制他出版著作或到國外旅行，限制他閱讀
什麼書籍、上什麼網站。這些權利的保障都有賴於這個不盡理想的
民主制度。對照於過去的中國歷史，這是史上頭一遭，是得來不易
的，特別值得珍惜，並進一步去改進它。它確實平庸，因為它不再
需要氣節之士來維護它。的確，目前兩岸的儒學研究所面對的問題
完全不同。台灣已是個民主社會，在這樣的社會中，蔣慶的「政治
儒學」是完全無市場的。蔣慶當然有權利在大陸宣揚他的「政治儒
學」，至於它有無可能實現，就只能交由歷史去裁斷了。

　　最後，我再談一下當代新儒家與社會主義的問題。何乏筆在發
言中強調：若站在當代新儒家（或港台新儒家）自從1949年以來所
發展的政治哲學角度，儒家與社會主義的問題「幾乎是無法思考
的」。他背後預設的推理如下：由於港台新儒家的政治哲學從康德
哲學出發，故必然反對共產主義與唯物論，因此無法理解社會主義
並反對社會主義。這番推理不但是昧於事實，而且論證也有很大的
破綻。我們姑且不論留在大陸的熊十力先生。熊先生於1956年出版

《原儒》，試圖會通儒家與社會主義。但由於當時大陸的政治環境，此書幾乎沒有任何影響，也沒有流通。

　　然而我們不要忽略張君勱先生。儒家與社會主義有親和性，這幾乎是當代新儒家的共識。張先生於一次大戰之後訪問歐洲，見過德國社會民主黨的政要考茨基、伯恩斯坦、布萊特雪德（Rudolf Breitscheid）等人。受到德國民主社會主義的影響，他回國之後，便發表了《新德國社會民主政象記》，其後於1932年創立「國家社會黨」，1946年再將它改組為「中國民主社會黨」。他在其1959年發表的〈社會主義之方向轉變──為《自由中國》十周年紀念作〉表示：「我在第一次世界大戰前後，是一個社會主義信徒⋯⋯然我自始至終，從未傾向於辯證唯物主義、唯物史觀、階級鬥爭和剩餘價值學說。與其說我相信馬克思派之社會主義，不如說相信考茨基派之民主社會主義與伯恩斯坦之修正主義。」1949年以後，他周遊各國演講、講學，一方面宣揚儒家思想，另一方面提倡民主社會主義。1978年他出版其演講稿《社會主義思想運動概觀》。在此書的〈引言〉中，他明確指出：儒家思想與康德思想有相同之處，而民主社會主義與儒家思想完全相通。

　　德國的社會民主黨揭櫫「民主社會主義」之大纛，其中有一點特別值得注意：康德哲學成為德國民主社會主義的理論基礎。19世紀末、20世紀初，新康德學派的柯亨（Hermann Cohen）與佛蘭德爾（Karl Vorländer）提出「倫理社會主義」的概念，結合康德哲學與社會主義。這套思想在威瑪共和國時期於1921年進入社會民主黨的「格爾利茨黨綱」之中。一次大戰期間，社會民主黨的理論家內爾遜（Leonard Nelson）標榜「革命的修正主義」，主張以康德哲學為基礎，修正馬克思主義，揚棄歷史唯物論。二次大戰之後，內爾遜的學生艾希勒（Willi Eichler）於1959年主導擬訂社會民主黨的黨

綱「哥德斯堡綱領」，將倫理社會主義與民主社會主義結合起來。
這段歷史顯示：一、康德哲學可以與社會主義相結合；二、社會主
義可以與唯物論脫鉤。這就是張君勱承自德國社會民主黨的思想。

　　不只是張君勱，唐君毅、牟宗三、徐復觀三人在政治光譜中都
可說是屬於民主社會主義。牟先生早年曾參加國家社會黨，並擔任
其機關刊物《再生》的主編，顯然認同該黨的宗旨。在其1947年發
表的〈略案陳獨秀的根本意見〉中，他明白地表示：「最近的傾向
以及將來的總趨勢恐怕就是與民主政治結合的社會主義。」1949年
以後，他並未改變這個立場。例如，在《道德的理想主義》一書中
有〈理想主義的實踐之涵義〉一文。牟先生在文中強調：儒家理想
之實踐必須結合民主主義與社會主義。

　　在徐先生的著作，特別是雜文中，隨處可見到社會主義的精神。
例如，在〈一個中國人在文化上的反抗〉中，他寫道：「孔孟之道，
只不過教人以正常地人生態度，及教人以人與人正常相處的態度。
甚至可以說，孔孟所建立，所要求的上述正常的態度，只有在真正
的社會主義社會中才能普遍的實現。」眾所周知，徐先生對自由主
義一方面抱持同情態度，另一方面有所批判。在其〈論自由主義與
派生的自由主義〉一文中，徐先生區分「真正的自由主義」與「派
生的自由主義」：前者預設質的、人格的個人主義，後者預設量的、利
己的個人主義。他認為真正的自由主義必然通往「自由的社會主義」。

　　唐君毅的觀點見諸其《文化意識與道德理性》一書。這是一部
黑格爾式的論著。他從道德理性發展的觀點來統攝人類的各種文化
意識。該書第三章討論「經濟意識與道德理性」。唐先生所肯定的
是「人文經濟」的理想，它是資本主義經濟理想發展為社會主義經
濟理想之後的第三個綜合階段。對於資本主義，唐先生肯定私有財
產制的合理性；對於社會主義，他肯定其追求公平意識的合理性。

唐先生所謂的「人文經濟」顯然包括社會主義的理想，而就其肯定私有財產制而言，可說更接近於民主社會主義。

根據以上簡單回顧，我們可以得出幾點結論。港台新儒家反對共產主義與唯物論，這固然是事實。但因此而推斷他們反對社會主義或不了解社會主義，則是毫無根據、想當然耳的臆想。其次，認為社會主義必然預設唯物論，也是毫無理論根據的。德國的民主社會主義就否定了這點。康德哲學與民主社會主義的理論關聯始終為本地學者忽略。或許孫善豪例外，他發表過〈康德哲學與社會主義〉。

民主社會主義對大陸學界也有影響。2007年大陸學者謝韜在《炎黃春秋》上發表〈民主社會主義模式與中國前途〉，引發了一場激烈的辯論。謝韜在文中將民主社會主義（包括伯恩斯坦的「修正主義」）視為馬克思主義的正統，而將列寧到史達林到毛澤東的共產主義反而視為修正主義。相關的爭論文獻由黃達公編成《大論戰——民主社會主義與中國出路》二冊，在香港天地圖書公司出版。如果張君勱先生猶在世，必然會深感吾道不孤。因此，港台新儒家對於儒學與社會主義的關係可以提供很豐富的思想資源，而非如何乏筆所言，「幾乎是無法思考的」。至於他所謂的「儒家氣學」是否具有神奇的功效，能包治百病，在學術界也是爭論頗大的，由於牽涉過廣，我就不評論了。

李明輝，中央研究院中國文哲研究所研究員。主要著作有《儒家與康德》、《康德倫理學發展中的道德情感問題》（德文）、《四端與七情——關於道德情感的比較哲學探討》、《儒家視野下的政治思想》、《儒家人文主義——跨文化的脈絡》（德文）等，並翻譯多部康德著作。近來的研究重點是康德倫理學與韓國儒學。

「港台新儒家」與「大陸新儒家」的「兩行」反思

賴錫三

　　李明輝先生在澎湃的訪問發言，由於他在學術立場上的代表性，以及發言內容的批判性，引發了大陸相關學者的熱烈回應，尤其針對港台新儒家與大陸新儒家的異同話題，引爆了多音複調的言辯，不同發言位置的光譜一一浮現，這無疑是帶有豐富訊息的學術現象，也反映了目前大陸學界頗具文化活力的動能。這種迅速回應、力道強勁的背後，其深層而多重的意義為何？很值得台灣相關學者審慎深思、再三咀嚼。身為儒學研究的門外觀察者，我底下幾點粗淺的觀察，請教各位方家。首先我的基本態度是，大陸和台灣學者皆可藉此機會進行雙向反思，而不必掉入「彼是我非」的簡單對立。據方克立、王達三的敏銳觀察，大陸新儒家的興起現象是值得正視的，它不僅涉及哲學、學術層面，它還有社會、文化、政治、歷史的實踐層面；而據唐文明的描述，後文革時代的大陸儒學復興從1980-90年代以後，其內涵則更加混雜多元化。身為台灣學者，我願先從台灣內部的反思開始：

　　（一）值得台灣學者省思甚至憂患的是：民國新儒家（唐牟徐）曾給台灣帶來的文化生命力，是否已有逐漸空洞化危機？這可分兩方面來說，就知識層次的儒學研究來看，台灣當代新儒家的論述創

新、師生宗風的薪傳上，在李明輝等所謂第三代新儒家之後，後續
光譜已漸模糊難辨，缺乏學養繼創的開新論述，而學術圈內的新儒
家研究則有專技化的淡泊危機。就民間的文化層面來看，雖然李明
輝提及台灣民間仍保有高度儒家文化的生命風土，但這未必能過度
樂觀與高估，尤其近年台灣政黨對台灣認同的有效操作，明顯造成
台灣文化與中國文化的裂隙（刻意高視兩者的「差異與斷裂」，低
視兩者的「同一與連續」），許多原本屬於台灣／中國連續性的儒
家文化積澱，被簡化操作成台灣本土文化。其結果造就了台灣在地
文化認同的自覺提升，卻未必能認同台灣本土和儒家文化可能有著
一定程度的連續性。這在在顯示台灣民間保存的儒家文化生命力，
仍需要儒者（而非僅是學者）進行自覺化與顯題化的文教工作。相
較來看，大陸民間的儒學生命似乎較能有根柢復甦的認同動能，配
合中國政府在世界政經地位的快速崛起，大陸學者顯然有一股乘勢
翻盤的氣勢，甚至帶有強烈以儒學復興民族文化的饑渴。若暫時不
談大陸新儒家的學術深廣度與嚴謹性，就目前台灣儒者的實踐力道
和台灣民間對儒家文化的認同程度，和目前大陸的情況來相較，在
某個歷史時間點之後，是否已有生命力「一者漸下」與「一者漸上」
的黃金交叉現象？亦即王達三所謂「在台灣出現去中國化的情況
下，台灣新儒家的境遇日漸困難」這一觀察，很值得台灣儒門學者
戒慎恐懼。學術和文化的實踐，除了話語論述的創新以外，更重要
的還是價值信念（理）與生命氣力（氣）的競爭。目前大陸儒者似
乎有一股歷史契機的大時代感，倘若這股力道不至於被政治收編而
喪失理想性格，那麼這一股回應歷史機運而復歸傳統文化的沛然力
道，一則值得台灣以其特殊歷史經驗觀察之、回應之，二則值得台
灣學者參贊之、助化之。台灣新儒家的固有資產與固化危機是一體
並存的，如何更廣泛、更多元、更開放地看待當今大陸在特殊歷史

處境下的儒學復興現象，將是兩岸學者既競爭又合作的文化共享，也是唐文明所謂代際接力的辯證課題。

（二）大陸新儒家除了別急於二分「心性儒學」與「政治儒學」之外，也可藉由港台新儒家或者更廣義的台灣經驗，進一步深度反省政治儒學、經世儒學的威權性格。例如，當大陸新儒家站在絕對的文化主體性立場，直接將台灣新儒家的現代化論證努力（如道德內聖連接民主科學），視為西化的去主體性之衰弱象徵時（如李存山揭露蔣慶的變相西化說），是否也對照出自身有掉入國族與文化的本質主義之封閉嫌疑？尤其當今人類處於高度跨文化交流的時代，許多所謂源自西方的現代性生活早已高度融入當今東亞儒家文化圈的生活世界，甚至相當程度被吸收轉化為百姓日用而不知的日常性，其間雖也造成大規模傳統生活的斷裂與破壞，但它也同時大規模更新並轉化了傳統生活；所謂西方現代性神話的破滅，並不能否認它的合理成分也已成為了中港台現代人的日常積澱。中國夢所謂泱泱大國的自信與自覺，其實不必停留在任何二元對立（如中／西、唯心／唯物、資本主義／社會主義等等對立）的僵化模式，應適度承認現代性文明的在地合理化，並努力使傳統資源與現代生活更加有機結合，以將儒學有利於更新或拯治現代性危機的傳統養分，如重視倫理、重視社群、重視人格修養等等傳統價值，加以開發成跨文化的當代資源，以提供給全人類思考當今現代性危機的一種跨文化資產。這些傳統儒學的傳統價值，可以不只是提供恢復中華民族文化大業的區域性資源；但如果無視於跨文化混雜的現代生活之事實處境，而過度浪漫地想要恢復古典儒家的王道建制，無疑反會斷裂了百年中國的現代化努力。任何試圖復原未與西方現代性文化遭逢前的政治儒學之黃金年代，確實很難不有烏托邦之嫌。或將儒學當做可開發成促進現代性生活的全人類普遍資產（牟宗三的

路），或將儒學當成對抗西方現代性文明的中國歷史傳統資產（蔣
慶雖強調自己既是特殊主義又是普遍主義，但從他的復古情調和拒
斥現代性看來，很難不掉入中西對抗老調），這是兩種不一樣的思
維方式。這兩種差異的思維方式，或許反映了港台新儒家和大陸新
儒家兩種不同的地理處境和歷史經驗：大陸向來習慣於世界中心、
春秋一統的主體想像，而百年文化的挫折也終究不能中斷其文化主
體復歸中位的形上渴望；反觀台灣向來位處邊緣的虛待之位，因此
具有容易吸收多元文化而虛懷納物的傾向。這兩種不同時空處境，
或許也會影響兩種回應西方現代性文明的潛在模型：台灣相對容易
接受跨文化的內在多元性而對文化的本質主義較為警覺，大陸相對
容易走向中心一統化、文化主體性的形上堅持。而兩者是否可以藉
著差異，來反省各自歷史地理經驗對政治、文化的限定想像，以避
免掉入「此亦一是非，彼亦一是非」的一偏知見？這是一種解放意
識型態的挑戰。比如任鋒批評港台儒學有其「天然外在約束」，卻
遺忘了大陸儒學也有它「天然內在約束」。如何藉由雙方差異來促
成雙邊反思，以便走向辯證轉化的「兩行」交流，比爭論血統正嫡、
國大國小，更為深刻困難且當務之急。

（三）有大陸學者提到，港台新儒家和大陸新儒家的差異，或
許約可類比為宋學、漢學之爭。前者雖強調心性內聖實踐必然要通
向政治外王實踐，但後者更堅持政治儒學的精神在於政治社會文制
的經世濟民，亦即道德的修養實踐直接就在於外王推擴中，未必要
先有內聖再通外王。正如蔣慶要區分：港台新儒家是「由心性講政
治的儒學」，而不同於他強調公羊春秋那種「創制意識的政治儒學」。
換言之，大陸新儒家的經學強調，除了認定它自身有學術史的根據
外，即原本先秦儒學和經學、禮學完全不分開，而外王實踐就必然
要依託在經禮學的傳統政經社會文化等具體血肉中。這種挑戰似乎

延續了歷來「反（宋明）理學」的異議傳統，如楊儒賓教授在《異
議的意義——近世東亞的反理學思潮》中，那種不曾間斷批判復性
論、體用論的「相偶論」傾向之儒學傳統。據此，我們不宜太低估
大陸新儒學對照於台灣新儒學的歷史性和理論性意義。回到先秦儒
學的道德實踐傳統來看，孔子與六經傳統、周文禮教的密切關係確
實也有它的根據，那時的儒學實踐似乎未有：先復性見體再推擴外
王的本體論優次順位。所以大陸新儒家那種政治儒學平行於甚至優
先於心性儒學的強調，似乎也有它學術史的判斷根據。但同樣值得
反思的是，先秦儒學和當時周傳統禮樂文教密切相關，甚至儒學向
來與傳統的農業經濟、宗法家族、父家長制血肉相連，這一方面提
供了儒學做為中國文化主體性的具體風土，但是否這也同時造成了
儒家背負了不少傳統政治的意識型態？大陸新儒家似乎太急於將歷
史的合理性等同於價值的合理性，認為恢復儒學就連帶必須大規模
地與傳統生活劃上等號，並由此自覺或不自覺地排斥或反抗現代社
會的民主科學之生活方式。在我看來，李明輝所描述的台灣新儒家
情境，其實已經相當程度用價值判斷批判或者取代了歷史判斷。即
儒家過去的經學禮學之文化生活脈絡，大部份只能被認為是過去歷
史的存在合理性，但卻未必能同時具有與時俱進的未來價值。反而
台灣新儒家要承認民主科學的當今價值，並在承認現代民主科學為
普遍價值的立場上，用他們認為儒學可普遍化為全人類價值的道德
自律立場，一方面給予現代化的重新論證（如康德化的論證模型），
另一方面將道德自律和現代性生活給辯證接軌（如道德良知坎陷以
開出民主科學）。我們雖未必能接受牟宗三的良知坎陷以開出民主
科學之說，但他反映出台灣新儒家並不固化傳統的思想開放性。以
牟宗三為代表的台灣新儒家這種新型態的宋明理學立場，無疑會被
反理學立場的大陸新儒家視為斷裂了過去具體歷史的抽象繼承。但

反過來說，將歷史合理性等同於價值合理性，極可能對過去的歷史缺乏批判性。例如政治儒學是否曾經也是過去專制政體的同盟？是否也曾為過去的君權、父權、男性等中心主義提供了意識型態，甚至提供形而上學的價值保障？要恢復過去經世濟民的政治儒學是否也得要同時進行批判揚棄的工作？換言之，台灣新儒家對過去歷史的抽象繼承，是否也就隱含了批判的揚棄？台灣新儒家和大陸新儒家雖然都認同傳統文化，但他們所認同傳統文化內涵和方式顯然不會一樣。港台新儒家或許會認為現代生活對傳統生活的因革損益之必要與合理，因此對當今公民社會、民主科學採取了較大程度的開放納受，而儒學也必須切合於當今現代生活的實際。但大陸新儒家會擔憂現代（西方）生活對傳統生活的淘空，而要恢復儒家的價值觀就必須適度同時恢復傳統生活甚至制度，以使儒學有血有肉地再現，而不是在現代性神話下繼續讓它抽象淡泊的宿命。可見這兩種文化保守主義所要「保守」的方式和內容都不一樣，兩者的差異不一定只是理論層次的問題，還可能跟歷史時代、地理經驗等隱黯向度有關。

（四）如何理解內聖與外王的關係？到底是先內聖再外王？還是即內聖即外王？內／外的關係是否可被理解為在當下的社會實踐中一體呈現？而台灣新儒家似乎傾向於：（先）內聖（再）外王的理想化模型？假使如此的話，在現今民主政治、資本主義的現代社會中，它是否會有不易切合現實的難題？李明輝在訪問稿裡，曾提到現今專業知識分工下儒者型知識分子的發言困境，其實這並非僅限於儒者型知識分子，而是當今專技型知識分子在極度複雜分化的現代生活，都必然要面對的普遍有限處境。在現代高度社會分工下生活的知識分子，一則除了得盡量擴充現代各領域的廣泛知識以外，再則也要高度自覺發言位置的片面性以迎向多元的對話溝通，三則儒家仍然該適度堅持道德價值對知識專業的引導批判性，因為

有許多所謂專家立場的發言是在擁護自身的權力與利益。儒家對德性之知與見聞之知的辯證思維，未必完全失效而是需要應用得更靈活開放。但是這種道德反省和廣泛知識的參贊互滲，是否必要堅持原儒所謂「內聖通外王」的先後模式？是否可考慮適度修正或放鬆「先修內聖再通外王」的理想範式？因為「內聖通外王」的先／後、內／外的強調，反而可能造成內聖／外王的斷裂嫌隙，因為內聖通外王的合理性乃是以中國古典的政治歷史傳統為背景，一旦歷史背景不再，實踐的模型可能也要跟著轉化。而適度轉化甚至放下「內聖通外王」的理想範式，絕非放棄道德修養的堅持，而是心性修養或道德實踐不一定要再以「復性見體」為價值優先。換種方式講，亦即儒家的超越性是否可以從形上天道的體證，大規模地調整為社會文化的道德實踐，將內在的超越性更加具體化為人倫日用的橫向超越性？亦即儒者之道乃可以在現今當代社會文化生活中來日生日成，將道體完全落實為極高明而道中庸的社會實踐。過去宋明理學最大的挑戰或許來自於佛老的心性形上學與工夫論的內聖挑戰，然而當時儒者在吸收佛老的內聖工夫而又返歸儒家社會實踐的外王學，逐漸形成一套內聖外王「即體即用」的圓融觀，但這樣的體用圓融仍然不免帶有細微二元論的傾向（如「體用不二而有別」、「先內聖後外王」等等形上等級制），然而隨著當今宗教超越性的逐漸失效（逐漸內在化、唯物化），儒學過去的超越性追求是否可以跟著一起轉化？甚至擺脫佛老影響下的超越論模型，重新回到先秦孔子的「內聖即外王」，來取代「內聖通外王」的模型。如此一來，儒家的道德心性修養乃與社會文化的外王實踐，可能成為幾無差別的一事兩面。而這種思維方式或許比較近於王夫之那種「性日生日成」模式，而非心學那種逆覺體證的「復性」模式。假使堅持「先內聖後外王」、「先復性再推擴」的修養模式，那麼當今儒者必然

要面對如何見證「心性本體」這一類工夫論難題？然而當今儒者是否能保有這種「心／性／天」通而為一的見道傳承呢？而且縱使有此心性修養是否又未必能對現今社會實踐有太多貢獻？如此一來，儒家在當今社會的勝場何在？體用論這一話語系統的魅力，在於心性天道的本體之高明，以及社會政治的本體之發用，兩頭都拉住。既超克佛老，又深化倫常。以體用來消化相偶是一條高明之路，而宋明時代走的正是這個高明之宜。但是當今儒者或儒學研究者，多少人能賦予本體以心性工夫之經驗內容？且又能將此超越感受轉用為社會實踐之大能？體用論確實維繫著宋明儒以來的莊嚴命脈，而它的不二不一的詭譎表述，則必也有信念與情感在支撐。然當世之人若不能穩立體用論話語系統背後的這些實感，那麼令人擔心它會有兩頭落空的危機。宋明大儒幾乎都有本體與工夫的實感追求，所面臨的中國傳統政治社會也和當時儒者的日用實踐有一定的相應處，因此體用系統的力道自有它契機契理的歷史脈絡。但在當今時代，儒學的挑戰或許已不來自佛老，其所面臨的更是東西跨文化的挑戰與轉化，甚至全世界的宗教超越性都面臨了神聖的失能與規範的重建，在這樣後形上學的時代，如何重新表述孔子的超越型態？總而言之，內聖通外王的傳統儒學實踐模式，是否可能在「心性內聖實踐」與「社會外王實踐」同時落空？要力挽此弊、力克此難，儒學的實踐模式是否要再做調整、或者重新再詮釋？人類的歷史處境一直在變遷、文化也一直在流動交換，不管是港台新儒家或者大陸新儒家，是否都必須在正視當前歷史社會處境的挑戰，不斷給出新藥方？而宋明儒當時為回應佛道所給出的藥方，在今日看來，是否已完成其歷史使命？而當今兩岸儒者的歷史新命，是否有待給出新的回應模式？

　　（五）所謂中國文化傳統的主體性內涵，或許可以儒家為基調，

卻不必由儒家所獨占，更毋需將儒家文化本質化為唯一中心主體。
過去古典中國因為運用了經世儒學做為國家意識型態來治國，但在
當今跨文化時代則更宜強調中國文化的內在多元性。眼前大陸所謂
中華文化的偉大復興，未必要被直接簡化為儒家文化的古典復興，
反而也可以思考多元傳統文化，如何古典新義地做為跨文化資產。
例如在儒學與政治關係的思考上，經世儒學容易理所當然地被當做
建構國族認同、文化認同的基柢，但這是否也容易缺乏批判反思其
中隱含的「同一性」、「中心性」之暴力？反觀道家（例如莊子）
在思考思想、政治、文化的認同模型時，總是對人類中心主義、權
力中心主義、文化本質主義，等等不同型態的同一性暴力，帶有高
度的批判覺察，並帶出尊重多元差異的開放態度。換言之，中國傳
統政治那種「以一御多」的政治形上學、政治身體論的「君權中心
主義」等原型，儒家向來較缺乏批判反思，反而道家對各種權威保
有高度敏感的遊牧距離。如今大陸新儒家欲恢復政治儒家與傳統政
治的親密共構關係，最好同時也能將中國文化其它多元的批判資源
考慮在內。例如法國莊子學家畢來德（Jean François Billeter）就認
為：對中國傳統政治威權的形上學之反省，莊子可能具備了比儒家
更具當代性的跨文化資產，而反觀台灣所位處的「非中心」之時空
狀態，有時也反而比位處中原的華夏中心心態，更具有尊重多元差
異的開放思維。

賴錫三，中山大學中文系教授，目前已出版《莊子靈光的當代詮
釋》、《丹道與易道》、《當代新道家》、《道家型知識分子論：
莊子的權力批判與文化更新》諸書。學術興味在於重建當代新道
家，及開發《莊子》在當代的跨文化潛力。

新儒家、自由主義與社會主義能否會通？

關於中國混雜現代化的弔詭格局

何乏筆 Fabian Heubel

　　會通儒家傳統、市場經濟和社會主義，似乎已成了中共的官方立場。然依據一般西方對現代化或現代性的理解，這種會通是不可能的，因為包含太多違背邏輯而應要化解的矛盾和衝突。不過，假設如何會通三者是目前中國現代化道路所面臨的難題，那麼，如何思考這三者能「通」還是不能「通」，便成了面對「中國崛起」的重要問題——在大陸是如此，在台灣是如此，在海外也是如此。進行此番思考的難度極高，因為自從1895年甲午戰爭結束以來，中國現代化的道路極其曲折混雜。對當代哲學而言，如何創造一話語模式，以透徹地思索中國混雜現代化所形成的弔詭格局（paradoxe Konstellation），無疑是巨大的挑戰；而且可確定的是，當面臨此挑戰時，不得不採取跨文化、跨時代的視野，以通古今中西之變。在此背景下，三統論是值得注意的話語模式。無論是牟宗三的三統論（道統、學統〔科學〕、政統〔民主〕）或甘陽的新通三統，或姚中秋所謂「儒家憲政民生主義」，都是著眼於思考中國大規模地混雜古今中西資源所造成的現代化道路如何能「通」的問題。

　　從港台當代新儒家的角度來看，問題顯然不在於如何會通儒家

傳統、毛澤東傳統（社會主義）和鄧小平傳統（經濟自由化），更
在於如何會通新儒家、自由民主與社會主義——在廣義的新儒家
中，流亡港台的學者特別關注儒家與自由主義的溝通，居於大陸的
學者則特別關注儒家與社會主義的溝通。由此觀之，假如新儒家要
積極地、且具批判性地回應新通三統的話語模式，那麼「港台新儒
家」與「大陸新儒家」能否超脫冷戰意識形態的遺留，以進行深入
溝通，就是一個值得關切的主題。進言之：台灣學界主要的批判對
象究竟應是接近官方立場的新通三統，還是被官方話語所批評的激
進復古派所主張的反對西方民主制度、追求王道政治、「完成現代
中國的復古更化」〈參見〈蔣慶回應李明輝批評：政治儒學並非烏托邦〉〉？
儘管通三統論與王道論之間存在著連結的可能，然原則上分別代表
兩種回應中國混雜現代化的話語模式。兩者都值得深入探討，但同
時，就思考策略而言，選擇其中之一作為批判的焦點是必要的。筆
者認為，從兩岸當今的政治情境所面臨的迫切問題來看，答案顯而
易見：批判的焦點應該是新通三統論；而對新王道論的「烏托邦」
進行反駁則是次要。在此基礎上，筆者將從儒學與社會主義的關係
問題切入關於儒學與政治現代化的討論，以進一步反思新儒家、自
由民主與社會主義能「通」還是不能「通」的問題。

　　難以否認，若站在「當代新儒家」（或港台新儒家）自從1949
年以來所發展的政治哲學角度（此處「當代新儒家」主要是指唐君
毅、牟宗三、徐復觀、張君勱所打開的思想格局，不包含熊十力、
梁漱溟等人），以上的問題幾乎是無法思考的。在1949年之後的意
識形態鬥爭中，在充滿使命感的反共意識（包含反唯物論和辯證法）
下，新儒家學者對儒家傳統的批判性重構獲得重要突破，但同時在
歷史局勢和時代氛圍下，他們所選擇的發展道路也不可避免地局限
了新儒家的視野和潛能。因為當代新儒家選擇了藉由「自由民主」

來探討儒家與政治現代化的關係，至於儒家與社會主義的關係，大
體上被排擠到當代新儒家思潮的邊緣地帶。基於此，李明輝在澎湃
新聞的訪談中便強調，儒學與自由民主沒有任何基本矛盾。無疑，
在反對君主制度而提倡民主共和的信念下，新儒家與自由主義的理
論會通，成了港台新儒家思考中國政治現代化的重要貢獻。然而，
當面對中共的一黨專制與台灣自由民主之間的複雜關係，以及港台
新儒家與文革以來的大陸新儒家之間的學術論辯時，將可發現：要
擺脫冷戰思想結構的陰影仍然很難。問題是，究竟何種思想格局能
真正超出那滲透到兩岸三地儒學話語裡的冷戰思維，並能促進兩岸
三地在政治現代化方面的「溝—通」？值得留意的是，此一溝通的
視角和條件，乃來自於當代漢語哲學所累積的跨文化潛力、及中國
混雜現代化所蘊釀的規範性內涵。

　　一旦試圖從新儒家的角度探索民主政治、市場經濟和社會主義
的弔詭格局時，當代新儒家論自由民主的話語模式便顯得不足。問
題在於，當代新儒學在政治現代化方面，大致接受了西方現有的自
由民主和憲政制度，因此在政治方面難以對新自由主義籠罩下的民
主危機提出反思，也不易設想儒學遺產如何有助於構思一種（不限
於西方民主經驗的）未來民主，並能關注全球自由貿易的擴充與民
主機制之間的嚴重衝突。此問題之所以重要，因為在面臨各種理論
話語的挑戰之際，可能對中共政治機制（或所謂中國特色社會主義）
造成最大威脅的，並不是「原教旨主義儒家」的王道政治或西式的
自由民主，而是「西化」的新儒家（儒家與自由主義結合）。在邏
輯上，此情形不難理解，因為如同西化的新儒家一般，中國化的馬
克思主義也是混雜化過程的產物，體現了中國混雜現代化的深層動
力。由此可揣想：因為與混雜現代化道路的大趨勢背道而馳，中式
王道政治只能藉由徹底的反現代化來構思，而西式自由民主則只能

採取全盤西化的激進話語來構思，因此實現的可能不大。對比之下，當代新儒家的優點和「迷惑性」，恰好在於「西化儒家」的混雜性和跨文化性。然而，其弱點在於不熟悉馬克思主義，不熟悉歐洲批判哲學從康德發展到馬克思的曲折和連貫，因而不熟悉社會主義，並且難以發揮儒家與社會主義的親和力所蘊含的思想潛能。

　　換言之：在1989年以來形成的後革命和後意識形態情境之下，大陸思想界出現了許多試圖深思中國混雜現代化道路的話語模式。然是否已醞釀出充分的條件，來「彌合革命遺產與文化復興之間的矛盾」，來自覺地走上「文質相復之道」（參閱柯小剛，《道學導論（外篇）》，第五章）？儘管西方現代性（及其所包含的神話）已成為中國現代化的組成部分，但根據筆者的觀察，漢語學界迄今仍不擅於探討中國混雜現代化所造成的弔詭格局。從當代新儒家所累積的跨文化潛力來看，自文化民族主義的立場對西方現代性和西方價值進行反駁，這並不是一種進步，也不意味著開發中華文化的普遍性，以及對世界文化的貢獻，反而代表著一種朝向自我封閉的退步。自我設限於倡導「中國特色」，難道不正是對西方現代性及其歷史挑戰的投降？換言之，批評文化民族主義的病態，並非意味著去否定對重構中國古典文教或提升中國人文經典教育的種種努力，相反地，在反省中國混雜現代化所造成的弔詭格局時，中國古典文教所蘊含的智慧正是關鍵要素。在這方面，筆者能同意甘陽的觀點。他認為，促使中國的「文明自覺」不能「以『獨尊中學』而排除西學的方式來做」，而「需要走『中西並舉』的道路」。因此，針對「獨尊中學」的傾向，他指出：「目前國內一些自稱新儒家的朋友頗有這種主張，但這即不現實，也不可欲。」（甘陽，《通三統》，北京：生活‧讀書‧新知三聯書店，2014，頁141）

　　假如自1949年以來，中國共產黨的統治乃建立在西方現代性的

革命神話之上，那麼文革結束後（尤其是六四天安門事件之後）的發展，的確讓此一神話徹底破滅。然中國共產黨的革命神話破滅之後，政治現代化的前景為何？在許多著名的歐美漢學家看來，傳統的君主制度與20世紀的一黨專制之間，存在著深層的連續性。這種看似現實主義的理解，其實明顯漠視中國自甲午戰爭以來的一系列革命性斷裂，忽略了所謂西方現代性早已滲透到中國文化歷史的血肉之中，構成混雜現代化的歷史事實。在擁護民族文化的濃烈使命之下，當代新儒家對混雜現代化的哲學反思，已明顯超出了中國—西方的二元架構；在思想的深處，推動了當代漢語哲學的現代化，突破了西方漢學家及許多20世紀中國學者對儒家的刻板理解。值得注意的是，此突破是藉由「心性之學」的標誌而完成的。

　　就當代新儒家而言，對抗中共一黨專制的關鍵任務，在於重構儒學的主體性話語，再藉由自律主體（內聖）「開出」科學與民主的新外王，「曲通」道統、學統和政統。就筆者的淺見，當代新儒家心性論的最重要貢獻，在於主體概念的重構與自我坎陷說的現代自覺。然而，藉由重構宋明儒學之「道德主體」來建構新外王的努力，在今天顯然面臨嚴峻的理論挑戰。在台灣，許多親近當代新儒學的人士早已注意到：心性主體的唯心論陷阱，與新儒家在思考政治現代化的困難息息相關。心性之學的重構，是不容忽視的貢獻，但若要面對當前的歷史挑戰，不得不思索應如何突破心性主體的形上學基礎所面臨的鬆動，俾以促進新主體範式的產生。在中共意識形態破滅之後，這乃是新儒家走出專制陰影的關鍵要素之一。然當代新儒家在內聖（心性主體）開出新外王的思想格局之下，是否有理論能力來回應新儒家、自由民主與社會主義究竟能「通」還是不能「通」的問題？假設中國大陸走出一黨統制的道路必定與中華民國在台灣走出一黨統制的道路有所不同，因而大陸在政治方面的發

展很難效法台灣的民主化模式而推進，那麼，社會主義便是不可迴避的難題。

近幾年來，李明輝一再反駁對康德道德哲學及自律主體的窄化理解，提出康德哲學基本上能容納社群主義和德行倫理學的洞見。在他看來，自由主義與社群主義的互補（而非相斥），在康德的倫理思想中，可找到相應的理論依據，隨之能超出從自由主義或從社群主義片面地解釋儒家的弊病。不可否認，在面臨儒家與社會主義的深層關係時，將社群主義容納到儒家與康德哲學交錯的理論格局之中，確是具有發展潛力的嘗試。不過，當代新儒家在肯定自律主體的基礎上，能接納自由民主，能接納社群主義，但殊難思考社會主義與唯物論的關聯性。

在這方面，儒家氣學（尤其是張載和王夫之）可能扮演著重要的橋樑角色。這並非意味著，儒家氣學「具有神奇的功效，能包治百病」（參見李明輝回應稿），但藉由溝通心物之間的氣化論，來思考「神（心）—氣—物（形）」的主體概念，或能有助於革新心性論的主體範式，也有助於新儒家會通社會主義的唯物論向度。或說，根據筆者目前的假設，若片面地以「心性之學」為新儒家的理論核心，則不能「通」新儒家、自由民主與社會主義，不能回應中國混雜現代化的弔詭格局，也難以提出通三者的另類話語模式。然而，如同李明輝所指出，相關的「爭論頗大」，而本文不適合投入此爭論（可參考賴錫三〈「港台新儒家」與「大陸新儒家」的「兩行」反思〉對心性論所提出的意見）。持平而論，關於儒家與政治現代化的討論，使台灣儒學研究中兩種思想道路（心性論的道路與氣化論的道路）之間的潛在爭論，或可稱之為「二王（王陽明與王夫之）之爭」，浮上檯面。對新儒家思考政治的現代化而言，這不啻是具有正面意義的轉捩時刻。

後記

在〈《澎湃新聞》訪問之回應〉中，李明輝批評本文，指出：「何乏筆在發言中強調：若站在當代新儒家（或港台新儒家）自從1949年以來所發展的政治哲學角度，儒家與社會主義的問題『幾乎是無法思考的』。他背後預設的推理如下：由於港台新儒家的政治哲學從康德哲學出發，故必然反對共產主義與唯物論，因此無法理解社會主義並反對社會主義。這番推理不但是昧於事實，而且論證也有很大的破綻。」筆者閱讀相關說明之後感到高興，因為其中的確可見一種思考當代新儒家與社會主義的可能研究視野，也樂意承認「港台新儒家對於儒學與社會主義的關係可以提供很豐富的思想資源」。筆者期待這些資源將來被積極開發，然而針對此研究視野要初步提出兩點感想。第一點是針對「會通儒家與社會主義」在台灣學界所面臨的歷史條件和困境；第二點是針對康德與社會主義、康德與馬克思的關係。

李明輝提及值得開發的研究視野，但難以否認的是，這樣的視野在台灣的儒學研究中並未受重視，遑論開發。過去沒有被重視，而當今開始被重視的情境背後，其實具有複雜的歷史條件。筆者「背後」的預設，首先與康德哲學只有間接的關係，僅是由歷史的可能性條件來思考問題。楊儒賓表述相關問題的方式，筆者是可以同意的：「中華民國的學術如果以1949對分的話，前期的民國學術和後期的民國學術之銜接自然不可能一路順暢，沒有令人遺憾的因素。最明顯地，莫過於社會主義在1949年後的台灣基本上處於失聲的狀況。此一失聲連結上一個歷史階段的日本殖民統治對左派思潮的殘暴鎮壓，社會主義的思潮在戰後台灣的發展遂不能不隱微委屈，柔

腸寸斷，沒有傳承可言。社會主義與同時期的兩大思潮之間的整合顯然也未曾展開，遠不如新儒家與自由主義的整合。儒家與社會主義的精神本來是相當緊密的，從康有為、梁啟超到熊十力、梁漱溟，我們都可在他們的思想中找到極濃烈的社會主義思想的因素。一落到現實的處境，兩者竟然無法發生更有意義的結合，主要原因當是政治殘暴地介入所致。左派思潮在當代台灣社會的缺席，無疑地是島嶼人民的一大損失；左派在大陸無法產生人文化成的精神能量，則使得全體中國人在上世紀50年代以後遭受難以言說的苦難。」（楊儒賓，〈在民國思考「民國學術」〉，收入《1949禮讚》，台北：聯經，2015，頁172-173）。換言之，儒家與社會主義的關係之所以長期被台灣新儒家所忽視，首先並不是個別學者的缺失，而是與客觀的歷史情境和話語界限（即所謂歷史的可能性條件）息息相關——請注意：「歷史的可能性條件」已蘊含著康德哲學與馬克思哲學的交錯；這樣的交錯，恐怕對心性論傾向於道德化、內心化、精神化、個體化的思想模式而言，並不容易理解。由此可回到當代新儒家「幾乎無法思考的問題」，因為在筆者看來，幾乎無法思考的不僅是儒家與社會主義的關係，更是會通新儒家、自由民主與社會主義的相關問題，以及三者的弔詭格局。此處所謂的社會主義，不可能只是理想化的「民主社會主義」或「倫理社會主義」，而意味著要面對「中國特色社會主義」的理論挑戰，理解其歷史和思想條件——也需要理解為何許多新儒家學者（無論是港台、大陸或海外的）在相當高的程度上願意順應中共「治理現代化的要求」，甚至與當前的「中國特色社會主義」妥協。由此可回到本文前述的建議，即在面臨大陸的儒家復興時，應把批判的焦點放在接近官方立場的新通三統論，以及相關的討論和批評上。根據筆者的理解，李明輝所描繪的「民主社會主義」是一種會通自由民主（包含市場經濟）與社會主

義的模式。問題是，藉此能否對試圖會通儒家傳統、市場經濟和社會主義的話語模式，提出有力的分析和批判？若台灣學者可積極參與這樣的討論，對新儒家政治哲學的發展而言，將有別開生面的意義。

李明輝將筆者的觀點簡化為：由於港台新儒家的政治哲學從康德出發，「故必然反對共產主義與唯物論，因此無法理解社會主義並反對社會主義」。筆者沒有預設這樣的「必然」（但確實經常對當代新儒家運用康德哲學的方式感到不安，尤其懷疑：康德的批判精神在新儒家脈絡下是否已被教條化，或說「去批判化」）。相反的，在筆者自己的重要思想背景裡，即在法蘭克福學派批判理論中，康德與馬克思的「溝—通」伴隨著批判理論的演變（可參閱*Oskar Negt, Kant und Marx. Ein Epochengespräch*）。當然，兩者之間，「左翼黑格爾主義」乃是不可缺少的思想橋樑。根據霍耐特（Axel Honneth）的說法，左翼黑格爾主義的核心主題在於，「批判的視角以某種方式被理解為錨固於現存社會之中」。意即，在康德、黑格爾、馬克思三者的弔詭格局之中，康德哲學的歷史化和唯物論化是強大的、影響深遠的思想線索，也對當今法蘭克福學派發揮了各式各樣的作用，無論是哈伯瑪斯的話語倫理學或者霍耐特的承認理論和社會自由的概念皆然。由此觀之，康德確實「可以與社會主義相結合」，但同時社會主義不可以「與唯物論脫鉤」。無論如何，李明輝也承認「康德哲學與民主社會主義的理論關聯始終為本地學者所忽略」，那麼本次的爭論便開闢了值得共同著墨的問題場域。

何乏筆 Fabian Heubel，中央研究院中國文哲研究所研究員，法蘭克福歌德大學社會研究所兼任成員。研究領域：跨文化研究、當代漢語哲學、批判理論、西方漢學、藝術哲學。

開出說？銜接說？

楊儒賓

　　李明輝先生接受訪談，批評了某種的「大陸新儒家」，引發了一連串的風暴。有關「港台新儒家—大陸新儒家」、「心性儒學—政治儒學」的討論中，儒學與民主的關係如何理解，是一個討論的重點，李先生的論點也集中在這點上面。而只要論及新儒家的政治論，牟宗三先生的「民主開出說」總會被拿出來討論，大陸學者的回應也觸及了此議題。在沸騰的氛圍中，能有些平淡玄遠的議題稍加平衡，未嘗不是好事，我這篇引言就繞著這個概念稍作引申。

　　儒家在20世紀面臨最大的問題是如何消化民主與科學，「民主與科學」是五四運動的口號，這個口號可以說是對19世紀中西交流以來的一個總結，它代表了整體中國要求的歷史方向。「民主與科學」的口號也構成了新儒家的新三統說的新政統與新學統的內涵，從新儒家第一代的熊十力、梁漱溟開始，如何消化民主與科學，就構成了儒學集團內部強烈的驅求。

　　在新儒家對民主的要求的回應中，牟宗三先生的「開出說」標幟最清楚，引發的正反意見也明顯地超過其他各種競爭的理論。有關「開出說」的內涵，牟先生的說法其實相當簡單，其論點基本上比較像宣示，而不像系統性的著作，倒是此論題引發的討論遠遠超過牟先生當時的解說。「開出說」當然不會是歷史的解釋，歷史上

沒有這個先例，事實上正是因為沒有此先例所以才需要開出；「開出說」也不是社會經濟學的解釋，民主需要社會條件，牟先生不會不知道這個先決條件，但他的論點的重點不在此。新儒家當中，梁漱溟比較重視理念與社會的關係，牟先生只有在年輕時特別注意這種現實的條件，晚年越來越走向玄深幽邃的哲學工作上去。

　　雖然牟先生對「開出說」沒有作出太多的解釋，但依他當年的思想格局（晚年圓教論時期姑且不論），我們對這個提法似乎不會太陌生。筆者曾提出黑格爾─起信論模式，雖然筆者也提到這個模式是從思維模式講，而不是從哲學的內涵講，但或許筆者表達不力，沒有澄清的效果，一般人談起「開出」此語，或者對我的理解的理解，還是時常混淆兩者。從思維的模式講，眾所共知，黑格爾將一切文化現象視為理念的彰顯，文化的顯現也是邏輯的顯像。《起信論》對具有能動性的最終依據之理解與黑格爾不同，《起信論》將世界的現像視為「一心」所開，而作為世界本質的如來藏心固法爾如是，這種真俗同依宇宙心（或者也可稱作準宇宙心）的模式乃所謂「一心開二門」是也。黑格爾與《起信論》這樣的思維很合新儒家的想法，因為作為新儒家思想源頭的《中庸》、《易經》就具有類似的思考傾向，這種思考基本上是建立在宇宙心的基礎上。宇宙心論述在中國通常會有工夫論作支柱，所以原則上它是可體證的，但我們不能不注意：工夫所體證世界之依據是一回事，世界如何成立又是一回事，宇宙心之「開出」說基本上不是經驗性的敘述。即使有工夫論與宇宙心的連結，體證此宇宙心和「宇宙心開出」之間的關係，仍有複雜的過程。

　　牟先生對黑格爾、《起信論》都有討論過，他論歷史，常用到黑格爾的論點；論哲學的基模時，認為《起信論》「一心開二門」的格局具有普遍意義，這兩種思想的模式是他論民主與「精神發展」

的關係之母本。但牟先生的解釋也有更貼近的母本，更明確地說，筆者認為牟先生的「開出說」是依據中國哲學傳統的「體用論」而來的。理學從北宋的周敦頤、張載直到民國的熊十力，他們的思想都將世界（文化世界與自然世界）建立在道體的展現上面，天道流行，物與無妄，價值世界由此奠定。牟先生受康德啟發甚大，康德也有政治哲學，但就牟先生的「開出說」而論，我認為他使用的乃是中土版的體用論。如果我們將牟先生的「開出說」和馬一浮先生的「西來學術統攝於六經，六經統攝於一心」說作個比較，難免有似曾相識之感。雖然說一個為「開出」，一個為「統攝」，但是一切從此法界流，一切還歸此法界，其思維模式與用心都是類似的。

如果是「開出說」的話，理論上講，民主應該可以依本心自我立法，直接展現。如我們對大屠殺的正義之怒引發對該政權的抵制行動，或對流浪狗的同情引發參與制訂動物保護法。但牟先生卻又認為中國人對民主的追求到了17世紀的黃宗羲、王夫之、顧炎武，已經用盡理論資源，再也開不出。這個僵局要到19世紀引進西方的民主制度後，才找到希望。牟先生甚至主張：民主制度應該是所有政治制度中最終極的，再也演化不出新的形式，他的論點隱然和後來的福山假說相應。牟先生對西方現代性的代表作代議民主有很強的信任，蘇聯異議作家索忍尼辛曾在台灣困苦時期來台訪問，高度讚美台灣，給處在政治寒冬的台灣當局極大的溫暖。但索忍尼辛帶有很強的反西方現代性的心態，共產主義和自由主義被他視為一對邪惡的孿生兄弟。牟先生當時在台，他回應索忍尼辛的反共主張時，不忘提醒道：美國出問題，乃是其社會文化出問題，而不是民主制度有問題，這兩種層次的問題絕不可糾纏在一起。

牟先生的立場也是港台新儒家的共同立場，港台新儒家是最典型的文化傳統主義者，但在民主理念上，他們卻強力支持明顯地是

西方引進的民主制度。一般說來，全世界的文化傳統主義者通常都反西方現代性，因反西方現代性所以連民主制度也一併反，阿拉伯世界在此方面的矛盾特別明顯。新儒家在思考現代性的問題時，卻很清楚地將民主制度的形式因與社會生活作了切割。徐復觀先生和殷海光先生兩人在民主與文化關係上的論爭由友好─衝突─再和解，很戲劇性地突顯了新儒家對文化傳統與民主制度的兩頭堅持。如果我們要論港台新儒家思想的特色，不能不認為「民族文化的內容與民主制度的形式兩者之結合」是最顯著的思想地標之一。

　　我這裡使用「形式」與「內容」兩詞當然很浮泛，但我是借自牟先生與徐復觀先生。新儒家學者應當是民國學術中最具哲學創發力的學派，一般比較容易同意他們在心性論、形上學、倫理學上的貢獻，但我認為他們在政治哲學上的貢獻也一樣大，如就理論的建樹而不是就鼓舞一代風潮而言，我相信他們的成就超越了民國的自由主義者。牟、徐兩先生都有儒家的政治哲學，他們的政治哲學主要用以疏通17世紀以來儒家在政治領域實踐及理論上的困局，簡單地說，他們劃分了政道與治道、內容與形式，借以說明儒家有民主的理念而無法暢盡其義，乃因找不到合理的表達管道，這個管道就是代議政治的形式。

　　牟先生的「開出說」常被質疑，顧名思義，我們也很難怪這個詞語為什麼常受挑戰。因為如果是「開出說」，為什麼要用西方發展出來的民主制度？如果採用了西方的制度，這個舉動無異於接受了「外來」的因素，這種接受的行動是主體的退讓與容納，何有於「開出」？

　　「開出說」很容易令人聯想到生物學上的種子的隱喻，或者邏輯上的套套邏輯，開展出來的事物原本即孕育於原初之物中。但依據「內容」與「形式」的劃分，我們還是可以代牟先生解釋。儒家

原本有很濃厚的民主因素，即使左派的中國哲學史家在意識型態最
狂熱的年代，大概也不會否認黃宗羲、唐甄的民主理念。理念總是
要發展的，所以內在於儒家思想內部即有尋求與內容相稱的「形式」
之需求，這種需求是內在於儒家系統內的。如果放在歷史的發展來
看的話，我們可以說中國現代性源頭的北宋時期即已開啟了中國現
代意義的民主的先聲，從宋初三先生、范仲淹起，北宋儒者形成「以
天下為己任」的政治主體之意識。這種意識發展到了南宋，朱子更
提出一種足以抗衡政統的「道統」意識。「道統」的作用是雙面的，
包含宗教與政治兩面，儒者有種足以抗衡佛老之道與帝王之道的價
值系譜，「道統」是中土儒者八百年來的精神王國。理學家對於政
權合法性的問題確實沒有根本的解決，與「民主政治」相關的議題
沒有進入他們的意識之中，但他們的主體承擔已跨進了政權存在的
深水區，要不然，朱元璋不會憤怒到想將孟子趕出文廟，乾隆皇帝
也不會對程伊川的「士大夫當以天下為己任」的言論那麼不滿。回
到歷史的脈絡，「士大夫與君王共天下」之說雖然簡化了政權的正
當性問題，但不是沒有理路，也許我們可說中國的現代性有機會「先
讓中國一部分人（士階層）民主起來」。

　　儒家的民主潛力也許不僅於此，北宋後，士大夫階層興起，鄉
紳社會固然是千年來中國社會的實質內涵。但隨著孟子地位的不斷
越級升級，也是在北宋時期，一種人格普遍平等的性善說走上了歷
史舞台，而且普遍的、平等的理念也逐漸向現實的人滲透，從范仲
淹的四民論到王陽明的四民異業而同道之說，我們都可後見之明地
看到現代民主政治的「精神」。泰州學派的平民性格最濃，但泰州
學派的平民性並非是革命性的，它毋寧是孟子學長期的發酵所致。
而從宋代的元佑、慶元黨爭直到明代的東林黨、復社運動，我們也
可找到鬥爭背後一種尋求政治出路的意識。內藤湖南提出的中國現

代性之宋學模式如放在「民主」領域上來講，也頗有啟發。如果宋代以降的歷史有目的的話，一種配合社會發展與人的覺醒的民主理念已孕育其中。理念從來不是在其自身的，從理念之欲（朱子學也有這種概念）在歷史的發展來講，「開出說」是可以理解的。

理念之欲顯示民主制度的出現是源於歷史內部的動力，它獲得表現的機緣，即會出現相應的民主形式。但嚴格說，從中國原生的現代性之民主需求來講，民主制度的出現並不是「開出」，而是「銜接」，因為制度是外來的，它雖為中國內部所欲，卻是在中國外部找到的。事實上，港台新儒家從來不會否認民主制度是外來的。不管從現實發生的狀況，或從牟先生自己的論點來看，我們都有理由認為「銜接說」都是個可以說得通的解釋，而且這種解釋既符合中國原生現代性的情況，也符合當代兩種現代性趨合的要求。我相信牟先生可能不會反對銜接說的說法，但他畢竟選擇了開出說，他的選擇應該有更深的理由。

我相信牟先生的「銜接說」不一定和「開出說」矛盾，如果我們引進新的體用論模式，也許可以解開這種糾結，甚至可以深化其意義。我相信像牟先生民主理論牽涉到的「開出」與「銜接」的矛盾關係不會是孤例；相反的，這是儒家體用論思維可能會出現的型態，事實上也已出現了。民國以來，凡論及「中體西用」、「西體中用」諸種理論都很難繞過「銜接」的問題。

筆者說的新的體用論模式雖然不是牟先生所用的，但可以說是牟先生論題可蘊含的，筆者認為朱子與王夫之的體用論即有這種既開出而又銜接的內涵。我們且以朱子為例，朱子是有體用論思想的，他是理學體用論思維的主要奠基者。眾所共知，朱子的性是具理的，而且性具於心，所以人原則上具足一切存在「所以然」的依據，人的本質與一切可能的世界的本質同體、同等、同大。但性理只具於

心，卻不等於心，因此，此種心要將「理」施之於外，其模式就不能同於「心理同一」說的無限心之主張。所以朱子強調「格物窮理」是不可缺的過程，格物所得的理不是新增的理，而只是「明理」，亦即朗現潛存之理。學者才窮得事物之理即同時明內心的相應之理，這樣的理是既在內，又在外。朱子的理論很容易招來反擊，理到底在內或在外？如在內，為什麼要往外「格物」一番？如在外，朱子為什麼一直強調心具眾理？朱子的理從來不是獲得的，而是內外合應的。陸王心學一直批判朱子學是「義外」之說，是求理於外。但朱子本人一直嚴肅否認，朱子學中人也一直嚴肅否認，羅整菴與陽明爭辯格物之義時，即強烈批判陽明道：求理於外者，反而是陽明，朱子何曾有義外之論？

　　朱子學者始終相信：理在心也在物，但如果沒有經過「格物」的過程，理就不會出現。走「當下」、「頓悟」路線的禪學或陸王之學，如楊慈湖這般以「靜坐」、「覺悟」為工夫論之內容者，朱子認為這樣的學問即不合法。但理既然在心，何以又必然要經過「外在化形式」的「格物」此一彎曲？朱子學者很少正面處理這個疑難，通常他們視這種工夫路線是自明的。但我們今日很難相信這條路線不需要解釋。筆者認為最方便的解釋仍是朱子的格局所顯示出來的：作為本體之性之完備乃在「淨潔空闊底世界」才是本體論地具足。一旦進入氣化的世界，理弱氣強，氣會自行發展，理在現實世界反而有所欠缺。理在本體界的圓滿性，在現實界卻是有極大的遮蔽性，它有待現實物所呈現的新理（不管是認識論的形構之理或是行為事件的形勢之理）為之補充。心之本體既為本體，它不能不是圓滿的，但在實踐意義上，它又不可能是圓滿的。朱子學之所以需要曲折的「格物」這個過程，正是只有經由這個過程，原本潛具的幽暗之理才可能實現其內涵。

如果說朱子學的體用相待關係是透過「工夫論—認識論」的模式展開的，王夫之則直接從本體論的概念敞開出來。王夫之同時肯定道—器、形而上—形而下的相待關係，本體作為世界的本質此義固然不變，但他也一直強調時間歷程的真實與創新，任何在氣化過程的事物都會有新理出現。氣、物、器會自行發展出新理，但不離於氣化的道體又是永恆自若的，所以道器必相含相攝，這是詭譎相依、同時具足的關係。王夫之最反逆覺的復性之說，也反對蘊具一切潛能而自行流出的論點。他主張即事以窮理，反對立理以限事，因為理同時是圓滿而又不滿圓的，理有待於事。不僅理事相待，王夫之的體用、道器關係都是平等的。

如果我們以朱子、王夫之的體用相須、形上形下相待的模式思考牟先生的「開出說」與「銜接說」的關係，未嘗不可找到合理的解釋。因為在朱子與王夫之的體用論模式下，本體事實上是不能直接開出經驗世界的器物或制度的，它需要外在的條件，也需要「人」的介入。所以「民主」的內涵固然可說內在於本體之內，但這種內在是無法肉身化的內在，道體不可能直接開出民主。所以一旦有在現實的主體之外的新「理」（民主）出現，並且撞擊主體時，人需要承認且消化它，「外物」喚醒了主體原來內在而無法穿透的黑幕。本體既在器物之先，也在器物形成之後才可具體地呈現。

牟先生的「開出說」是思維模式意義的，實質上，其現實上的應用反而是「銜接」的。牟先生對王夫之的體用論沒有多大的興趣，他或許也不會允許我將朱子的模式帶進他的「開出說」之論述。但我認為：如果不承認心—物、道—器之間的相須相待、同時具足矛盾性，我們如何整合理念上的「開出」與現實上的「銜接」？但論者很可能對朱子、王夫之這種「玄學」的解決沒有興趣，他們還是不免狐疑，如果「銜接說」是種歷史的解釋，為什麼牟先生要用「開

出說」這種形而上學的解釋？何不乾脆放棄它！在反形而上學的年代，一種沒辦法和歷史行程掛勾的解釋就是無感的，牟先生的「開出說」所以名氣響亮，而「接著講」的人不多，這個現象是有時代背景的。

我認為牟先生所以不放棄形而上學的解釋，他有很強的儒學的理由。在儒學的整體思想中，尤其自從宋儒形成全體大用的理論格局以後，任何儒學的價值因素都很難脫離本體的因素，朱子、呂祖謙合編的《近思錄》以「道體」冠首，這種編排是很符合他們認定的世界秩序的。「本體」在儒學就像「上帝」在基督宗教，它們起了總束的也是建構的作用，雖然對體系外的人很難證實它的存在及意義，但體系內的人少不了它。從儒學內部來看，本體和工夫論、倫理學等等有極密切的關連，從解釋系統到實踐步驟皆是如此。理學家作工夫時，他們通常有經由主體的轉化—世界本質的新識—經典與文化世界的重新定位的歷程。當中環節的核心概念或許可以暫時擱置，但很難取消不論，最恰當的方式當是作概念的轉化。如果儒學在今日世界已是遊魂，「本體」萬一消失了，恐怕「遊魂」連「魂」的幻化之形都保不住了。牟先生的堅持「開出說」和他對本體的關懷是一體的兩面。

相對於牟先生此乍看封閉的一元論、實質上是開放的相會論之思考，他的「開出說」與「銜接說」並不矛盾。最近常見的一種儒家與民主的關係之說法是想從中國的文教傳統採擷精華，直接運用到現實上去，這種思考隨著中國起來，成為世界性的強權以後，似乎有越來越火的趨勢。如果真要按字義解釋的話，這樣的論點反而更接近「開出說」。我個人認為這種建立在文化本質主義上的開出說有合理的一面，因為民主的理念總要在特定的文化風土上顯現的，現代西方社會顯現出的諸多病端，更不能不讓人懷疑：是否西

方的民主政治在本質上即有嚴重的問題。港台新儒家應該也會有條件地同情這種主張，因為他們雖然主張民主的形式條件，但也相信民主的內涵之文化條件，他們也都堅持儒學在人性論、人倫關係、人與自然的關係上有其勝義，這些勝義是今日社會不可缺少者。就強調一種建立在民族文化風格上的民主內涵，如梁漱溟所主張者，「文化傳統開出說」有其合理的一面。在中國內部尋找民主，這個方向沒有錯。民主的內涵也是浮動的，它需要被修正，在阿富汗戰爭、伊拉克戰爭、九一一事件之後，「美國式的民主」所以成為一種受嘲弄的標籤，絕不是沒有理由的。

　　然而，回到千年來儒學的民主之路的發展，我還是相信海外新儒家在1949年的海外完成了儒家與自由主義的整合，民主制度因「開出說」而自然地被納入儒家的體系，這個經驗是值得重視的。新儒家與自由主義者（如殷海光）來台後，兩方都努力嘗試建構兩套價值理念的結合，這個結合有極重要的意義。「民主」的理念如果和民族主義掛勾太緊，不會是好事，一種直接從文化本質的「開出」只會使文化永遠在同質性的韻律中重複運動，開不出，也走不出。

　　楊儒賓，清華大學中國文學系講座教授。主要研究領域為先秦哲學、宋明理學、東亞儒學、神話與宗教學等。主要著作有《儒家身體觀》、《異議的意義：近世東亞的反理學思潮》、《從《五經》到《新五經》》以及甫出版的《1949禮讚》。目前同時進行三本書，一本討論莊子哲學，一本討論理學工夫論，另一本是重探「五行」的專著。

對於大陸新公羊學的初步省思

劉滄龍

　　大陸儒學近年來的思想動向，我的了解非常有限，其中有些研究似乎可以理解為如下的思路。被迫走上西方現代化道路的中國，儒學也因而在百年前失去了制度上的依託。如今隨著中國國勢的崛起，西方現代性及其制度是否適用於中國的反省再度成為議題，回歸儒家思想進行制度性的重構成了一個選項，部分儒學研究者想據此建立更具主體性的中國模式，同時回應西方現代性所引發的困局。這一波大陸儒學的新思潮，試圖走一條和港台當代新儒家不同的思想道路，要求學術工作與政治實踐更為緊密的關係，其中有承擔與開創的氣魄，尤其對於制度化儒學的探討有重要意義，但是也潛藏著若干令人憂慮的思想傾向。我的擔憂可能是基於不充分的認識與不準確的概括，希望藉由進一步的交流來澄清這些疑慮並化解不必要的憂心，以下先簡要地概括我目前對大陸儒學研究中新公羊學派思想動向的初步了解。

　　新公羊學者或者新康有為主義者（以下一併簡稱為新公羊學派、學者），藉由回歸五經（尤其是公羊學），想要找到重構當代中國政治制度的思想基礎。在此一構想中較有代表性的是蔣慶先生的觀點，他主張「政治儒學」是源自孔子《春秋》的「改制立法」之學。蔣慶對「政治儒學」的定義是：「政治儒學是孔子依於《春

秋》經創立的，融會其他諸經政治智慧與禮制精神的，體現政治理
性、政治實踐、政治批判、制度優先與歷史希望特徵的，區別於心
性儒學與政治化儒學的，具有正面意識形態功能而能克服自我異化
的，從春秋至漢至隋至清近現代一脈相承的純正儒學傳統。」[1]

　　蔣慶等新公羊學派的學者認為，儒學的根本關懷是政治實踐，
反對牟宗三在內的港台新儒家的研究範式，認為宋儒的道德心性及
其形上本體並不是先秦儒者的本懷，於是跳過宋儒所倚重的四書，
直接由漢儒的經學傳統中開發孔子的政治思想。蔣慶也認為，港台
新儒家不是不談政治或沒有政治論述，而是從「心性儒學」出發的
政治思想欠缺制度性設計，是「蔽於心而不知制」。於是，從孟子
以下，至於程朱、陽明，以迄港台新儒家的「心性儒學」都是「從
心性本體講政治」，也是一個「優良傳統」，但是脫離了傳統儒家
根據王道所建構的政治制度。基於這個理由，蔣慶認為當代新儒家
無條件接受西方民主政治，未經批判地接受了西方現代性；他自己
的目標則是建構一套以儒學為本位，提出足以超越西方現代性的中
國政治思想。蔣慶並且宣稱，港台新儒家追求的是「西方的政治」
而非「中國的政治」，或者是跟隨西方民主之路的「民主的政制」
而非「儒家的政制」。若是蔣慶的觀點可以表現大陸若干新公羊學
者的思路，那麼此一思考路向很明顯地包含了漢／宋之學的對立性
區分，與中國／西方思想的二分化操作，這麼做的目的是為了替「中
國式」的政治思想找到合法性根據，並且根源於純粹、同一的中國
主體性來構建「儒家式」的政治制度，以超克西方有缺陷的民主政
治。

1　蔣慶，《政治儒學：當代儒學的轉向、特質與發展》（修訂本）（福
　　州：福建教育出版社，2014），頁93。

　　接下來的討論並不特別針對蔣慶先生的看法，而是把若干立場相近的主張歸結為「新公羊學派學者倡言回到董仲舒與康有為，為儒學的制度化重構找到思想上的出路」，檢討此一思路所運用的方法與所趨向的目的，期能有所省思。

　　新公羊學派在方法上有追求「純正儒學傳統」的歸趨。然而正如宋明儒者雖然排斥佛老，但其實已然運用了許多佛老的思想語彙來反對佛老，近年來不少大陸儒學研究者跟新公羊學家採用同樣的進路，想要走一條純粹的屬於中國自身的道路，回到五經等被認為更有始源意義的傳統經典，刻意排斥西方思想語彙，拒絕受到西化思想的污染。這一條研究道路並非完全不可取，或許也有可能不期然地建立一套具有特色的「中國學」。然而，先不論要完全清除百年來早已內化難辨的中西印日等混雜的思想語言養分是一件多困難的「淨化工作」，單單來看「回到五經」或「返漢越宋」，也是某種溯源與淨化的方法構想。倘若回到五經的意圖是想要擺脫歷史的影響，尋找更為純淨的先秦儒家思想，殊不知包括公羊學在內的經學都是歷史建構的產物，這條純淨化、非歷史化的道路豈不自相矛盾？

　　孔子以六藝傳道，然而首次將詩、書、禮、樂、易、春秋稱之為六經，並非始自春秋時代，而是最早也要到戰國時的《莊子·天運》當中才出現，「經」字與書名連用更是到南宋才有的事。「春秋」本來只是史書的通稱，作為魯史的專名則是後來的事，把孔子與魯史《春秋》的關係連繫得愈來愈緊密，乃至將魯史提升至具有規範性意涵的「經書」地位，是經由儒者與帝王共同創造的歷史產物。到了漢武帝設五經博士，儒典才正式被尊為「經」。「經」的常道性不在歷史的源頭，而是在政治與歷史的交互建構中不斷生成。歷來將《公羊傳》推原至子夏的傳授源流都未有確切根據，更

何況是上溯至孔子本人？然而《公羊傳》出於孔門當無疑義，且本
是一部平實嚴整的著作，只是其中全無後來董仲舒所摻入的陰陽五
行思想。孔子作《春秋》、孔門所傳的《公羊傳》、董仲舒所闡釋
的公羊學，三者雖有承繼關係，但思想內容已因歷史推移而有殊異，
不可輕易抹平其間的歷史性差異。回到董仲舒就一定比宋儒更接近
孔子之道？回到漢儒所詮釋的五經就比朱子的四書更為原汁原味？
這種「回到更本源處」的思維表面上推重歷史，其實是一種非歷史
化的思維，若同情地理解，則是因為它蘊涵著熱切的當代關懷。

　　漢代公羊學家深信孔子作《春秋》是為漢立法，於是援引《春
秋》以創制立法、論政、決獄，而且想要通過《公羊傳》為當時已
然成熟的大一統帝國統治尋求理論依據。大陸的新公羊學派如此看
重《公羊傳》，無非想要仿效漢代公羊學家依經立制，研究經學的
目的在於為現實政治服務，回歸漢代經學與政治的大一統地位便成
了努力的目標。再者，自晚清以來中國政治制度的改革始終以西方
為標準的模式愈來愈受到挑戰，漢代公羊學思想便成了尋找當代中
國制度重建模式的理想參照，讓儒典恢復其為萬世立法的超越規範
地位，再度成為指導現世制度的大一統憲章。換言之，回到孔子與
《春秋》，便意謂著在制度重建的道路上終於回到了中國模式，不
必再仰西方鼻息。

　　在詮釋方法上，新公羊學派跟日本古文辭學派，或清儒戴震等
在方法策略上頗為一致，都想要返回古聖王之道來重建當代政治，
然而此一「古聖王之道」卻不如他們自己所想像的那麼純粹，都帶
著無法抹除的當代詮釋與歷史印記。只有刻意忽略經學的歷史性，
才會有起源論與本質論的想像，就像純粹中國性的想像一樣，是非
歷史的虛構。但這並不是說虛構就沒有意義，作為一時一地經驗性
的魯史，被公羊學家抬高到具有超越的規範性的「經」的地位，這

便是帶有虛構性的創造。公羊學派向來有理想化、浪漫化的傳統，寄託古典理想以創制當下現實，這是由虛構所創造的真實，熱切的現實感往往很能鼓動人心，甚至因而推動改造了現實。

《公羊傳》的作者雖然崇尚「大一統」的觀念，但孔門的政治思想主要是依於禮制而言合理的等差秩序，並不要求中央集權的君主專制，君臣等五倫的關係也是相對而非絕對的。《公羊傳》的王權思想既受禮的保障，也受禮的限制[2]。董仲舒把《公羊傳》中「大一統」的思想加以絕對化，加上「屈民而伸君」的思想受到漢代帝王歡迎，於是漢武帝設五經博士時，公羊學獨尊，學術與政治交相為用。董仲舒所倡言的《春秋》「大一統」，要杜絕殊異的百家之論，主張「諸不在六藝之科，孔子之術者，皆絕其道，勿使並進，邪僻之說滅息，然後統紀可一，而法度可明，民知所從矣。」（《漢書‧董仲舒傳》）先秦時期，儒家思想是在多元交匯的思想競爭中卓然成家，至漢初黃老盛行之際，儒道墨法陰陽交織雜揉，雖前有秦火浩劫，然而畢竟保留了思想的一線生機。董仲舒自己的思想即受黃老之學的影響很深，他將戰國以來流行的陰陽五行之術雜入《春秋》思想，其實已經脫離了所謂的「純正」孔子之道，但他卻建議漢武帝非孔子之術「皆絕其道」。至董仲舒後，大一統的學術與政治格局已定，儒學走入經學師說的封閉體制之中，儒生為利祿所驅、

2　關於《公羊傳》的本來面目，及董仲舒等公羊學家如何透過《公羊傳》以古喻今的目的，以及晚清公羊學派一方面伸張公羊學，另一方面越過公羊學以馳騁己說所產生的弊病，徐復觀已有析論，大陸新公羊學者不妨參佐批評。參見徐復觀，《兩漢思想史》（增訂版）卷二（台北：臺灣學生書局，1989），頁326-334。大陸新公羊學派意圖超越港台新儒家所謂的「心性儒學」，可能更多指向的是牟宗三，至於治學路向殊異的徐復觀及其經學與政治思想是否能用「心性儒學」來概括不無疑問。

為帝王所用，思想也愈趨僵化呆板，創造力衰竭。如今新公羊學家
們想要如法炮製，杜絕「純正儒家」以外的雜異思想，尤其要汰濾
掉「西方思想」，不許雜入儒家思想的詮釋當中，彷彿是董仲舒所
要禁絕的邪僻之說。新公羊學派的確正在仿效董仲舒，務令「統紀
可一」，學術與政治的大一統目標昭然若揭。

　　反對當代新儒家借用外來語彙、思維來詮釋中國哲學，反對雜
異、追求純粹與本質化的同一性主體，此一激進的保守主義立場、
本質主義式的文化認同，究竟對反思西方現代性或建構制度化儒學
的思想工作有何益處？不禁讓人懷疑，此一在方法上有欠考慮的策
略，是否來自於狹隘的民族主義情感？在中國崛起的當頭，學者們
也愈來愈有自信可以自本自根地建構「純粹的」中國思想。自信誠
然可貴，但為何要封閉排他？即使在思想上建立中國的主體性有其
正當性，然而當代中文及其思維早已是混雜的跨文化思維語境，新
公羊學者想要拒絕曾經是他們思想養分的當代新儒家的思想，否定
思想的歷史性（姑且不論這是否可能），是否也是一種「抽象的繼
承」？再者，百年來不管是基於被迫或主動的緣故，受益於跨文化
流動，能自由取用東西方思想資源的中國學者，如今竟想走回頭路，
自我閹割此一豐富的跨文化潛力，豈不十分可惜？

　　大陸新公羊學派劃立文化上的自我與他者的方式，的確也可以
在《公羊傳》三階段的演化史觀中找到依據，建立一套本質主義式
的文化認同。根據公羊學的三世論，第一階段是「內中國」而「外
諸夏」；第二階段是「內諸夏」而「外夷狄」；第三階段則達至沒
有邊界的天下大同，從中國到夷狄形成一個不斷擴大的大一統天下
秩序。公羊學家理想政治秩序的想像，是在華夏與夷狄的族群分合
過程中逼顯出的華夏中心論。經歷五六百年春秋戰國時期的紛擾，
華夷之間既有對抗也有合作。許多邊緣地帶本來不是華夏屬地的文

化他者,在多元混雜的文化與種族競合關係中,或是被迫或是自願,也在特殊的階段中開始界定自身為華夏文化的繼承者。華夏中心論的「中心」不是固定的地理上、種族上的中心,華夷之辨是保有彈性,甚至容許混雜變異的文化辨識,於是才成就了華夏天下的豐富華美。後世中國幾經分合,隋唐的大一統是胡漢的混雜演化,元清兩朝更是華夷雙重主體的交錯構成,愈是拉長歷史來看,要找一個本質純淨的中國就愈是困難。

同樣標舉春秋學的康有為,則在19世紀末再度探究《春秋》,將孔子塑造為假託古聖王德治,以革新現實政治的改革者,而非述而不作的守舊者。根據公羊春秋的思想,康有為預設了「一統垂裳」的大一統國際秩序,具有超越於民族國家的規範性力量。在廢除科舉百年後的今天,新康有為主義者,想要回歸經學來重構已然解體的制度化儒家,同時也想效法康有為用新的世界性框架讓儒學走出地域、歷史的限制,成為有如《萬國公法》的普遍規範。先不論國際秩序的部分康有為的想法是否可行,《春秋》「大一統」的思想確實可為當前的中國政治現實服務。為了保全中國,康有為主張更有凝合力的統一才有競爭力,所以主張要完整地繼承清王朝的土地和人口,並防止由種族革命而引發的民族分裂。康有為想要立孔教為國教,讓儒家的價值觀念成為凝聚國民的核心資源,此一構想的目的是為了替國家內部多元民族尋找一體價值的可能途徑。干春松先生明白地表示,康有為的思想是超前的,因為他很早地認識到如何保全中國統一是個當前依舊棘手的難題[3]。康有為的春秋公羊學,

---

3 干春松,〈康有為的「建國方略」〉,《讀書》,2014年,8月號,頁113,全文頁107-114。此外,干春松先生從制度化的角度探討儒家,跨領域的進路也開拓了儒學研究的空間,值得港台儒學研究者借鑒,請參氏著,《制度化儒家及其解體》(修訂本)(北京:中

的確讓儒學找到了充分的理據，再度成為官方意識型態的辯護者。

　　除了公羊學之外，若細讀康有為《大同書》中的理想方案，不免隱藏著令人憂心的同一性暴力。關鍵在於，「大一統」的同一性若是透過政經軍事的外在力量強加於差異性之上，想要泯除差異性的多元力量，後果若不是創造力的貧弱化，就是差異性力量的伺機反撲。「大一統」的同一化和「多元性」的差異化是兩種互相需要的力量形式，如何保持文化創造性的張力，讓同一化和差異化兩股具有衝突性的作用力，成為推動文化更新的內在動能，而不是讓「大一統」和「多元性」成為互相否定的消極關係，是新公羊學家不可不慎思的課題。

　　2015年4月3日蔣慶先生在澎湃新聞的專訪中回應了李明輝先生的批評性意見，辭氣溫厚平和，思維也有開闊的格局。在回應的言論中彷彿想要淡化原來架構中心性儒學與政治儒學的對立性，有時甚至反過來承認心性儒學的優位性，表示心性儒學是政治儒學的根基，頗有調和這場論爭的意味。但是回頭又說政治儒學的天道本體論比心性儒學的本體論層次更高，心性儒學欠缺制度性的批判能力，箇中曲折矛盾仍有待深究。

　　更值得注意的是，蔣先生提到了儒學的批判性，並且認為回到儒學傳統，可以用王道政治中「善的制度性力量」超越西方民主制度。此一理論企圖相當宏大，姑且不論是否成功，倘若儒學真具有批判性，足以超克西方的現代性，儒學是否也必須面對自身的內部批判？例如公羊學表現在董仲舒與康有為「大一統」思想中的同一性暴力、僵固的等級性規範關係該如何克服？再者，康有為一方面回到儒學傳統，同時也積極吸收西方民主思想，當今新公羊學者們

（續）────────────────

　　　國人民大學出版社，2012）。

照理說能有很好的條件，以比康有為更開放的方式來超克西方現代性，捨此不為而走上了更為激進的保守主義立場，豈不可惜？除非新公羊學派根本否定民主的價值，反西方只是用來操作反民主的一道護身符而已，那麼走回康有為乃至董仲舒思想最保守性的部分，便不令人意外。倘若新公羊學派並不反民主，而是也企圖批判性地吸納民主政治，如此一來，王道政治跟民主政治之間的關係便是很值得探究的課題。再進一步，新公羊學家真想要立足於儒家傳統，開創具有批判力道又淳厚深刻的保守主義，足以對治由西方的理性化、現代化所招致的世界性困境，那麼吸收西方一二百年來包含尼采、韋伯在內的反省，而不只是回到儒家自身傳統尋找資源，該當也是合理之事。真想反西方，理解它如何反對自身當屬必要。同樣的，要發揚保守文化傳統，也不能只是一味地頌揚標舉其價值，深刻洞察它內在的限制也是必要的。新公羊學派若想貫徹它保守主義的立場，應該更勇敢地嘗試開放性的自我批判，對於主體自身的混雜性與歷史性毋須否棄，在分化（接納差異）與同化（追求統合）的雙重作用中開放地生成新的文化主體性，這樣的中國才是既特殊又普遍的，才足以開創四方來服的天下格局。

劉滄龍，臺灣師範大學國文學系副教授，研究尼采與儒學。

知識的生產

為何儒學？什麼政治？如何現代？

劉紀蕙

對我來說，《澎湃新聞》李明輝訪談事件引發的幾個問題是：為何台灣與大陸的學術觀點有如此巨大的認知距離以及不同的發展路線？為何台灣自1950-60年代以降所發展出的新儒家，是被大陸儒學團體稱呼的心性儒學？為何大陸近年來快速發展出這一波儒學復興運動，而且其中有一股回到康有為春秋公羊學以及經學傳統的動力，並且以政治儒學自我定位？

這些問題也導引我朝向有關時代性知識生產的思考，以及其中牽涉的為何儒學、什麼政治以及如何現代幾個問題。

一、為何儒學？

這一波儒學復興運動顯然並不僅僅是蔣慶與陳明等人所能夠代表。我們注意到，從官方到學界或是民間，有更為廣泛的擴散，似乎回到傳統儒學是一個共同的傾向。除了興建國學院，重整傳統書院，執行孔廟祭孔，以及民間各地興盛的漢服社、《論語》知識比賽、幼童讀經等等，還有大量的出版物[1]。

1　蔣慶，《公羊學引論：儒家的政治智慧與歷史信仰》（修訂本）（福

　　不過，無論是大陸學者唐文明所說的心學、理學、公羊學之區
分，或是曾亦所說在政治儒學與心性儒學的背後乃是漢唐儒學與宋
明儒學的對立，更是經學與道學的對立，我們都看到「儒學」並不
是一個有共識的範疇，而在歷代經歷了不同階段的內部對立與翻轉。

　　中國歷代思想複雜，無論是儒表法裡，道本兵用，或是長時期
的佛教化、中亞化，以及不同歷史時期來自於希臘神祕哲學、基督
教、巴比倫宗教的痕跡，加上蒙元時代以及大清帝國的思想也有不
同形式的擴展。不同流派彼此引用以及參差詮釋，每一次的書寫都
有其時代的印記。同一個思想家或是政治操作，可能兼有不同思想
脈絡的痕跡，本來就不應該簡單劃分為儒家、法家、道家或是墨家
的派別。如果刻意在宋學或是漢學之間，或是理學／心學與公羊學

（續）————————————————————————————————————

　　　州：福建教育，2014）；蔣慶，《政治儒學：當代儒學的轉向、特
　　　質與發展》（修訂本）（福州：福建教育，2014）；蔣慶，《再論
　　　政治儒學》（上海：華東師範大學出版社，2011）；蔣慶，《廣論
　　　政治儒學》（北京：東方，2014）；甘陽，《通三統》（北京：生
　　　活·讀書·新知三聯書店，2007）；強世功，《中國香港：政治與
　　　文化的視野》（北京：生活·讀書·新知三聯書店，2010）；趙汀
　　　陽，《天下體系——世界制度哲學導論》（南京：江蘇教育出版社，
　　　2005）；姚中秋，《華夏治理秩序史》（海口：海南出版社，2012）；
　　　盛洪，〈儒家的外交原則及其當代意義〉，《文化縱橫》2012年第
　　　4期，頁37-45；盛洪，〈從民族主義到天下主義〉，《戰略管理》
　　　1996年第1期，頁14-19。另可參考葛兆光對於這個脈絡的反省：《何
　　　為中國：疆域民族文化與歷史》（香港：牛津大學出版社，2014），
　　　或是汪宏倫，〈理解當代中國民族主義：戰爭之框、情感結構與價
　　　值秩序〉，《文化研究》19期（2014年秋季號）：189-250。這是
　　　汪宏倫對於1996年出版的宋強等著《中國可以說不》（台北：人間，
　　　1996）以及2009年出版的宋曉軍等著《中國不高興》（台北：INK
　　　印刻文學，2009）等民族主義情感的分析。汪宏倫，〈理解當代中
　　　國民族主義：戰爭之框、情感結構與價值秩序〉，《文化研究》19
　　　期（2014年秋季號）：189-250。

之間，挑選一條代表中國傳統思想的黨派路徑，則是一個過於限定性的選擇，而否認了思想的漫長融合與不斷創生的過程，更陷入了長久以來不斷復返的思想鬥爭歷史。

　　長年研究經學的周予同曾指出，乾隆嘉慶「漢學」的興起，是對於「宋學」的反動而回復於漢；道光咸豐繼續脫離後漢古文經學，而回到前漢今文經學，著重於春秋公羊學以及微言大義[2]。周予同在分析「春秋」與「春秋學」之差別時指出，西漢初年今文學家如董仲舒等人以「公羊學」來宣揚自己的政治思想，遵循兩漢緯書而將孔子變為教主，並將《春秋》與《孝經》視為孔子所作的法典，原因是春秋主張「大一統」，可以使帝國領土的擴張獲得解釋，而《孝經》主張階級的服從與孝道，則可以使帝國王位的繼承得以穩定[3]。在〈《孝經》新論〉中，周予同更指出，「孝悌論」是在中國小農經濟組織的社會基礎上，使各階級各安其分，以便建立一個階級化社會的論述策略，因此《孝經》是一種統治的武器，而封建制度、宗法制度與孝的道德則是「三位一體的安定社會的武器」[4]。

　　朱維錚參考周予同的經學史觀，也提出了解釋：宋學是18世紀

2　可以參考周予同，〈「漢學」與「宋學」〉（1933），頁216-226；周予同，〈《春秋》與《春秋》學〉，頁351；周予同，〈《孝經》新論〉（1936），收入於朱維錚編校，《周予同經學史論》（上海：上海人民出版社，2010），頁338-340、342-343；以及朱維錚，〈晚清漢學：「排荀」與「尊荀」〉，頁335。

3　周予同也指出，漢儒董仲舒的思想是儒家、方士、經生的混合，立博士弟子，變春秋戰國的「私學」為「官學」，是中國官僚政治的定型者，使得擁有經濟權的儒者進而謀取教育權，並且與政治權分潤。周予同，〈《春秋》與《春秋》學〉，頁351。

4　周予同，〈《孝經》新論〉（1936），收入於朱維錚編校，《周予同經學史論》（上海：上海人民出版社，2010），頁338-340，342-343。

初康熙皇帝模擬明初二祖，改變文化政策，重新建立朱熹理學，以便鞏固統治權威，作為「以漢制漢」的控制手段。雍正與乾隆二帝日趨高壓的文化政策，凸顯了朱熹為主的理學權威。乾嘉漢學與宋學的對立，是抵制宋學的高壓；晚清康梁為了抵制漢學，卻回到以讖緯學為基礎的春秋公羊學[5]。

周予同與朱維錚的分析是值得參考的。僅僅從乾嘉漢學到道咸今文經學的轉移，我們就看到了儒家經學傳統的不同路線。古文經學與今文經學之間，已經是政治性的選擇。漢儒從董仲舒等人以降所穩固的封建制度、宗法制度與孝悌道德三環結構，以及忠孝入律、私學轉為官學、士大夫官僚政治的定型，都形成了穩定政權的治理秩序。漢代的儒學，已經不是古典儒家思想，而是後世詮釋與政治操作。不同歷史時刻的詮釋與操作，則又有其時代性的差異，也有其所對應的政治問題，而存在內在的緊張關係。

但是，就某一個層面而言，儒學所鞏固的封建制度、宗法制度與孝悌道德的三環結構，是一套政治治理的操作框架，而不是歷代思想的內涵，更無法遮蔽歷代不同思想仍舊以雜糅方式並存的歷史事實。面對歷代思想，我們仍舊應該回到各別的歷史時刻，以脈絡化與歷史化的方式，理解當時的思想家如何以及為何如此詮釋某些特定文本或是概念，例如《春秋公羊傳》或是大一統與通三統的概念，以及其背後的政治張力何在。

二、什麼政治？

20世紀幾波儒學復興運動，其實都呈現了政治性的操作，也都

5   朱維錚，〈晚清漢學：「排荀」與「尊荀」〉，頁335。

是藉傳統之名來合理化並且鞏固政權的政治手段。　　．

　　康有為以孔教為國教，重申《春秋》所言之君臣名分，成為民
國以降幾次政權合理化的操作修辭。袁世凱復辟稱帝，強調尊孔祭
孔，遵循儒家禮教，宣稱中華立國，而各地擁兵自重的北洋軍閥，
包括黎元洪、馮國璋、徐世昌、曹錕、段祺瑞、孫傳芳、張作霖以
及張勛等人，也都提倡尊孔讀經，制定修身教科書，以孔子為旨歸。
同時，日本1930年代佔領東三省，也在滿洲國開始實行孔教的王道
教育，全面恢復禮樂，執行祭孔典禮，更凸顯了祭孔的政治性意義。
這些尊孔的儀式性操作，都是一種重建政治秩序的宣稱[6]。擔任日本
殖民政府在台灣的總督府學務長的伊澤修二，也納入孔孟主義與四
書五經等漢學經典作為教化的方針。1940年開始，殖民政府在台灣
推動皇民奉公會，更發行《皇民奉公經附孝經》，強調克忠克孝、
大正翼贊、實踐臣道、義勇奉公等概念，可見儒學在日本的天皇制
與殖民治理中也佔據了重要的位置[7]。

　　在台灣接受教育並且成長的一代人，十分熟悉於1960年代以降
的中華文化復興運動。成立於1960年的中華民國孔孟學會，是1934
年南京政府推動的新生活運動以及中華文化復興運動的延續，強調
孔孟學說是「立國、建國的大經大本」，「孔孟學說是三民主義中
心思想的本源」。孔孟學會最大的任務，在於弘揚孔孟之道，使全
國的國民對於「三民主義思想淵源」都能普遍認識，並且實踐力行，
以便「早日完成復國建國使命。」[8]

6　參考舒新城編，《中國近代教育史資料》（北京：人民教育出版社，
　　1961）
7　見國立台灣歷史博物館館藏文物。
8　華仲麐，「孔孟學會」，《中華百科全書》，http://ap6.pccu.edu.tw/
　　Encyclopedia/data.asp?id=8955 （2015/03/10瀏覽）

　　針對1966年中國大陸發起的文化大革命，孫科、王雲五、陳立夫、孔德成等1500人於1966年11月聯名函請行政院，建議發起「中華文化復興運動」，1967年1月28日正式成立「中華文化復興運動推行委員會」，由蔣介石擔任會長，在台灣以及海外同時推行中華文化復興運動[9]。文化大革命的口號是掃除舊思想、舊文化、舊風俗與舊習慣的破四舊，以致於各地孔廟以及其他歷史文物被大量毀損；中華文化復興運動則以禮義廉恥作為全國各級學校校訓，並且以忠孝仁愛信義和平作為倫理道德標準。當大陸如火如荼地推動批林批孔以及儒法鬥爭研究的同時，台灣也積極在各大專院校擴大宣傳對於批孔的「申斥」，由各校院的訓導人員以及導師全面發散，並利用動員月會、週會、朝會等場合邀請專家演講，要求學生閱讀申斥批孔揚秦的相關資料，撰寫讀書心得，並且展開演講比賽、作文比賽以及壁報比賽[10]。

　　隨著中華文化復興運動的推動，由陳立夫所主導的孔孟學會也擴大進行民間的文化傳播活動。1970年開始，孔孟學會每年與教育部以及救國團聯合舉辦暑期青年自強活動國學研究會，加強各大專院校有關孔孟和國學社團的聯繫與活動。每年辦理大專、高中、國中學生與小學教師孔孟學說論文競賽，及小學六年級學生繕寫四書文句比賽，並舉辦孔孟學說優良著作獎，和出版有關研究孔孟學說之叢書[11]。這一波尊孔復古而推崇經學研究的風潮，由上而下，深刻地影響了台灣的各級學校國文教育，也自然而然地帶動了普遍的

9　中華文化復興運動推行委員會的海外地區分會包括日本、菲律賓、泰國、琉球、美國、巴西、烏拉圭、秘魯、莫里斯等地。

10　《中華文化復興運動的實踐與展望》（1977），頁210-212。

11　華仲麐：「孔孟學會」，《中華百科全書》，http://ap6.pccu.edu.tw/Encyclopedia/data.asp?id=8955（2015/03/10瀏覽）

民間以及學校自發的讀經運動[12]。

這些運動推動的計畫除了發揚倫理、民主、科學,研究與出版各種中國文化與傳統思想之外,也獎勵文藝研究,促進教育改革,制定國民生活須知與禮儀規範,振興國劇,舉辦文化活動,徵求淨化歌曲,更要加強進行「對匪文化作戰」。所謂的「對匪文化作戰」,也就是進行「對毛共批孔運動之申斥」,聲討「共匪」廢除漢字的陰謀,舉辦共匪暴政資料展覽,設置匪情資料陳列室,邀請反共義士講述共匪暴政,舉辦批判共匪思想的講演,以及編印共匪真面目小冊等等活動[13]。

兩個政府透過文化冷戰,以中華傳統文化做為正統性的確認或是作為攻擊的對象,凸顯了儒家政治的問題性。

---

12 年輕學生自行組成的三三集團便是具有代表性的例子之一。「三三」集團當年十分積極地到各大學或是中學舉辦座談會,出版「三三集刊」,希望吸引更多的年輕人加入,「讀經書」,讀古籍,以便「復興中華文化」。胡蘭成以「三三群士」寫了〈三三註〉一文:「走進庚申仲春三月,三三群士以集刊為經,分從文章、讀書、講習、講演、證道、演唱、獻詩、討論、編書、出版等作為和修行為緯,經營和遂行所謀家國天下之志,已歷三載風日。」胡蘭成,〈三三註〉,收入於三三集刊編輯群編,《鐘鼓三年》(台北:三三出版,1980),頁106。蔣緯國甚至揚言要發揚「台灣的中道」,完成「第三次十字軍運動」,以建立「大道之行也,天下為公」的世界。蔣緯國,〈第三次十字軍運動〉,收入於三三集刊編輯群編,《鐘鼓三年》,頁30。

13 中華文化復興運動推行委員會編印,《中華文化復興運動的實踐與展望》(1977)。從全書目錄即可清楚看到這些實踐方案。另可參考中華文化復興運動推行委員會主編,《中華文化復興運動紀要》(1981)。

三、另外一種現代政治

　　近年來大陸興起的一股復興儒教的熱潮，的確以十分奇特的方式，重複了尊孔崇儒讀經的復古之風，也再次召喚了康有為春秋公羊學張三世通三統的論述。

　　《公羊學引論》與《政治儒學——當代儒學的轉向、特質與發展》的作者蔣慶，最具有象徵意義。蔣慶強調中國應恢復國家化的儒教：「作為宗教的儒教，是一個中國歷史的常識問題，儒教《五經》中所體現的，都是作為宗教的儒教。」「《春秋》說災異與天人感應，災異與天人感應的前提也必須存在至上的人格神，則必須存在董子所說的作為『百神大君』的『天』」。他也指出，康有為的思想遺產重要處有三個方面：「國教、孔教與虛君共和」。當代回到康有為，是體現了思想界的政治成熟，是對辛亥以來政治現代性的反動。新康有為主義的興起，「說明了中國思想界對百年來的『共和政治』與『人民政治』進行了深刻的反思，看到了源自西方的『政治現代性』存在著問題，希望發掘康有為的思想資源來回應今天中國仍然面臨的『政治現代性』挑戰。」[14]

　　針對台灣學者李明輝近日與大陸當代新儒家的辯論，蔣慶在《澎湃新聞》的訪談回應中再次強調：「政治儒學」的公羊家要強調「化性起偽」、「隆禮重法」，建立「聖王之治」。蔣慶說明，所謂「心性儒學」的陽明學，是他所認為更重要的儒學傳統；他期待心性儒

14　http://mp.weixin.qq.com/s?__biz=MzA3NDEzNTEzMg==&mid=2008
　　91829&idx=2&sn=0095232858b09e824dfadbc9af0b620f#rd（2015/02
　　/28瀏覽），另見蔣慶文集，http://www.confucius2000.com/scholar/
　　jiangqingwenji.htm。（2015/02/28瀏覽）

學可以造就一代儒士君子,因為「只有善人才可能建立善制」,而
「儒士君子是善人」,所以只有儒士君子才可能建立體現王道合法
性的善制。蔣慶將心性儒學與政治儒學比喻為「車之兩輪,鳥之雙
翼」,心性儒學是儒家傳統中的「第一義諦之學」,是儒家「永恆、
絕對、至善、成聖之學」,而政治儒學則是儒家「第二義諦之學」,
是「聖王待興未能直接及身統治」的歷史條件下,按照「王道義理」,
建立一個客觀的制度架構與合理的政治秩序,在其中「安身立命」,
「等待聖王再興」。在這個鋪陳中,「政治儒學」的本體論是「天
道本體論」。所謂「天道」,就是董仲舒所說的「道之大原出於天」
以及春秋公羊學的「天元正始」,是心性之大原,是第一層次的本
體論,至於「心性本體論」只是第二層次的本體論。

　　蔣慶強調春秋公羊學大一統、通三統、天人感應、孔子為王等
思想,對於中國兩千多年作為大一統國家的歷史過程以及政治文明
有實質的影響。根據蔣慶的判斷,中國近現代的政治思想譜系,無
論是自由主義、民主主義或是社會主義,本質上都是普遍化的理性
主義,採取了西方的現代政治,而取消了中華文明的獨特性。因此,
蔣慶呼籲放棄西方的理性化與世俗化的「除魅」現代性,建議恢復
「保守主義」,使得中國依照中華文明的特性發展,因為「復古更
化」是中國歷史的「天命」所在[15]。

15　蔣慶,〈蔣慶回應李明輝批評:政治儒學並非烏托邦〉,《澎湃新
　　聞》20150407。《澎湃新聞》(http://www.thepaper.cn)先後刊登
　　了李明輝於2015年1月24日接受專訪的訪問稿,以及一系列大陸學
　　者的回應。台灣中央研究院文哲所於2015年3月28日舉辦了「儒學
　　與政治的現代化:李明輝澎湃新聞專訪座談會」,邀請了不同學者
　　針對這個事件發表意見。本文即筆者在這個座談會上的發言稿修改
　　而成。

　　蔣慶希望逆轉趨勢，抹除20世紀的歷史過程，重新喚起保守主義，回到中華文明的特性，其實是否認了歷史發展的物質條件以及社會狀況，更是選擇性地附著於晚清公羊學的論述，卻讓這個復返無法避免地帶有宗教性再魅化的神祕色彩。

　　甘陽與蔣慶的政治立場不同，但是，他同樣地回到了公羊傳春秋大一統與通三統的當代詮釋[16]。為了要解釋「春秋大一統」的意義，首先他引用清儒陳立對於《公羊義疏》的說法：「春秋大一統者，六合同風，九州共貫也」（《漢書‧王吉傳》），並且說明，「春秋大一統」就是指中國這個「歷史文明共同體」的人民具有共用的文化傳統和習俗禮法，「風俗各異的先民在長期交往過程中逐漸形成共同的文化認同」。其次，甘陽引用《禮記‧坊記》的「天無二日，士無二王，國無二君，家無二尊，以一治也。即大一統之義」，說明「春秋大一統」是指中國這個歷史文明共同體同時是「統一的政治共同體」，「具有政治統一性而反對政治分裂」。他並且強調，政治共同體必有「統一的最高主權，不能有兩個以上的主權，更不能允許有國中之國的現象」，否則就會「分崩離析」。第三，甘陽引用「大一統者，通三統為一統，周監夏商而通天統，教以文，制以文。春秋監商而建人統，教以忠，制尚賢也」，進而說明「春秋大一統」也指向中國具有高度「歷史連續性」，「每一個後起的新時代能夠自覺地承繼融會前代的文化傳統，這就是所謂『通三統』」。「不但漢民族主導的漢、唐、宋、明各朝各代，而且少數民族入主中原的元代和清代，也都以『通三統』的方式自覺地承繼

16　甘陽與蔣慶的立場是不同的。在《通三統》一書中，他指出當前必須以公羊學「通三統」的說法，結合孔夫子的傳統、毛澤東的傳統以及鄧小平的傳統。蔣慶則反對將毛澤東與孔子結合起來。

融會中國歷代積累的文明傳統。」如果沒有這種自覺的承繼融會歷
史文明傳統，「不認前代的舊統」，那麼中國歷史文明必然「早就
中斷」。只有每一個新時代都能自覺地「通三統」，才有「生生不
息的中國歷史文明連續統。」最後，甘陽說明「春秋大一統」的理
念還可以表達「世界大同」的理想。根據春秋公羊學中的「三世說」，
到了「太平世」，就不再有中國和外國的區別了，而是如同康有為
所說的「天下遠近大小若一」。在這樣的「大同之世」，天下將「無
國土之分，無種族之分，無兵爭之事。」[17]

　　蔣慶與甘陽所提出的公羊學當代詮釋，「托古改制」、「托古
創教」，都在於「古」為「今」所用，無論是從六經來構想中國憲
政，或是強調儒家文化王道精神的差序格局，都是一種外儒內法的
政治秩序重建，也就是外儒內法的「春秋大一統」之政治倫理與治
理技術。從儒家倫理來構想天下的政治秩序，自然會強調禮治與德
治，也就是長幼、尊卑、上下、中心邊緣的互惠關係與道德責任。
但是，這種中心與邊緣的政治階序關係，以及以道德訴求作為政治
修辭，卻恰恰容易無視於不平等關係之下的壓迫性。

　　雖然蔣慶強調政治儒學，對他而言，心性儒學與政治儒學二者
底層相通，都是朝向道德性的善人政治或是聖王政治。但是，儒家
「永恆、絕對、至善、成聖」之學，如何能夠避免其抽象化的道德
宣稱與實際政治之間的落差？善人如何界定？善制如何不是一己之
私？聖人之治如何被制衡？聖王的「隆禮」，如何不會以理殺人？
蔣慶所稱的「等待聖王再興」以及強調道德的理想性，這個思想上
的模糊地帶的確有其誘惑以及危險性。這些唯心而模糊的吸引力，
也是脫離「政」的道德理想容易鋪陳出的陷阱。

17　甘陽，《通三統》，頁 1-3。

　　甘陽所提出的「春秋大一統」以及關於中國文明共同體的歷史
詮釋，也有其視野局限。首先，強調共同的文化認同與歷史共同體，
容易隱含抹除各自不同的文明風俗以及內部的等級差異，而以主導
文明來定義這個歷史共同體。其次，強調唯一的最高政治主權，必
然牽涉了核心與邊緣的不平等位階，進而隱沒核心地區內部的不平
等以及邊緣地區內部的不平等。第三，中國的歷史過程並不是平整
的連續性，而是持續的斷裂與重組。歷史連續性的敘事模式，更遮
蔽了曾經發生的權力重組以及其摩擦與暴力。最後，對於「世界大
同」的無邊界世界想像，是放棄了各個不同的在地社會的自治與主
體性。如果沒有邊界，這些小地區以及小政府難免輕易地被不同形
式的帝國殖民。過去是軍事與政治，今日是新自由主義的資本擴張，
都是帝國殖民的結構，背後都是權力以及資本的集中。

　　強世功在《中國香港》一書中，完全參照蔣慶與甘陽的復古模
式，以儒家文化王道與差序格局的模式，解釋鄧小平「一國兩制」
或是「一國多制」所援用的儒家政治倫理，也就是涉及了中心與邊
緣、主體與補充、多數與少數、內陸與邊疆的差序關係。強世功說，
中國封建制度歷史所發展的朝貢體系，到朝鮮越南的宗主國隸屬關
係，到藏蒙回的邊疆版圖治理，也延續了從大一統的郡縣制度，然
後再擴張到周邊藩屬的邊疆封建，這就是中華帝國的模式。這是一
種長幼有序、尊卑有別的儒家倫理以及「差序格局原則」，同樣也
是國家所遵循的「政治倫理原則：邊疆服從中央的主權權威，中央
承擔起邊疆安全與發展的政治責任」[18]。

18　強世功，《中國香港：政治與文化的視野》，頁228。強世功在2003
　　到2007年間，借調到中央人民政府駐香港特別行政區聯絡辦公室
　　（中聯辦），成為中國官方智囊，在《讀書》於2007-2008年間發
　　表了十三篇「香江邊上的思考」，後來集結成《中國香港》一書。

　　從蔣慶、甘陽到強世功，我們正好看到了從儒家倫理論述到帝國政策制定的一脈相承。前現代的帝國想像成為了當前擴張中的大政府治理的政治修辭。大政府之下，邊緣的小政府能夠有其自主與自治的平等空間嗎？

四、如何現代？如何政治？

　　傳統思考，可以是讓我們思考當代問題的資源，也可以是箝制我們想像的意識形態框架。什麼樣的思考資源，可以協助我們面對現代的問題？

　　當代的問題，與晚清時代不同，也與1930或是1960年代不同。當前透過新自由主義快速擴張的資本帝國，不透過軍事，不佔領土地，而可以透過跨國界金融機構，進行資本集中以及財富集中。春秋大一統的帝國想像或是大同世界，是一個方便的政治修辭，卻必然有中心邊緣以及上下等差的階序差異，也有因為權力資本集中而造成的壓迫。在這種被合理化與自然化的階序秩序之下，要對這種壓迫性機制以及意識形態進行抵制，就會十分困難。

　　目前我們思考的重點，不應該在於藉由儒家政治倫理的帝國政治框架，再次強化核心與邊緣的秩序，而應該反向思考：如何可以突破具有等差秩序的帝國想像？如何化解被觀念化固定下來的壓迫性意識結構？

　　什麼樣的傳統思想資源可以協助我們思考這個階級性的意識結構呢？

　　當前大陸儒學復興運動，就某一個層面來說，是對於中國七十年代的文化大革命以及批林批孔的否定。批林批孔運動或是儒法鬥爭，表面上一則反映出對於國民黨政府尊孔的批判，再則也是內部

黨派路線鬥爭,更是扭曲歷史人物的影射史學濫觴。但是,實際上,從大量儒法鬥爭史研究中,我們也看到了中國歷代思想對於儒教封建世襲以及土地集中的變法改制。

歷史上對於權力集中以及土地集中的治理模式進行抵制性的思考,根據不同的社會狀況,以平等的原則,制定合於共同居住的法則,或許更是我們要參考的資源。

但是,重點不在於回到的傳統經典,而在於從這些思想的歷史脈絡,探討思想家如何面對其時代,如何回應其時代,以便真正理解其介入時代的政治性力量;更重要的是,我們如何從思想家在不同歷史脈絡突破其自身局限的思考路徑,尋找到參照視野,並且面對現代,創造出回應現代問題的思考角度以及觀念語彙,而這將是具有介入性與政治性意義的知識生產。

劉紀蕙,國立交通大學社會與文化研究所教授。主要著作為《文學與藝術八論》,《孤兒・女神・負面書寫:文化符號的症狀式閱讀》,《心的變異:現代性的精神形式》,《心之拓樸:1895事件後的倫理重構》。專門研究領域包括精神分析與批判理論、政治哲學、東亞現代性、台灣文化。目前的研究興趣是20世紀中國思想的政治性。

致讀者

　　本期《思想》以「動物與社會」為封面專輯，或許會引起讀者側目。不過「動物」（non-human animals）本來便是人類這種動物的關鍵他者，與人性相互襯托界定，是人性的限定所在。人類之所以忽視動物，不是因為動物不重要，而是因為人類的道德意識被成見所蔽。歷史明確顯示，必須等到社會本身的道德意識正在醞釀著大變革，動物的議題才會破土而出。

　　近代西方第一次動物保護運動，寄身於19世紀英國的社會改革，與解放奴隸、保護少女、保護童工、救助遊民，乃至於要求婦女投票權，勞動條件的改善等等改革訴求一起出現。20世紀後半葉，動保運動又一次復興，其背景則是1960-70年代美國的民權運動、婦女運動、反越戰、生態保護，以及年輕人的「反文化」。在這片追求「解放」的氛圍之中，彼得・辛格的《動物解放》適時問世，將人類對於其他物種的歧視與種族歧視、性別歧視相提並論，從而把動物議題提昇到與人類問題同樣重要的地位。在台灣，動保運動同樣藉助於1980-90年代的民主化以及各種社會運動，與勞工、環境生態、婦女、消費者保護、原住民、學生等各方訴求先後出現。總之，動物議題是時代的產物，也是社會求變的一個環節，是不應等閑視之的。

　　這個專輯題為「動物與社會」，一則突出動物議題乃是整體人類與社會問題的一個側面，但也呼應當前學院中「動物研究」的整體問題意識。在當前的台灣以及香港、大陸，動物研究與動保運動

都方興未艾,很值得系統地討論。受限於本刊的篇幅,這次的專輯只能呈現台灣學院與運動界的局部現況。需要指出,專輯尚包括了莽萍女士的專訪,相當全面地描述中國大陸的動保運動,特別有其參考價值。

近年來儒學在中國復興,尤其以「政治儒學」為名的公羊學傳統引導風騷,是大陸知識界的一件大事。「政治儒學」有意識地與所謂「港台心性儒學」對比,自許為儒學在新時代的重大進步。本期的另一組文章「兩岸儒家」,便是幾位台灣研究儒學的學者對大陸政治儒學的評論。這個專題由楊儒賓與何乏筆二位推動,整個討論的緣起與其中的意義,特別是儒學在大陸蓬勃發展的宏觀背景,在他們所撰寫的前言中有詳盡的說明,請讀者參閱。

晚近儒學在中國大陸的發展,與新世紀以來不少中國知識分子對於「天下」概念的興趣是相關的。「天下」之說被視為中國獨特的傳統,據說有足夠的資源去設想一套新的世界秩序,也為中國在其中找到自我定位。本期葛兆光先生的長文以歷史為據,對這套論述多所質疑。文章的措辭始終溫和,不過用心的讀者不難在字裡行間感受到作者對知識真誠的嚴峻堅持。

編　者　2015年初秋

思想29
動物與社會

2015年10月初版　　　　　　　　　　　　　　　　定價：新臺幣360元
有著作權・翻印必究
Printed in Taiwan.

編　　　著	思想編委會	
發 行 人	林　載　爵	

出　版　者	聯經出版事業股份有限公司	叢書主編　沙　淑　芬
地　　　址	台北市基隆路一段180號4樓	校　　對　劉　佳　奇
編輯部地址	台北市基隆路一段180號4樓	封面設計　蔡　婕　岑
叢書主編電話	(02)87876242轉212	
台北聯經書房	台北市新生南路三段94號	
電　　　話	(02)23620308	
台中分公司	台中市北區崇德路一段198號	
暨門市電話	(04)22312023	
台中電子信箱	e-mail：linking2@ms42.hinet.net	
郵政劃撥帳戶	第0100559-3號	
郵 撥 電 話	(02)23620308	
印　刷　者	世和印製企業有限公司	
總　經　銷	聯合發行股份有限公司	
發　行　所	新北市新店區寶橋路235巷6弄6號2樓	
電　　　話	(02)29178022	

行政院新聞局出版事業登記證局版臺業字第0130號

國家圖書館出版品預行編目資料

動物與社會/思想編委會編著．初版．臺北市．
聯經．2015年10月（民104年）．352面．14.8×21公分
（思想：29）
ISBN　978-957-08-4628-7（平裝）

1.言論集

078　　　　　　　　　　　　　　　104019207